KB077215

김영옥의 제과제빵학
[농산물 활용방안편]

김영옥의 제과제빵학[농산물 활용방안편]

발 행 | 2024년 3월 13일
저 자 | 김영옥
펴낸이 | 한건희
펴낸곳 | 주식회사 부크크
출판사등록 | 2014.07.15.(제2014-16호)
주 소 | 서울특별시 금천구 가산디지털1로 119 SK트윈타워 A동 305호
전 화 | 1670-8316
이메일 | info@bookk.co.kr

ISBN | 979-11-410-7638-2
www.bookk.co.kr

김영옥의 제과제빵학
[농산물 활용방안편]

김영옥 지음

머리말 -- 9p

1장. 쌀을 이용한 제과제빵 ---------------------- 10p

- 쌀의 개요 ----------------------------------- 10p
- 쌀의 특성 ----------------------------------- 16p
- 쌀의 저장 ----------------------------------- 18p
- 쌀가루의 입자크기 ---------------------------- 20p
- 쌀의 발아와 도정 ----------------------------- 21p
- 쌀의 품종별 --------------------------------- 22p
- 쌀가루를 이용한 베이커리 ---------------------- 24p
- 쌀가루의 제조 -------------------------------- 26p
- 쌀가루의 특성측정 ---------------------------- 28p
- 쌀 베이커리 제품 품질 특성분석 ---------------- 29p
- 쌀 마들렌의 품질특성 -------------------------- 29p
- 찹쌀구움과자의 품질특성 ----------------------- 34p
- 쌀 케이크의 품질특성 -------------------------- 36p

2장 쌀가루에 의한 쌀빵의 특성비교 --------------- 39p

- 건식, 습식 및 반습식 쌀가루에 의한 쌀빵 특성비교 -- 39p
- 실험에 따른 결과 및 고찰 ---------------------- 44p

3장 쌀가루가 첨가된 식빵의 제빵적 특성 ---------- 51p

- 쌀의 성분 분석 및 외관특성 ------------------- 54p
- 전분의 호화특성분석 ------------------------ 54p
- mixograph 분석 --------------------------- 55p
- 식빵 제조 방법 ---------------------------- 55p
- 연구결과에 대한 고찰 ------------------------ 56p
- 쌀가루의 호화특성 ------------------------- 58p
- 쌀가루 복합분의 mixograph 특성 -------------- 59p
- 쌀빵의 품질특성 비교(고아미2호, 추청벼) ---------- 59p

4장 국외 쌀가공 제품 및 현황 ---------------- 64p

5장 유산균을 이용한 발효 쌀가루의 이화학적 특성 -- 67p

6장 쌀가루를 활용한 쌀빵 레시피(참고문헌) ------ 72p

- 쌀가루 제과.제빵 레시피 --------------------- 77p

7장. 오미자 추출물을 이용한 제빵적성 ----------- 83p

8장. 오미자 발효액을 이용한 호밀사워반죽 ------- 92p
의 발효특성

- 일반성분 분석 ------------------------------ 94p
- 오미자 발효액 제조 -------------------------- 95p
- 호밀사워반죽의 제조 -------------------------- 95p
- 호밀사워반죽의 ph 및 총산도 측정 -------------- 95p
- 호밀가루, 오미자 발효물 및 호밀사워반죽의 효모와
  젖산 세균수 측정 ---------------------------- 96p
- 호밀사워반죽의 팽창률 측정 -------------------- 96p

9장. 오미자 추출물 항산화 효과 ------------------ 103p
- 오미자 추출액의 조제 ------------------------- 106p
- 시료의 제조 ---------------------------------- 107p
- 항온저장 및 가열조건 ------------------------- 107p
- 용매별 오미자 추출물의 항산화력 측정 ------------ 108p
- 결과 및 고찰 --------------------------------- 108p

10장. 한약재 및 액상칼슘을 첨가한 제빵의 품질특성 ----- 115p
- 소보로 빵의 제조 ----------------------------- 118p

11장. 인지기능활성을 가진 생약복합물을 이용한 빵의 제조 및 특성 ---------------------- 122p
- 인지기능활성 실험을 위한 생약 조성물의 조성과 추출 -------------------------------- 125p
- 인지기능 관련 수용체 및 효소에 대한 조성물의 invitro 저해활성 ---------------------------- 126p
- 생약조성물을 첨가한 빵의 품질특성 실험 ---------- 127p
- 생약조성물을 첨가한 빵의 품질특성 -------------- 128p
- 빵의 색도 ------------------------------------ 130p
- 조직감의 측정 --------------------------------- 131p

12장. 우리농가를 살리는 우리밀 바로알기 -------- 134p

13장. 우리밀 유통시스템 --------------------- 152p
- 우리밀의 생산실태와 문제 ---------------------- 153p
- 우리밀의 수매, 보관상의 문제 ------------------ 156p
- 우리밀의 가공상의 문제 ----------------------- 157p

14장. 우리밀 산업발전 유통력 문제 고찰 --------- 161p

15장. 우리밀 소비에 대한 문제점 고찰 ----------- 165p

16장. 우리밀 산업발전방향 -------------------- 168p
17장. 소비욕구 변화에 따른 대처 방안 ----------- 172p
18장. 우리밀 식량자급율에 대한 고찰 ------------- 176p
- 국산밀 소비자 인식 조사 및 분석 --------------- 179p
- 국산밀 제품력 조사 ------------------------- 181p
- 국산밀 브랜드의 선호도 조사 ------------------ 184p
- 농식품부 밀산업 중장기 발전 대책 마련 ---------- 189p
19장. 우리밀 인식 그리고 소비자 건강 ----------- 197p
- 미국농약의 위험성 ------------------------- 199p
- 몬트리올 의정서에 강력한 오존층 파괴물질 규정 ---- 199p
- 작업자 중독 위험성 심각, 국내 발생사례 다수 ------ 202p
- 검역본부 무증상 작업자 건강에도 부정적 영향 ------ 203p
- 국내 메틸브로마이드 사용 과다 규제초자 없다 ------ 205p
- 국내 환경,인체에 안전한 물질(제품)등록.생산 ------- 206p
- '중대재해처벌법'의 직업성 질병 유발 해당물질 ------ 207p
20장. 우리밀 이용실태 조사 -------------------- 211p
- 우리밀을 이용한 식빵의 예 -------------------- 212p
- 우리밀과 수입밀의 원가비교 ------------------- 212p
- 우리밀의 성분과 특성 ----------------------- 213p
- 천연효모 / 천연효모균의 구분 ----------------- 220p
- 천연발효 빵의 가치 ------------------------- 223p
- 중요도, 만족도 IPA 분석기법 ------------------ 225p
- 고객 충성도의 정의 ------------------------- 228p
- 전통방식 자가 제조와 전문업체 제조비교 ---------- 231p
- 사워도우 산업적 이용 ----------------------- 232p
- 사워도우를 선택할 때 고려할 점 ---------------- 234p
- 빵의 역사와 천연발효 빵 --------------------- 237p

21장. 천연발효 빵이 좋은 이유 ------------------- 239p
- 천연발효빵 만드는 방법 ------------------------ 240p
- 효모와 박테리아는 공생관계 --------------------- 244p
- 천연발효 미생물의 구성 ------------------------ 245p
- 천연발효와 제빵 ----------------------------- 247p
- 천연발효 빵의 장점 --------------------------- 249p

22장. 쌀 천연 발효액종을 첨가한 우리밀식빵 의 품질특성 참고자료 -------------------- 251p
- 쌀 천연발효액 제조 및 이화학적 특성 ------------- 255p
- 쌀 천연발효액종을 이용한 우리밀 식빵 제조 및 특성 --------------------------------- 257p
- 쌀 천연발효액의 이화학적 특성 ----------------- 262p
- 쌀 천연발효액종을 이용한 우리밀 식빵 의 품질특성 -------------------------------- 266p
- 쌀종 첨가 우리밀 식빵의 저장기간 중 품질변화 ------------------------------------ 271p
- 아마란스 분말을 첨가한 천연과일액종 식빵의 품질특성 ------------------------------ 280p
- 아마란스 분말을 첨가한 천연과일액종 식빵의 저장 중 품질특성 ---------------------- 288p

붙임. 국가직무능력표준(NCS)기반 종목별 능력단위 선정표 295p

머리말

안녕하세요! 제과기능장 김영옥입니다.

농산물을 활용한 제과제빵 연구자료를 통해 일반사람들도 쉽게 접할 수 있는 정보를 집약하여 제작한 이 책에 대해 소개하고자 합니다. 이 책은 농산물을 활용하여 다양한 제과제빵을 만들고자 하는 분들을 위해 귀중한 자료로 구성되었습니다.

이 책은 전문적인 지식을 갖추지 않은 일반사람들도 어려운 용어와 설명들이 표기되어 있지만 결과적으로는 농산물과 제과제빵의 특성을 알 수 있도록 구성되었습니다. 농산물을 활용한 제과제빵의 기본 개념부터 시작하여, 독자들이 농산물의 중요성과 가치를 더욱 깊게 이해할 수 있도록 하였습니다.

농산물을 구매하고 보관하는 팁과 재료의 특성을 이해하는 방법에 대해서도 자세히 다루어, 독자들이 더욱 효과적으로 농산물을 활용할 수 있도록 도움을 드리고자 다양한 참고문헌과 연구자료의 인용을 통해 제과제빵에 대한 지식과 노하우를 습득하고, 일상에서 쉽게 적용하여 다양한 맛과 풍미를 누릴 수 있는 기회가 되길 바랍니다. 많은 분들이 이 책을 통해 더욱 창의적이고 맛있는 농산물 제과제빵을 경험하시어 제과제빵산업에 조금이나마 기여하고자 편찬하였습니다.

감사합니다!

1장 쌀을 이용한 제과제빵

1. 쌀의 개요

쌀(Oryzae sativa L)은 전 세계 인구의 50% 정도가 주식으로 이용하고 있으며 탄수화물과 단백질의 공급원이다. 쌀의 구성성분은 품종뿐 아니라 재배지, 수확기간, 건조정도, 저장방법, 가공방법 등에 따라 달라질 수 있다.

가. 쌀의 종류 및 특성

쌀의 분류는 지리 생태적, 형태, 품종, 도정, 목적, 색, 재배조건에 따라 분류할 수 있다. 지리 생태적으로 인디카, 자포니카, 자바니카형 으로 나눈다. 우리나라, 일본, 중국 지역에서는 쌀알의 형태가 동그랗고 크기가 작으며 조리 후 밥에 끈기가 있는 자포니형, 열대 또는 아열대 지방에서는 벼의 키가 크고 잎의 색이 엷으며 쌀알의 길이가 길고 탈곡이 쉬운 인디카형, 다른 쌀 문화권(인도네시아, 자바섬)에서는 자바니카형을 재배하고 있다. 쌀알의 형태에 따라 초장립종, 장립종, 중립종, 단립종으로 나뉘어진다.

우리나라에서는 둥그런 타원형으로 찰기가 있으며 밥맛이 특징인 자포니카형의 벼가 주로 재배되고 있으며, 물깊이 50cm 이하에서 재배되는 논벼로 재배되고 있다. 메벼는 배유가 반투명하고 전분이 약 15~35%의 아밀로스와 나머지의 아밀로펙틴으로 구성되어 있으면서 주로 밥쌀용으로 이용되는데 아밀로스 함량에 따라 밥의 끈기와 단단한 정도는 달라질 수 있다. 멥쌀은 찹쌀보다 아밀로펙틴함량이 적어 점성이 낮으며 요오드반응에서 농청색을 나타낸다. 아밀로그램은 점도가 낮으며 밀도(consistency)가 높다.

찰벼의 종인으로 나미(糯米) 또는 점미(粘米)라고도 한다. 입형에서는 멥쌀과 차이를 보이지 않으나 배유가 불투명하고 전분이 아밀로펙틴으로만 구성되어 있으며 주로 떡용, 가공용으로 사용되는 찰벼로 구별되어진다. 찹쌀은 멥쌀에 비해 호화개시나 진행속도가 빠르며 취반시작 10분 후 입자 표층뿐만 아니라 전분립까지 호화되며, 유동화되어 멥쌀보다 큰 공극을 많이 형성하고 전분이 호화된 풀의 유동성은 멥쌀보다 훨씬 높다. 찹쌀 전분은 100% 아밀로펙틴으로 구성되어 있어 요오드와의 결합이 약해 적자색

반응을 하며 아밀로그램은 점도가 높고 밀도는 매우 낮다. 그 밖에 생육기에 따라 극조생종, 조생종, 중생종, 만생종으로 구분하며 까락이 있고 없음에 따라 무망종, 유망종으로 분류한다.

쌀의 품질은 용도에 따라 구분할 수 있다. 쌀겨는 사료용이나 유지 제조에 사용되며 싸래기는 주정용이나 과자 가공용으로 사용되며, 배유는 주정용, 떡, 국수제조에 사용된다. 식미 품질의 경우 우리나라의 소비자는 쌀알의 크기가 중간정도의 투명도가 높고 윤기가 있는 쌀을 선호하며(Kim 등 1988) 쌀의 물리적 특성으로는 경도, 비중, 전분입자의 크기, 수분흡수속도, 물결합능력, 팽윤력, 용해도, 도정도 등을 보며 화학적 특성으로 아밀로스, 단백질, 호화온도, 지방산가 등을 볼 수 있다.

나. 쌀의 구조

벼는 왕겨(Hull)와 현미로 구성되어 있고 왕겨는 큰 껍질(Palea)과 작은 껍질(Lemma)로 이루어져 있으며 현미는 표면으로부터 과피(Pericarp), 종피(Testa) 및 배유(Endosperm)로 형성되어 있다. 종피는 배유에 걸쳐 외배유, 호분층, 내배유로 구성되며 과피, 종피, 외배유 및 호분층을 총칭하여 미강층이라고 한다.

배유부분은 우리가 주로 식용으로 이용하는 부분으로 전분을 저장하는 기능을 가지고 있으며, 1~3㎛ 정도의 단백질을 저장하며 90~92%가 전분 물질을 저장하고 있다. 6~9%는 단백질로 구성되어 있다. 배아는 현미에서 가장 우수한 영양가를 가지고 있으며 조지방 21.4%, 조단백질 21.3%, 조회분 3.0% 및 당질 39.1%로 구성되어 현미와 외부와의 평형함수율 상태를 유지하는 기능을 가지고 있다.

다. 쌀의 구성성분 및 영양

쌀은 도정상태에 따라 영양성분이 달라질 수 있는데 일반적으로 백미의 경우수분 15.5%일 경우 가식부 100g 당 당질 75.5g, 단백질 6.8g, 지질 1.3g, 회분0.3g, 조섬유 0.3g 으로 구성되어 있다. 백미 100g당 약 356kcal의 열량을 내는 에너지원이다.

쌀의 구성성분 중 가장 많은 양을 차지하고 있는 것은 전분으로 식품의 가공적성과 쌀의 취반특성에 중요한 요인 중에 하나이다. 전분은 3~10㎛크기로 곡립의 형성과정에 따라 구조가 다를 수 있다. 전분은 아밀로스와 아밀로펙틴으로 구성되어 있으며 아밀로스는 α-1,4 glucoside 결합으로 연결된 직선사슬의 중합체이며, 쌀 아밀로스의 평균 중합도(DP)는 530~790 포도당 단위이며 1000 포도당 단위당 6.4~9.9 분지를 나타내며 분지사슬의 평균 길이는 100~160 포도당 단위라고 보고되고 있다.

또 하나의 중요한 특징은 직선상의 나선 구조 안에 지질과 지질유도체, 요오드와 알코올 등의 복합체와 inclusion complex를 형성하며 아밀로스와 결합된 지질이 가열 중 아밀로스의 용출, 전분의 호화와 노화특성에 변화를 가져온다는 연구결과가 있다.

아밀로펙틴은 α-1,4 결합의 포도당 사슬이 4~6%의 α-1,6 결합에 의해 연결된 거대한 cluster 구조로서 각 사슬은 이중나선 구조로 존재한다. 도정한 쌀과 쌀겨에는 전분이외의 식이섬유가 백미에는 0.1~0.2%, 쌀겨에는 9.5%가 있으며 식이 섬유소는 인간의 소화기관내에서 효소에 의해 분해되지 않는 식품 성분으로 생체 조절기능 뿐 아니라 물 흡수력이 커서 도정이나 쌀의 조리가공에도 많은 영향력을 준다.

쌀에 함유된 단백질은 세포내의 전분립 사이에 존재하며 과립상의 단백체로1~2㎛ 크기로 비결정형과 결정형 두 가지 형태로 배유의 호분층에서 대부분 발견되며 배유조직의 중앙부위에 전분이 풍부한 곳에 존재한다. 쌀의 단백질체는 글루텔린(80%), 글로불린(10%), 알부민(5%), 프롤라민(1~5%)으로 구성되어 있으며 쌀의 단백질 함량은 쌀의 품질과 밥, 쌀 가공식품의 텍스쳐에 영향을 주며 다른 곡류에 비해 라이신 함량이 밀 2.3(g/16g of N), 옥수수 2.5(g/16g of N)에 비해 3.8(g/16g of N)로 높은 편이며, 글루탐산 함량이 낮다고 보고하였다.

쌀의 지방질은 호분층과 배아에 많이 있으며 쌀겨보다 도정한 쌀에는 지방함량이 적고 쌀 배유 중의 지방질은 단백질과 결합되어 있으며 도정한 쌀 중의 지방질의 조성 및 이화학적 특성은 쌀의 영양, 가공 및 저장 등에 많은 영향을 준다. 쌀의 비타민과 무기질은 주로 호분층과 배아에 존재하며 현미 중 비타민 B복합체의

50%가 도정에 의해 감소되며 다른 비타민과 무기질도 감소한다고 하였다. 무기질의 양과 성분은 쌀이 재배되는 토양과 기후에 영향을 받는다고 하였다. 백미에 있어서 지질함량은 적지만 열전달 및 풍미 성분의 매개체이며, 단백질 및 전분과 결합된 형태로 유화적 특성을 나타내고 조직의 물성 등에 영향을 미친다고 하였다.

쌀에는 비타민 B1, B2, 나이아신 등 B 복합체가 존재하여 당질 대사의 조효소로 작용하여 열량을 생산하는데 필수적인 역할을 하고 있으며 신경기능 및 발육촉진 등 중요한 기능을 가지고 있다고 보고하였다. 쌀 기름은 대부분 중성지질로 되어 있고 당지질이 5%, 인지질이 9%, 지방산 조성에서 불포화지방산인 올레산과 리놀산이 약70%, 포화지방산인 팔미트산이 17~20%를 차지하여 양질의 기름을 가지고 있으며 지질대사면에서 콜레스테롤 함량을 낮춘다고 보고되었으며 쌀겨에 함유된 피틴산이나 아라비녹시란 등도 암세포 증식을 억제하여 암 예방 효과가 있는 것으로 보고한 바 있다고 한다.

쌀에는 콜레스테롤의 감소효과를 나타내는 tocotrienol이 많이 함유되어 있고 과산화지질 형성을 억제하는 γ-oryzanol과 함께 생체 내의 LDL cholesterol의 함량을 감소시키는 phytosterol등 다양한 유효성분이 함유되어 있어 현대인에게 많이 발병하는 각종 성인병 예방에 도움을 주는 것으로 알려져 있다. 글루텐을 함유하고 있지 않기 때문에 글루텐의 알레르기 유발영향으로부터 대체할 수 있는 용도로 주목받고 있다. 백미나 쌀겨 단백질의 펩신 가수분해 산물로부터 혈압 상승 관련 효소의 활성을 저해하는 펩타이드를 분리하여 백미나 쌀겨가 혈압 상승 억제효과가 기대되는 것으로 보고한 바 있다.

2. 쌀가루의 특성

쌀가루는 쌀의 품종이나 전분의 특성 차이 이외에도 제분방법과 제분기의 종류에 따라 영향을 받으며 일반적으로 건식제분보다 습식제분에 의한 쌀가루가 더 우수한 품질을 가진다고 보고되어 있다. 건식 제분을 통한 쌀가루는 제분공정이 간단하고 시간적으로 절약이 되는 장점을 가지고 있으나 많은 양의 손상전분을 가지고 있으며 손상전분도가 높아 떡류나 과자류 등의 쌀 가공에 바람직하지 못한 영향을 준다고 보고되고 있으며, 반죽성이 떨어지므로 입자크기를 줄이는 연구들이 많으나 생쌀에서 오는 산패취나 초미분으로 하였을 때 가공성이 떨어져 일부 용도를 제외하고 보편성을 갖기 어렵다는 단점을 가지고 있다. Micro mill 과 jet mill을 이용하여 분쇄하고 있다.

반습식 쌀가루는 1차 쌀알 표면에 이물질 제거로 산패취를 줄일 수 있지만 수침과정 중에 일어나는 세포와 단백질 체의 구조적인 변화를 가져오지 못하므로 가공적성은 건식제분과 유사하다.
또 다른 수분침투방식에 있어서 살수식 방법(spraying)에 의해

처리 후 반습식으로 가루를 제조하는 방식으로 제조되기도 한다. 습식 제분은 수침과정에 의한 쌀가루의 성질이 건식제분과 다르며 떡이나 과자류, 쌀가공 식품 제조 시 적합한 방법으로 이용되고 있지만 시설투자와 폐수처리비용이 높은 단점을 가지고 있다.

습식제분의 문제점을 보완하고 제분공정을 단순화 하여 쌀을 낱알 상태로 저온건조한 후 제분한 방법은 성분의 변화가 적고 쌀가루의 품질 변화를 최소로할 수 있으며 분쇄과정을 1번으로 제분하여 쌀가루의 변성도 줄일 수 있다는 결과를 보고한 연구결과 또한 있다.

■ 쌀의 종류

구분	종류
수확시기	조생종, 중생종 종만생종
지리생태적	자포니카(한국, 일본, 중국동북부), 자바니카(인도네시아) 인디카(인도, 동남아시아)
쌀알의 형태	초장립종, 장립종, 중립종, 단립종
배유형태별	메벼, 찰벼
도정정도	현미, 5분도미, 7분도미, 10분도미, 12분도미
재배목적	일반미, 특수미, 가공미
종피의 색	현미, 흑미, 적미, 홍미, 적토미, 녹미
재배조건별	논벼(水稻), 밭벼(陸稻), 심수도(深水稻), 부도(浮稻)

3. 쌀의 저장

쌀은 수확 후 저장하게 되면 물리적 화학적 특성의 변화가 일어나는데 이를 자연적 노화라 한다. 이에 따라 취반, 식미, 영양, 상업적 가치, 품질의 변화를 가져온다. 쌀은 전부 구조 자체의 노화뿐 아니라 제분하는 과정에서 손상되는 전분의 양이 품질에 많은 영향을 미칠 수가 있다.

저장기간 동안 효소 작용에 의해 전분 뿐 아니라 단백질이 분해되거나 구조가 변하여 전분의 페이스트 물성을 변화시켜 단백질의 용해도가 감소하며, 저장기간이 길어지면서 전분보다는 단백질 구조 변화가 저장된 쌀의 물성변화를 일으키는 일차적인 원인이라고 보고하였다. 저장기간이 길어질수록 발아율이 감소한다는 보고가 있었으며, 지방산도의 증가를 가져온다는 보고들도 있었다.

미곡을 저장하게 되면 고미취가 나는데 이는 미곡 중에 소량으로 존재하는 지질의 주 원인으로 지질의 가수분해 및 산화반응에서 시작하여 지질산화물과 단백질과의 반응, 지방과 전분과의 반응 등에 의해 진행되며 이때 발생되는 고미취에 주 성분은 휘발성 carbonyl 화합물인 hexanal 및 pentanal 등 고급 aldehyde라고 하였다(shibura 등 1974). 쌀은 일반 저장 조건에서는 백미의 색깔에 크게 영향을 주지 않지만 쌀을 기밀저장(airtight storage)하는 경우 색깔의 변색을 가져오고 고온(25℃)과 고수분(14%) 조건, 도정도가 낮을수록 색의 변색을 빠르게 가져온다고 보고되고 있다.
국내에서는 쌀의 저장관련 연구로는 탈지에 의한 저장성, 쌀과 쌀가루를 6개월 동안 저장하였을 때 지방산도의 변화가 저장 중 품질변화의 지표로 이용될 수 있다는 보고 등이 있었으며, 백미를 5℃, 30℃에서 6개월 저장 후 지질 성분의 변화와 밥의 특성값을 분석한 연구결과 등이 보고된 적이 있다.

■ 쌀가루의 특성과 제분과정 및 개선방안

제분종류	제분과정	쌀가루특성	개선방안
건식제분	도정 후 생쌀을 그대로 제분	쌀겨의 산패취가 나고 가공적성이 떨어짐(저장성의 문제가 생김)	공기압으로 표면 세척, 반습식처럼 분무하면 이취는 개선되나 입도를 작게 하여도 가공성 개선이 어려움 (일부는 가능함)
반습식제분	쌀에 물을 분무하여 세척한 후 제분	수분이 내부 구조의 변화를 시키지 못하며 쌀가루의 가공성은 건식 제분 쌀가루와 유사	반습식의 경우 일정 수분을 함유하게 한 다음 탬퍼링 과정을 거치면 개선 될 수 있을 것으로 생각됨
습식제분	쌀을 수침하여 물기를 제거하고 로울러 밀로 제분	건조 및 제분 방법에 따라 품질이 달라짐	효소 사용으로 수침기간을 단축할 수 있으며 냉풍건조와 입자크기 조절로 일부 개선 가능함
개발된 제분방법	쌀을 낟알로 수침한 후 저온 건조하여 제분	쌀가루의 특성을 고려한다면 가공적성이 뛰어난 쌀가루로 제분하여 다목적용으로 사용가능	수침시간은 수침 중 효소처리를 통하여 단축 시킬 수 있음

4. 쌀가루의 입자 크기

쌀가루는 밀가루와 같이 분쇄하기가 어려워 일반적으로 밀가루에 비해 굵은입자를 가지고 있으며 쌀가루로 만든 반죽은 밀가루와 동일한 양의 글루텐을 함유하고 있더라도 빵을 굽는 과정 중 반죽 속에 분포되어 있는 글루텐이 발효나 가열에 의해 증가되는 증기압을 끌어안고 늘어날 때 가루입자의 크기로 인해 글루텐막 주변 물질의 비중이 높아 공기집을 형성하는 능력이 밀가루에 비해 낮으며 쌀가루 입도가 미세할수록 쌀 식빵의 부피가 크게 팽화되는 것으로 보고 되었다.

쌀가루 입자크기가 제빵 적성에 미치는영향은 쌀가루 입자크기가 작을수록 반죽의 물리적, 호화특성 및제빵 적성이 밀가루 빵과 유사함을 알 수 있었다. 쌀가루 입자크기에 따른 글루텐 무첨가 쌀 식빵은 입자크기가 작을수록 쌀가루의 수분함량은 적고 비용적이 낮게 나타났으며 경도는 입자가작을수록 높게 나타나는 것을 확인하였다.

쌀가루 입자 크기가 백설기의 품질특성에 미치는 영향은 입자크기가 클수록 수분함량이 높고, 백설기 품질특성에 쌀가루 입자 크기는 60, 100 mesh가적당하다고 하였다.

제빵 제조 시 입도가 너무 작으며 잘 부풀지 못하고 아밀로스 함량이 높은 쌀로 빵을 제조할 경우 노화가 빠르게 진행된다고 하였다. 쌀의 수침시간이 증가할수록 크기가 작은 입자의 양이 증가하며 아밀로스 함량은 수침시간이 길어질수록 증가하였으며 물결합능력 또한 입자크기가 작을수록 증가하였다고 하였다.

5. 쌀의 발아와 도정

현미는 벼의 왕겨를 제거한 것으로 과피,종피 및 호분층으로 구성되어 쌀겨층과 배아, 배유로 이루어져 있다. 예전에는 현미를 도정한 백미를 선호하였으나 최근에는 백미에 비하여 현미에 지방, 무기질, 비타민, 식이섬유 등의 영양소가 풍부하며 현미에 대한 기능성이 알려지면서 현미의 이용률이 높아지고 있으며 현미를 이용한 식빵, 현미를 이용한 머핀 등 다양한 식품개발에 이용되고 있다.

발아현미란 왕겨를 벗겨낸 현미를 적당한 수분, 온도, 산소를 공급해 1~5 mm 정도 싹을 틔운 것을 말한다. 현미는 쌀겨층으로 인해 외피가 두껍고 질기며 수분침투가 어려워 수분흡수율이 낮기 때문에 호화가 잘 안되며 부드러운 음식에 길들여진 현대인에게 거친 느낌을 주는 단점을 가지고 있으며 관능적 기호도를 높이기 위해 현미에 적정한 수분과 산소, 온도를 주어 현미의 싹을 틔우는 방법이 연구되었으며 현미가 영양소는 풍부하나 소화가 잘 되지 않는 이유는 현미의 생명탄생물질의 변질을 막는 역할을 하며 동시에 소화장애를 일으키는 phytic acid 때문이라고 보고되었다.

대부분의 종자는 알맞은 물, 산소, 온도가 주어지면 발아하게 되며 발아가 진행됨에 따라 탄수화물, 단백질, 지방 등의 영양소는 줄고 비타민, 효소, 무기질 등 특수한 성분이 생겨나는데 그 대표적인 예가 발아현미이다. 현미는 발아순간 비타민, 아미노산, 효소가 활성화되어 SOD(superoxide dismutase), arabinoxilan, γ-aminobutyric acid(GABA), 유용 아미노산 및 γ-orizanol 등과 같은 새로운 성분이 생성되어 성인병 예방 및 건강기능성물질의 함량이 증가하는 것으로 보고되어 있다.

현미를 발아시킨 발아 현미를 이용하여 밥을 지었을 때 현미의 영양소를 모두 포함하여발아현미밥이 식감이 부드러웠으며 찰기가 증가하여 밥맛이 향상 되었다고 한다.

6. 쌀의 품종별

정부의 쌀 증산정책, 쌀 생산기술 발달 등으로 쌀 생산량이 많아지면서 벼 재배면적은 점차 줄어들고 있지만 양질, 안정성 및 다수성에 목표를 두고 쌀 육종과 소비자 기호에 맞는 쌀 품종의 다양화를 위해 계속 연구 개발 되고 있다.

다양한 쌀 품종이 개발되었으나 대부분 밥으로 소비되고 있고, 술, 떡, 쌀과자, 식혜 등과 같이 가공식품의 형태로 소비되는 양은 전체 쌀 생산량의 2~3% 정도로 매우 미미한 수준이다.

국내 쌀 소비 확대를 위해 가공용으로 재배된 쌀 5품종을 떡볶이 떡으로 제조하여 품질특성을 본 결과 쌀 품종별 관능평가에서 세계진미, 설갱, 삼광, 하이아미, 고아미 순으로 기호도의 차이를 보이며 조직이 단단하고 아밀로스 함량이 높은 고아미가 부적합한 품종으로 나타났다.

다산, 큰섬, 고아미, 백진주, 설갱, 한강찰, 흑설 등 쌀품종별 쌀특성과 취반특성을 조사한 결과 수분흡수율은다수계품종인 큰섬이 가장 높으며 부피 팽창율에서는 통일벼 품종인 다산이 가장 높으며 용출 고형물은 설갱 품종이 가장 높게 나타났으며 취반한 쌀의 관능평가 결과 백진주가 기호도가 가장 높게 나타났다.

특수미 품종의 쌀 배유 특성을 조사하고 제빵 가공적성을 검토한 결과 아밀로스함량, 긴 아밀로펙틴 측쇄사슬비율, 낮은 팽윤력, 높은 호화온도, 낮은 호화점도특성을 가진 품종은 제빵 가공적성이 바람직하지 않았으며 입자크기가 작을수록 빵의 부피가 감소하여 비체적이 낮아졌으며 설갱벼는 가장 우수한 빵 모양을 보여주었다. 일품벼에서 유래된 고아미 2호, 백진주, 설갱의 용도개발을 위한 성분 분석 및 물리적 특성 결과 취반미의 식미치는 일품벼가 높으며 고아미2호는 푸석한 조직감을 보였으며 취반용보다는 가공용기능성 소재로 활용가능성이 높게 평가되며 백진주, 설갱은 취반용과 가공용으로 모두 적합할 것으로 확인되었다.

7. 쌀가루를 이용한 베이커리

쌀가루를 첨가한 찜 케이크의 품질특성에서 쌀가루 첨가량이 많아질수록 호화특성에서 최고점도 및 도달시간이 높아지는 결과를 보였으며 Farinogram 에서 쌀가루 첨가량이 많아질수록 반죽의 강도와 수분흡수율이 증가한다는 연구결과를 보여주었다. 관능평가 결과 쌀가루 20%를 첨가하였을 때 외관, 맛 등 전체적인 평가를 가장 좋게 받아 찜 케이크 제조 시 20% 혼합 시 제품 특성에 좋은 결과를 가져왔음을 확인하였다.

쌀가루로 제조한 쉬폰 케이크의 물리적, 관능적 품질특성을 분석한 결과 200 mesh 100% 쌀가루로 쉬폰 케이크를 제조 시 대조군에 비해 부피는 낮았지만 관능평가 및 전반적인 기호도에 있어 유의적으로 높은 결과를 보여주었다.

품종별 쌀가루로 제조한 퀵 브레드 쌀 머핀의 가공성 비교에서 7종류의 쌀가루를 이용한 머핀제조 결과 밀가루에 비해 낮은 지방결합력을 보여주었으며 밀가루와 유사한 품종으로 설갱, 고아미, 하이아미, 한아름 품종을 확인하였다.

수침과 입자 크기를 달리한 쌀가루와 쌀 만주제조 특성 결과 쌀가루로 만주를 제조 시 높은선호도를 보여주었으며 생쌀가루는 200mesh, 수침쌀가루는 120~170 mesh를 통과한 쌀가루로 밀가루 대체가 가능함을 확인할 수 있었다.

쌀가루 첨가량에 따른 자색고구마 머핀의 품질특성 결과에서는 쌀가루 첨가량이 많아질수록 높이와 무게가 증가하는 경향을 보였으며 응집성과 씹힘성, 부서짐성이 낮아지는 결과를 보였다. 밀가루 대비 쌀가루 50~75% 첨가하였을 때 전반적인 기호도가 가장 좋을 결과를 보였음을 알 수 있다.

변형 제누아즈법으로 만든 쌀가루 첨가 스폰지 케이크의 품질특성에서는 쌀가루 첨가 시 부피 감소를 위해 변형된 공립법으로 제조한 연구 결과 밀가루의 1/3을 쌀가루로 대체할 때는 밀가루를 6분정도 미리 반죽하여 글루텐을 형성하는 것이 좋은 결과를 보여주었으며 쌀가루 대체 함량에 따라 반죽 시간을 적절히 조절해야 할 것으로 보인다는 결과를 보여주었다.

글루텐 프리 쌀쿠키의 조직감에 관한 호화쌀가루의 영향에서는 습식쌀가루에 첨가하는 호화쌀가루의 양에 따라 쌀쿠키의 경도는 증가하였고 호화쌀가루 첨가 시 퍼짐성이 적은 결과를 보여 주었으며 호화쌀가루 첨가량이 증가함에 따라 쌀 쿠키의 밀도차와 경도차가 증가하는 경향을 보여주어 호화쌀가루 사용량에 따라 쌀 쿠키의 부스러지는 정도, 단단한 정도 등 관능특성에 대한 선호도를 조절할 수 있다는 결과를 보여주었다.

아밀로스 함량에 따른 쌀쿠키의 품질특성 결과에서는 쌀쿠키의 경도는 아밀로스 함량이 높을수록 낮아졌으며 노화도 측정에 의하면 밀양 261호가 경도의 큰 영향을 받지 않았으며 관능평가 결과에서 또한 밀양 261호가 쌀 쿠키에 풍미와 식감에서 가장 선호도가 높아 좋은 가공적성을 보이는 것으로 보였다.

▣ 실험방법을 통한 제품제조

- 멥쌀

가. 저장기간이 다른 쌀

멥쌀은 동진 1호와 호평 품종으로 각각 일반미, 쇄미(도정 후 남은 싸라기 쌀), 고미를 선정하여 실험에 사용하였다.

나. 기능성 및 다수확 품종 쌀

품종에 따라 제품 가공 특성을 비교하기 위해서 국내에서 최근에 개발한 기능성 쌀 품종과 가공용으로 개발된 다수확품종을 선발하였다. 국내산 쌀 품종은 아미노산 함량을 증가시킨 하이아미, 쌀 세포 간 공간이 넓어 찹쌀처럼 보이는 설갱, 일반벼의 다수확 품종으로 개발된 한마음과 드래찬이었다. 고아미는 쌀국수용으로 아밀로스함량을 증가시킨 쌀이며 단위 면적당 최대 생산량을 위해 통일계 다수확으로 개발된 한아름을 사용하였다. 쌀은 벼맥류부(익산, 전북)과 기능성작물부(밀양, 경남)에서 현미로 구하였고 도정하여 백미로 사용하였다.

다. 백미, 현미, 발아현미

원료인 쌀 품종은 발아가 잘되며 밥맛이 우수하다고 평가된 농촌진흥청 국립식량과학원에서 육종한 삼광을 선택하였다. 전남 곡성군에서 친환경 무농약으로 재배한 삼광을 현미, 백미로 도정된 것을 구입하였다. 현미를 수침 발아시켜 싹의 길이가 5 mm 이하인 것을 the cold temperature drying method인 진공 저온건조법에 의해 제조된 것으로 미실란(곡성군, 전남)에서 구입하였다.

라. 입자크기 분포가 다른 쌀

입자크기에 따른 제품의 품질은 비교하기 위해 사용한 쌀가루는 멥쌀인 호평을 강진에서 수확한 것을 구입하여 사용하였다.

2) 찹쌀

찹쌀은 신선찰과 보석찰을 저장기간에 따라 각각 일반미, 고미를 선정하여 죽암농장, 전남농업기술원, 농촌진흥청 벼맥류부, 금성농협(담양)으로부터 구입하여 실험에 사용하였다.

3) 쌀 이외의 재료

베이킹파우더, 설탕, 슈가파우더, 버터, 소금, 우유, 쌀눈유, 달걀은 시험당일 구입하여 신선한 것으로 사용하였다.

1. 쌀가루의 제조

쌀가루는 백미로 도정한 멥쌀과 찹쌀, 쇄미, 고미는 각각 처리방법을 달리하였다. 쌀을 낟알 상태로 3회 수세하여 상온(18±3°C)에서 찹쌀과 멥쌀은 각각 4시간과 6시간 수침한 다음 1시간 물기를 제거하고 18±3°C에서 낟알상태로 풍건하였다. 쇄미는 체를 이용하여 쌀눈과 쌀겨를 제거하고 수세하여 쌀과 같은 방법으로 4시간 수침하여 건조 하였다. 고미는 쌀알이 누렇게 변하고 이취가 나므로 이를 제거하기 위해 수세 후 0.1%의 식초와 β-cyclodextrin 20 ppm을 가하여 수침시킨 다음 1회 수세 후 건조하였다.

입자크기 분포도의 차이는 제분기에 내장된 표준체의 메쉬를 달리하였으며 80, 120, 160, 200 mesh의 체를 사용하였다. 건조된 쌀알의 수분 함량이 약12%가 되었을 때, 120mesh의 체가 내장된 제분기로 쌀가루를 제조하여 저온고(4°C)에 보관하면서 실험에 사용하였다.

2. 쌀가루의 특성 측정

가. 쌀가루의 일반성분

쌀가루 일반성분은 AACC 방법(2000)으로 분석하였다. 수분함량은 105℃ 오븐건조법(Method 44-15A)으로 측정하였고, 조단백질은 미량 켈달법(Method 46-11A), 조지질은 에테르를 용매로 사용한 속시렛법(Method 30-10)으로 측정하였다.

조회분은 550℃ 전기로를 이용한 직접 회화법(Method 08-01)으로 측정하였다.

나. 쌀가루의 색도

색도는 색도계를 이용하여 Hunter의 L (lightness) 값, ±a (redness/greeness) 값 및 ±b (yellowness/blueness) 값을 3회 반복 측정해서 그 평균값을 나타냈다. 색도 측정은 L=96.81, a=-0.08, b=-0.14 인 표준 백색판(standard white plate) 으로 보정하여 사용하였고, 색차(△E)는 백색판을 기준으로 다음의 식으로 계산하였다.

3. 쌀 베이커리 제품 품질 특성분석

1) 마들렌의 제조

쌀 마들렌의 기본 재료 배합비는 예비실험을 통해 쌀가루(100g), 베이킹파우더(3g), 설탕(25g), 슈가파우더(25g), 버터(85g), 계란 (100 g)으로 결정되었다. 그 표준 제조법은 다음과 같다. 볼에 달걀을 풀고 설탕을 녹였다. 쌀가루, 슈가파우더, 베이킹파우더를 함께 체질하여 반죽기에 가루를 넣고 중속으로 2분간 저어 혼합하였다. 중탕된 버터를 반죽에 혼합 후 중속으로 1분간 저어 매끄러운 상태의 반죽을 만들었다. 반죽온도를 23°C 로 유지하면서 실온에서 30분 동안 휴지시킨 다음 마들렌 팬에 27 g씩 반죽을 채우고 185°C(위), 155°C(아래)의 온도에서 18분 동안 구운 후 냉각하였다.

2) 찹쌀구움과자의 제조

찹쌀구움과자의 기본 재료 배합비는 예비실험을 통해 찹쌀가루(100g), 설탕(80g), 달걀(130g), 우유(70g), 베이킹파우더(2g), 쌀눈유(50g)로 준비하였다. 찹쌀구움과자는 다음과 같이 제조 하였다. 반죽기 볼에 달걀, 우유, 소금, 설탕을 넣고 중속으로 1분 혼합한 다음 가루(찹쌀가루, 베이킹파우더)를 체질하여 혼합한 다음 중속으로 2분 혼합하였다. 쌀눈유를 넣고 저속으로 1분간 혼합하여 매끄러운 상태의 반죽을 만들었다. 반죽온도 23°C를 유지하면서 실온에서 30분 동안 휴지시킨 다음 짤주머니를 이용하여 반죽을 베이킹컵(페트컵 Φ 45 mm)에 35 g 씩 분할하였다. 윗불 180℃, 아랫불 150℃에 예열된 데크 오븐에서 27분간 구워낸 후 꺼내 제품은 실온(21~23℃)에서 1시간 냉각시켜 지퍼 백에 넣어 시료로 사용하였다.

3) 컵케이크의 제조

입자 크기분포, 품종, 도정도와 발아 등에 따른 쌀가루를 이용한 컵케이크 반죽의 배합비는 쌀가루 150g, 설탕 120g, 전란 300g, 소금 2g, 청주 3g, 쌀눈유 30g으로 하였다. 컵케이크의 제조 방법은 설탕, 소금, 달걀을 보올에 넣고 50°C 항온수조에서 잘 혼합한 다음 혼합물을 믹서기의 믹싱 보올에 옮겼다.

재료를 고속으로 혼합하여 거품을 형성하였고 믹서기를 저속으로 하여 부드럽게 균질화 하였다. 체를 3번 친 쌀가루를 믹싱 보올에 가한 다음 평평한 비터(flat beater)로 저속에서 30 초간 혼합하였다. 만들어진 배터 반죽을 스크랩퍼로 잘 모은 다음 청주와 쌀눈유를 첨가하고 잘 혼합하였다. 백미 쌀가루로 만든 배터 반죽의 비중을 밀가루 컵케이크 배터 반죽과 유사하게 0.38로 조절하였다. 켑케이크 팬(Φ 10 cm, 35 g)에 배터 반죽을 담아 윗불 180°C, 아랫불150°C로 조절된 데크오븐에서 15-20분간 베이킹하였다. 베이킹 후 컵케이크는 실온에서 1시간 냉각시키고 시료로 사용하였다.

나. 제품 형태관찰

멥쌀가루로 만든 마들렌과 찹쌀가루로 만든 구움과자의 외관적인 특성은 제조 후 실온에서 1시간 냉각한 다음 디지털 카메라를 이용하여 제품 전체 모양과 단면의 모양을 관찰하였다.

다. 제품 특성측정

1) 부피, 무게, 비체적

부피는 종자치환법 AACC 72-10(2000)으로 측정하였다.
시료가 들어갈 수 있는 상자에 좁쌀을 채우고 메스플라스크에 옮겨 부피를 재었다.(a) 동일한 상자에 시료로 쌀 마들렌과 찹쌀 구움과자를을 넣은 후 남은 공간에 좁쌀을 채우고 시료를 꺼낸 후 남은 좁쌀을 측정하였다(b). 부피(mL)는 a - b(a: 좁쌀만 채운 상자의 부피, b: 샘플을 채우고 상자에 남은 좁쌀의 부피)로 구하였다. 제품의 무게는 디지털 저울을 이용하여 구운 후 1시간 냉각한 다음 측정하였다.

$$비체적\ (Specific\ volume) = \frac{부피(mL)}{중량(g)}$$

2) 반죽수율, 굽기 손실율 측정

반죽수율과 굽기 손실율은 다음과 같은 계산식으로 계산하였다.

$$반죽수율(\%) = \frac{굽기전\ 반죽의\ 무게(g)}{구운후\ 제품의\ 무게(g)} \times 100$$

$$굽기손실(\%) = \frac{(반죽무게 - 제품의\ 무게)(g)}{반죽무게(g)} \times 100$$

■ 쌀 마들렌의 품질특성

가. 쌀 마들렌의 형태

호평과 동진 1호 두 품종의 일반미, 쇄미, 고미 가루를 이용하여 제조한 쌀 마들렌의 형태적 관찰 결과는 동진 1호 쌀가루의 외관은 전반적으로 매끄러운 반면 호평 쌀가루을 이용한 마들렌의 외관은 기공이 크고 불규칙하게 나타난 것을 볼 수 있고 이런 경향은 일반미, 쇄미, 고미에 의한 영향이 아니라 품종에 의한 영향으로 생각되었다. 마들렌 단면의 기공은 동진 1호 품종에서는 일반미, 쇄미, 고미 가루로 만들었을 때 쌀가루 차이에 관계없이 마들렌에서 기공이 작으면서 균일한 특성을 가지고 있었지만 이와 달리 호평은 일반미, 쇄미, 고미 가루 마들렌 모두 기공이 크면서 불규칙한 특성을 보이고 있다.

마들렌 내부의 기공형성에 영향을 주는 것은 쌀가루의 전분함량과 호화양상에 따라 달라질 수 있을 것으로 생각되었다. 동진 1호와 달리 호평 쌀가루로 제조한 마들렌은 오븐에서 굽는 동안 큰 기공을 형성하여 부피와 텍스쳐에 영향을 주었을 것으로 생각되었다.

두 품종의 6가지 쌀가루로 제조한 마들렌의 무게, 부피, 비체적은 동진 1호 마들렌에 비해 호평 마들렌은 부피가 더 크게 평가되었다. 일반미 가루로 만든 것을 제외하고는 호평 쌀가루 마들렌의 부피와 비체적이 커서 잘 부푸는 것을 알 수 있었고 호평 쇄미로 만든 마들렌의 경우 비체적이 1.98 mL/g로 가장 크고 이에 반해 동진 1호 쇄미와 고미는 모두 가장 낮은 비체적을 보였다.

결과적으로 품종 간에 차이가 있긴 하지만 쇄미, 고미를 수침처리함으로써 일반미와 유사한 마들렌이 제조됨을 확인할 수 있었다.

마들렌 제품은 조개모양으로 된 작은 케이크의 일종으로 일단계법을 이용한 구움과자 제품이다. 거품형을 이용한 다른 제품과 달리 거품없는 반죽으로 제조되므로 제품의 기공형성이 쌀가루의 특성을 잘 반영해 준다고 생각할 때 마들렌의 외관은 일반미, 쇄미, 고미 조건보다는 품종에 의한 영향이 큼을 알 수 있었으며 이에 대한 연구가 더 필요할 것으로 보인다.

유사한 아밀로스 함량을 가졌지만 이화학적 및 호화특성이 달라 베이커리 제품에 따라 용도에 맞는 품종을 선택할 필요가 있음을 확인하였다.

▣ 찹쌀구움과자의 품질특성

가. 찹쌀구움과자의 형태

찹쌀구움과자의 제조공정은 제과법에서 일단계법으로 모든 재료를 한꺼번에 넣고 믹싱하는 방법으로 계란의 기포성과 유지의 크리밍성을 이용하지 않는 간단한 제조방법으로 만들어진 제품으로 신선찰과 보석찰 일반미, 고미 가루를 이용한 제조한 구움과자 제품의 형태는 구워진 제품의 윗면에서 품종간의 다른 양상을 보이고 있으며 신선찰 품종은 표면이 매끄러우면서 부피가 작게 형성이 된 반면 보석찰 품종은 심하게 crack이 만들어졌고 부피가 크게 형성된 것을 확인할 수 있다.

보석찰 고미 제품에서는 윗면에 거친 crack과 단면의 모습에서 아랫부분이 볼록하게 패여있는 것을 볼 수 있으며 보석찰 일반미 표면에 crack와 단면의 큰 기공들을 확인할 수 있다. 이와 같은 제품에 영향을 줄 수 있는 요인으로 찹쌀가루의 이화학적 특성 결과 중 물결합 능력과 같은 결과를 볼 수 있다. 물결합능력이 가장 높은 보석찰 고미의 경우 제품 제조공정에서 또한 수분을 흡수할 수 있는 능력이 가장 크기 때문 윗면에 거친 crack을 만들면서 베이킹 과정 중에 수분이 부족하게 때문에 바닥부분이 움푹 패이는

결과를 줄 수 있으며 손상전분함량 또한 보석찰 고미가 가장 높은 값을 가져 제품에 영향을 미치는 것으로 보인다. 반면 손상전분과 물겹합능력이 가장 낮은 신선찰일반미 제품에서는 반대 경향을 보였다.

찹쌀구움과자의 내부 크럼 부분을 관찰한 결과 품종별 샘플의 기공차이를 확인할 수 있으며 신선찰 내부기공의 크기가 작으면서 조밀하게 기공이 만들어지고 군데군데 큰 기공이 몇개 만들어 진 것을 확인할 수 있다.

보석찰 품종은 큰 기공들이 불규칙하게 형성되어 있는 것을 확인할 수 있었다. 이것을 찹쌀은 분자구조상 가지가 많은 아밀로펙틴으로 이루어져 멥쌀과 달리 많은 물을 흡수할 수 있으며 아밀로펙틴의 구조에 따라 물을 흡수할 수 있는 능력 또한 달라질 수 있으며 흡수하고 있던 수분을 베이킹 하는 과정동안 수분이 증발되면서 다양한 사이즈의 기공을 만들어 내는 것으로 보인다.

이와 같이 글루텐 프리 찹쌀 제품 제조에 있어서 품종별 찹쌀가루의 특성을 파악하고 제품개발을 한다면 더 다양한 텍스쳐와 품질을 갖는 제품을 개발할 수 있을 것으로 생각된다.

■ 쌀 컵케이크의 품질특성

가. 쌀 컵케이크의 형태 관찰

쌀 컵케이크의 제조는 가루중량을 기반으로 쌀가루 150g, 계란 300g, 설탕 120g, 소금 2g, 식물성기름 30g, 청주 30g 으로 구성되며 이것은 일반적으로 밀가루 컵케이크(박력분 130g, 계란 160g, 설탕 120g, 소금 2g, 버터 30g, 물엿 30g)의 배합표를 수정하여 만들어진 쌀가루 컵케이크의 배합표이다.

밀가루와 쌀가루 컵케이크 배합표를 비교해 보았을 때 식물성 기름 함량이밀가루 레시피에 비해 25% 정도 낮게 함유되어 쌀로 만든 컵케이크가 저 칼로리의 제품으로 생각되며 더 많은 양의 계란이 함유되어 쌀 컵케이크에서 부족한 단백질 네트워크 형성 역할을 하고 있는 것으로 생각된다.

청주의 첨가는 계란의 이취제거를뿐 아니라 전분 젤라틴화를 위한 유동성을 증가시키기 위해 첨가하였다. 쌀 컵케이크 배합표는 쌀가루를 사용하여 좋은 기호성에 맞추어 배합표가 수정되었다. 케이크 배터에서 물은 베이킹 동안가스 팽창을 도울 뿐 아니라 전분 젤라틴화와 단백질 응고에도 영향을 미친다고 보고된 연구결과도 있다.

컵케이크의 배터 반죽의 비중은 0.38 g/mL로 고정하여 모든 컵케이크에 사용하였다. 비체적은 2.63 mL/g으로 밀가루 스폰지케이크의 비체적은 2.15 mL/g이였다. Mizukoshi 등(1980)은 컵케이크 특성 중 베이킹 동안 케이크의 구조적 형성 에 대한 모델을 제안하였다. 베이킹 초기단계에서 배터의 부피는 물과 공기의 증기압의 증가에 기인되어 기공이 확대된 다음 배터안의 전분 입자는 호화되고 이후 단백질 응고가 시작된다.

교질 용액같은 배터의 케이크 반죽을 겔과 같은 구조로 바꾸어 준다. 단백질 겔은 가스체가 되어 버블에 압력이 증가되면서 팽창된 버블이 연속적으로 압력이 줄어들게 된다. 이 시점에서 케이크 배터 반죽의팽창은 멈추게 된다. 쌀가루 컵케이크의 전분의 입자는 70.40-72.45℃에서 호화되기 시작하였고 달걀 단백질은 82-96℃에서 응고 되었다고 한다. 전분 호화 동안 아밀로스 침출은 난백 단백질의 기공형성을 하는 네트워크 구조를 도왔으며 이 결과 작은 입자 크기에 쌀가루는 베이킹 후 컵케이크의 단면에 작은 사이즈의 기공셀(air cell)을 형성할 수 있을 것으로 예측할수 있다.

쌀가루의 입자 크기는 케이크의 부피와 크럼의 구조에 많은 영향을 미쳤다. 전분입자 분획(2-40 ㎛)의 비율이 Fig. 11에서 보는 것처럼 쌀가루 입자 크기별로 다른 결과를 보여주었기 때문에 크럼 안에서의 기공사이즈가 균일하게 나오지 않은 것을 확인할 수 있다.

전분 케이크 배터에서 구조 형성의 열 안정성은 단백질에 의해 매우 의존된다고 보고 되었다.

입자크기를 달리하여 컵케이크를 제조하여 형태적 관찰을 한 결과 80mesh를 통과한쌀가루로 제조한 컵케이크에서는 부피감이 있기는 하지만 중심부분이 가라앉는 것을 볼 수 있으며 이것은 계란의 기포성을 이용한컵케이크의 특성상 큰 입자가 네트워크를 형성하는데 도움을 주지 못한 것으로 보이며 120mesh를 통과한 쌀컵케이크는 다른 샘플에 비해 중심부분이 많이 가라앉아 있는 것을 확인할 수 있으며 160 mesh를 통과한 쌀컵케이는 밀가루로 만든 컵케이크와 유사한 형태와 부피를 가진 것을 볼 수 있으며 200 mesh를 통과한 쌀컵케이크 형태에서는 160 mesh 보다 부피가 적은 것을 볼 수 있는데 이것을 물결합능력 결과에서와 같이 입자가 작을수록 수분을 끌어당기는 힘이 있기 때문에 제품에서 수분을 끌어당기면서 부피감에 영향을 주는 것으로 보인다.

쌀가루 컵케이크의 경우 밀가루 컵케이크와 달리 기포안정성이 낮고 글루텐이 없기 때문에부피가 다소 작게 형성되는 경향을 가지고 있다. 연구에서도 밀가루에 대해 1/3 이상을 쌀가루로 첨가하여 스펀지 케이크를 제조하여 반죽의 비중과 부피 사이에는 관련이 없으며 최종 제품의 케이크의 부피가 감소하였다고 하였다.

참고문헌

김지명. "쌀 종류에 따른 쌀가루 특성 및 이를 이용한 글루텐 프리 베이커리 제품 개발." 국내박사학위논문 전남대학교, 2016. 광주

2장 쌀가루에 의한 쌀빵의 특성비교

대한민국의 발전으로 식생활에도 많은 변화가 생겼다. 그로 인해

우리나라의 대표 주식인 쌀은 해가 갈수록 점점 1인당 소비량이 적어지고 있는 추세이다. 대부분의 쌀 소비의 80% 이상이 우리가 흔히 식탁에서 볼 수 있는 밥으로 소비되고 있고, 나머지는 쌀을 이용한 가공제품으로 우리가 흔히 알고 있는 떡볶이,면,주류 등이 있다. 쌀 소비량 감소는 다양한 식생활의 변화로 나타나고 있으며 제과제빵 산업분야의 발전과 확대로 이어졌다고 생각을 한다.

제과제빵의 주 원료는 밀가루 이지만 최근 쌀을 이용한 제품개발과 인기를 얻어 다양한 제품개발이 되고 있다. 그 이유 중 하나는 밀에 대한 알레르기 반응이 가장 크다고 볼 수 있다.
그로 인해 대체수단으로써 가장 접하기 쉽고 거부감이 없는 쌀을 활용하기 시작한 것이다. 쌀을 이용해 제과제빵을 만드는데 필요한 요인은 이렇다.

쌀의 종류, amylose 와 amylo-pectin의 비율, 입자의 크기,특성 물리화학적 특성, 제분방법 그리고 제분기의 종류 등이 있다.
쌀가루를 이용한 쌀빵의 제조와 관련하여 가장 문제가 되고 단점이 될수 있는 부분은 무엇일까? 그건 아마도 제과제빵에 종사하는 사람들이라면 모두 알고 있을 것이다.
바로 쌀가루에 글루텐(gluten) 단백질이 없다는 것이다. 글루텐은 빵의 구조를 형성하는 중요한 단백질이기 때문에 글루텐이 없을 경우에는 제조의 기술적인 어려움이 많이 따른다.

밀가루를 이용하여 제조한 빵의 경우, 밀가루에 물을 첨가하여

~~반죽을 할 때 불용성의 단백질이 수화하여 글루텐 망상구조를~~ 형성하고 그 안에 전분, 효모 그리고 다른 반죽재료들이 들어가게 될 때 밀가루 반죽내의 글루텐 구조형성은 효모가 형성한 CO2 가스를 보유할 뿐만 아니라 발효과정 중에 적절히 신장함으로써 팽창할 수 있는 기능을 가지게 된다.

밀가루의 이러한 기능을 보완하여 쌀를 이용한 제품제조 시 활성 글루텐(vital gluten), 계면활성제, gum질 등 글루텐을 대체할 수 있는 재료의 사용이 기관,기업,단체들이 무수히 고민하고 연구하여 현재에는 많은 응용기술이 보급화 되었다. 하지만 아직도 제과제빵에서 쌀을 이용한 제품의 경우, 정확히 어떠한 방식과 개념으로 이해하고 제조하는 것이 아닌 짜여진 매뉴얼 속에서 중량에 따라 제조하고 판매하는 경우가 대다수라고 생각한다.
그러기에 제과제빵 산업의 발전과 자기의 발전을 위해서는 전문지식이 필요하고 그내용이 보다 쉽게 접할 수 있는 기회가 있어야 한다고 생각하였다.

쌀가루의 제조방법에는 기본적으로 건식과 습식제분이 있다.
건식제분은 공정이 간단하고 시간이 절약되는 장점이 있으나 손상전분의 양을 많게 하는 반면, 습식제분은 수침과정에 의한 작용으로 인해 쌀가루의 성질이 건식제분과 다르며 떡이나 과자류 등의 전통 쌀가공식품의 제조 시 적합한 방법으로 이용되고 있다.

습식제분시에 쌀의 수침처리는 보통 실온에서 이루어지지만 쌀을 호화온도 이전까지 상승시킨 높은 온도에서 수침처리하여 쌀 전분의 가공서에 변화를 유도시킬 수 있으며, 또한 수분침투방식에 있어서 수침처리 대신 살수식 방법(spraying)에 의해 처리한후 제분한 반습식 쌀가루의 제조에 대하여 연구된 바 있다.

건식,습식 및 반습식 쌀가루에 의한 쌀빵의 특성비교를 연구한 논문을 통해 좀 더 기술적인 부분과 이론적인 부분의 내용을 설명하고자 한다. 아래의 연구는 농림부에서 시행한 농림기술개발사업의 연구로 한국식품영양과학회지에 게시된 논문에서 발췌한 내용이다.

◎ 건식,습식 및 반습식 쌀가루에 의한 쌀빵의 특성비교

1. 재료

실험에 사용한 쌀가루는 동진 1호 백미를 제분하여 사용.
밀가루는 대한제분의 제빵용 밀가루(강력분 1급품) 사용하였으며 활성 글루텐, 소금, 설탕, 쇼트닝, 탈지분유, 효모는 시판품

2. 쌀가루의 제조

건식제분 쌀가루는 백미를 Air Classifying Mill에 의해 제분하여 제조하였다. 습식제분 쌀가루의 제조를 위해 백미를 25도 또는 55도 온도의 물에 3시간동안 침지한 후 수화된 백미를 체반에 건져 60분간 탈수하였다.

~~이를 Roll Mill에 2번 통과시킨 다음 열풍건조기를 사용하여~~ 건조하여 습식제분 쌀가루를 제조하였다.

반습식 쌀가루의 제조는 무세미 제조장치를 이용하여 백미에 상온의 알칼리 이온수를 2초간 분사하면서 살수처리한 후 즉시 10초간 원심탈수(1,700rpm)한 다음 Air Classifying Mill을

사용하여 제분하여 제조하였다. 쌀가루의 수분 함량은 건식 쌀가루가 9.5%였고, 25도와 55도 수침처리한 습식 쌀가루가 각각 9.8% 및 11.9%였으며 반습식 쌀가루가 10.7% 였다.

3. 쌀빵의 제조

쌀가루와 밀가루를 7:3의 비율로 혼합한 복합분을 사용하여 직접 반죽법(straight dough method)에 준하여 쌀빵을 제조하였다. 쌀빵의 제조에 사용된 재료의 배합비율은 다음과 같다.
재료를 Pin mixer를 사용하여 5분간 반죽한 후 온도 30도, 상대습도 85%에서 55분간 발효시켰으며 punching 후 25분간 2차 발효를 하였다. 2차 발효 후 반죽을 분할하고 rounding 하여 10분간 resting 한 다음 11/32inch 와 7/32 inch 간격에서 sheeting 하고 molding, panning 한 후 38분간 proof ing 하였다. Proofing 후 218도로 예열한 오븐에서 20분 간 굽기를 하였다.

Table 1. Baking formula for rice bread based on flour basis

Ingredients	Flour basis(%)
Rice flour	70.0
Wheat flour	30.0
Wheat vital gluten	15.0
Salt	2.0
Sugar	6.0
Shortening	3.0
Non-fat dry milk	3.0
Yeast	2.0
Water	78.0

4. 쌀빵의 특성

쌀빵은 baking 후 1시간동안 방냉시킨 다음 무게(g)를 측정 부피(cc)를 종자치환법으로 측정하였으며 이로부터 비체적(cc/g)을 구하였다. 쌀빵의 색도는 겉껍질(top crust)과 빵을 절단한 내부(crumb)의 색을 색차계를 사용하여 측정하였다.

5. 쌀빵의 경도측정

쌀빵의 경도는 Texture Analyzer를 사용하여 측정하였다.
빵을 20mm 두께로 절단한 후 지퍼백에 넣어 밀봉한 다음 25도에서 3일간 저장하면서 경도의 변화를 측정하였으며, 이때 지름 40mm의 알루미늄 probe를 사용하여 0.5mm/sec 의 속도로 10mm까지 압축하여 측정하였다.

▣ 실험에 따른 결과 및 고찰

1) 제분방법별 쌀가루의 이화학적 특성

본 실험에서 제분방법을 달리하여 제조한 건식,습식 및 반습식 쌀가루에 대하여 수분함량,수분흡수지수(WAI), 수분용해도지수(WSI) 및 입자크기를 측정한 결과 다음과 같은 내용이 산출됨 제분방법별 쌀가루의 수분함량은 9.52~11.59%의 범위로 약간의 차이를 보였으며 습식이나 살수처리한 후 탈수하여 제분한 반습식 쌀가루의 수분함량이 건식제분 쌀가루에 비해 높았다.

쌀가루의 수분흡수지수(WAI)는 습식제분한 쌀가루에서 높았으며 25도 수침온도에 비해 55도에서 수침한 쌀가루에서 수분흡수지수가 보다 높게 나타났다.

한편 수분용해도지수(WSI)의 경우에는 건식제분 쌀가루에서 가장 높았으며 반습식제분, 습식제분 쌀가루 순으로 낮은 수치를 주었다. 이는 습식제분에 의해 제조된 쌀가루가 건식제분에 의한 쌀가루 에 비해 상당히 낮은 수분용해도지수를 주었다는 내용들과 유사하게 분석되었다.

입도분석기를 사용하여 쌀가루의 입자크기를 분석한 결과에서 쌀가루의 평균 입자크기는 건식제분에 비해 습식제분 쌀가루에서 약간 낮게 분석되었으며, 25도 수침에 비해 55도에서 가온 수침하여 분쇄한 쌀가루에서 입자크기가 커서 수침온도가 습식제분시 쌀가루의 입자크기에 영향을 주는 것으로 나타났다.

제분방법에 따른 쌀가루의 색도를 측정한 결과 쌀가루의 명도를 나타내는 값은 25도와 55도에서 수침한후 제분한 쌀가루에서 가장 높았으며 살수처리한 후 제조한 반습식 쌀가루 또한 살수처리한 쌀이 원료쌀 표면의 세척효과로 인해 건식 쌀가루에 비해 색상이 밝아진다는 결과들과 유사하였다.

2) 반죽의 Mixograph 특성

제분방법별 건식, 습식 및 반습식 쌀가루에 밀가루르 7:3의 비율로 혼합한 복합분을 구성하고 활성 글루텐을 15% 첨가한 다음 72%의 동일한 수분흡수율을 적용하여 mixograph로 반죽으로 물성을 측정한 결과 아래와 같다.

반죽의 peak time에서 건식 및 반습식 쌀가루는 4.0분이었으며 습식 쌀가루는 4.1분~4.2분으로 약간 증가하여 습식제분 쌀가루의 반죽을 최적으로 발달시키는 시간이 길어짐을 알 수 있다.

반죽의 peak height에서는 건식 쌀가루가 5.9cm로 가장 높았고 반습식 쌀가루는 5.7cm 였으며 25도와 55도 수침처리한 습식 쌀가루는 각각 5.3cm, 4.7cm로 감소하였다.

이는 쌀가루의 반죽물성에 있어서 습식제분한 쌀가루가 건식 쌀가루에 비해 반죽의 강도와 수분흡수율이 다소 낮기 때문인 것으로 판단되었다. mixogram의 상승커브와 하강커브 사이의 angle

~~은 습식제분한 쌀가루가 건식 또는 반습식 쌀가루에 비해 높은~~ 수치를 보여 반죽의 안정성에 있어 보다 향상됨을 알 수 있었다.

전반적으로 습식제분한 쌀가루가 반죽시간과 안정성이 증가하여 제빵시 반죽의 물성에 보다 긍정적인 역학을 할 것으로 생각되었다.

Table 2. Mixograph charcteristics of rice flours produced by different millimg methods

Milling method	Peak time (min)	Peak height (cm)	Angle (degree)
Dry	4.0±0.7	5.9±0.3	137.3±3.8
Semi-wet	4.0±0.4	5.7±0.1	136.7±2.5
wet			
25℃ steeping	4.2±0.5	5.3±0.1	140.7±2.5
55℃ steeping	4.1±0.6	4.7±0.4	144.7±5.0

3) 제분방법에 따른 쌀가루의 제빵 특성

제분방법별 쌀가루와 밀가루를 7:3의 비율로 혼합한 복합분에 부족한 글루텐을 보충하기 위하여 활성 글루텐을 첨가하여 제조한 쌀빵의 특성을 조사한 결과는 아래와 같다.

쌀빵 반죽의 수분흡수율과 반죽시간은 예비실험에 의해 쌀가루의 종류와는 관계없이 각각 78%와 5분으로 결정하였다.

쌀빵의 체적은 건식, 반습식, 25도 및 55도 습식제분 쌀가루에 각각 2.9cc/g, 3.4cc/g, 3.8cc/g, 4.1cc/g로 나타났다.

습식제분 쌀가루로 제조한 쌀빵이 건식제분과 반습식제분 쌀가루로 제조한 쌀빵이 건식제분과 반습식제분 쌀가루로 제조한 쌀빵에 비해 체적이 높았을 뿐만 아니라 수침온도에 있어서는 55도의 가온 수침처리가 25도 수침한 쌀가루에 비해 쌀빵의 체적이 향상됨을 보여주었다. 습식제분 쌀가루는 건식제분 쌀가루에 비해 수분흡수력, 반죽의 물성, 호화특성 등 쌀가루의 기능성에 차이를 보이며, 이는 쌀빵의 제조시 반죽의 가스보유력과 빵의 체적에 영향을 미치는 것으로 위 연구내용을 통해 알 수 있다.

한편 건식으로 제조한 쌀빵의 성형성이 습식제분의 경우보다 대체로 좋은 경향이며 비체적도 증가한다는 상반된 결과가 보고된 바 있으나 이는 본 연구와는 쌀빵의 원료 및 제조방법에 다소 차이가 있기 때문에 다른 결과값이 나올 수 있다고 생각한다. 쌀은 호화온도 이전까지 상승된 온도에서 충분한 수분에 일정시간 수침할 때 전분의 annealing 현상을 유발시키며 쌀 전분내에 결정성영역의 결합력을 변화시키는 것으로 알려져 있다. 55도에서 가온수침한 후 습식제분한 쌀가루는 전분입자의 이화학적 및 호화특성에 변화를 초래하여 쌀빵제조 시 반죽의 가스보유력을 향상 시키고 궁긍적으로 빵의 체적을 증가시킬 수 있는 것으로 생각된다.

제분방법별 쌀가루로 제조한 빵의 겉껍질과 내부의 색을 측정한 결과. 쌀빵 내부색은 건식제분 쌀가루로 제조한 빵이 가장 높았으며 반습식제분 쌀가루, 습식제분 쌀가루의 순으로 약간 감소함을 보여주었다. 쌀빵 내부색의 값 또한 건식제분과 반습식제분 쌀가루로 제조한 빵에 비해 습식제분 쌀가루로 제조한 빵에서 낮게 나타나 건식제분에 비해 습식제분 쌀빵 내부색의 녹색도는 약간 높아진 반면 황색도는 다소 감소하는 경향을 보여주었다.

4) 쌀빵의 저장중 경도변화

제분방법별 쌀가루로 제존한 쌀빵의 저장 중 경도변화는 쌀빵을 제조한 직후에 측정한 초기경도는 쌀가루의 종류에 따라 차이를 나타내었으며 습식제분쌀가루로 제조한 쌀빵에서 가장 낮게 나타났다. 쌀빵의 경도에 영향을 줄 수 있는 요인으로는 빵의 수분함량, 부피, crumb기공의 발달정도 등을 들 수 있는데 건식 쌀가루로 제조한 빵의 부피가 가장 작을 뿐만 아니라 빵 내부의 기공크기가 조밀하여 경도가 높은 것으로 생각된다.

쌀빵의 체적이 클수록 기공의 크기가 크고 푹신하여 경도가 낮게 나타나는 경향을 주었다.
쌀빵의 저장 중 경도는 저장 3일째까지 모두 증가하였으며 쌀가루의 종류에 따라 그 차이를 확인할 수 있었는데 특히 건식제분 쌀가루로 제조한 빵의 경우에는 경도가 가장 큰폭

으로 증가하였다.

쌀전분은 밀전분에 비해 노화가 빨라서 쌀빵이 저장중에 밀빵보다 경도의 증가가 보다 큰 것으로 보고되고 있다.
한편 습식제분쌀가루로 제조한 빵은 건식과 반습식 제분에 의한 빵보다 경도의 증가폭이 낮았으며, 특히 55도에서 수침한 쌀가루로 제조한 빵에서 가장 낮은 경도 증가율을 나타내었다.

본 연구에 따르면 쌀의 가온수침처리는 쌀가루의 결정성 부분의 분자구조에서 변화를 초래하여 쌀빵의 제조 시 전분의 호화 및 노화특성에 다소 영향을 미치는 것 아닌가 판단하게 된다.
(출처: 한국식품영양과학회지, 쌀가루에 의한 쌀빵의 특성비교)

3장 쌀가루가 첨가된 식빵의 제빵적 특성

쌀은 옥수수와 밀과 함께 3개 곡물로 전 세계 인구의 약 절반이 주식으로 사용하고 있으며 아시아 지역에서 생산되는 쌀의 양이 전체생산량의 91%를 차지하고 있을 만큼 아시아에서 생산되는 쌀의 비중은 높다. 1970년 대 후반에 통일형 다수성 품종개발 보급으로 쌀의 자급달성을 이루었으며 쌀의 재배면적이 증가하고 재배면적 당 생산량도 증가하였다. 그러나 점차 식생활의 변화로 쌀의 소비가 줄어들기 시작하여 양 보다는 고품질 쌀을 생산하려는 노력이 현재진행형으로 계속 연구중이다.

최근에는 건강에 대한 관심의 증가와 밥맛 좋은 쌀을 선호하면서 용도별 고품질 품종을 육성하는 방향으로 전환되고 있다.
또한 점진적인 쌀 시장 개방을 앞두고 우리 벼육종 연구에도 기능성 및 다양성 확대를 통한 시장경쟁력 증진 연구가 활기차게 진행되고 있는 것이다.

소개할 품종은 고아미2호는 이러한 필요성에 의해 육종된 기능성 쌀품종으로서 고품질 자포니카 품종인 일품벼에 methyl-n-nitrosourea(MNU)를 처리하여 개발된 배유 변이체 품종이다. 계통명 수원464로도 알려진 고아미2호의 이화학특성 및 물리적 특성에 대해 보고된 바 있으며 고아미2호는 호분층 세포의 조직이 잘 발달되지 못했으며 전분립이 작고 배우세포 사이사이 작은 단백체(protein body)가 다수 존재한다고 하였다.

이러한 세포 구조적인 특징으로 인하여 고아미2호는 식감불량과 취반의 어려움이 여러차례 보고된 바 있다. 그러나 고아미2호는 원품종인 일품벼에 비하여 난소화성 다당류가 2배이상 높게 함유되어 있으며, 고아미2호를 당뇨 마우스에 급여하여 체내 지질수준 저하 효과를 규명하였다. 또한 혈당감소에 효과가 있을 확인하고 당뇨병 환자의 혈당조절용도를 제안한 연구결과도 있다.

최근 쌀 소비가 급속하게 감소하면서 쌀의 잉여문제가 심각한 문제점으로 대두되고 있다. 이에 쌀을 원료로 하는 여러 가지의

쌀 가공식품을 다양하게 개발하기 위한 연구가 다각적으로 이루어지고 있다. 이러한 쌀의 이용도 증진의 일환으로 쌀을 제빵에 적용하는 연구가 다양하게 수행되어 왔으며 앞단에서도 얘기한 내용으로 밀에 대한 알러지가 있는 사람들을 위한 대체품으로 밀을 사용하지 않은 쌀빵의 제조에 대한 연구개발이 지금도 이루어지고 있다. 쌀빵 가공의 가장 큰 문제점은 아마도 쌀 단백질은 제빵과정에서 밀 글루텐과 같은 반죽의 "망상구조"를 형성시키지 못하는 것이다.

이를 보완하기 위하여 쌀빵제조시 다양한 gum질 과 첨가제 carboxymethyl cellulose, guargum, methyl cellulose, xanthan gum, locust bean gum, hydroxypropyl - methylcellulos를 이용하여 쌀빵의 품질개선에 대하여 연구가 계속 진행 중이나 대부분 보편화되지 못하고 있는 실정이다.

그래서 다음 연구 논문에 기재된 기능성 쌀과 일반품종 쌀가루를 제빵에서 적정수준 밀가루에 대체할 수 있음을 알아보는 중요한

연구내용을 소개하고자 한다. 난소화성전분 함량이 높은 고아미 2호와 일반벼인 추청벼 쌀가루를 밀가루에 일정량 대체한 복합분의 제빵 특성을 비교해 보고자 하였다.

◎ 쌀의 성분 분석 및 외관 특성

일반성분(회분,조지방,조단백질) 분석은 AOAC 방법에 의하여 정량하였다. 단백질은 Kjeldahl법으로 질소환산계수 5.95를 대입하여 계산하였고 회분은 550도 직접회화법, 지질은 에틸에테르를 용매로 Soxhlet 방법으로 분석하였다.
일반성분 함량은 3번 반복 측정으로 결정되었다.

쌀의 난소화성 다당류 분석은 총 식이섬유 함량으로 결정되었으며 총 식이섬유 함량은 Meagazyme Kit를 이용하여 AOAC 방법으로 측정하였다. 시료 1.0g dp 인산완충용액(ph 6.0)을 넣어 끓는 수조에서 heat-stable amylase 100ml를 넣어 15분간 반응시켰고 ph 7.5에서 protease를 ph 4.6에서 amyloglucosidase를 순차적으로 넣어 분해하였다.

방냉 후 95% 에탄올을 넣어 총 알코올 농도가 80%되도록 한 다음 1시간 방치한 뒤, 침전된 부분을 여과 건조하여 측정하였다. 쌀의 크기는 완전미 20개 이상을 취하여 캘리퍼를 이용하여 장축과 단축을 측정하였고 곡립의 무게를 측정하였다.

◎ **전분의 호화특성 분석**

강력분에 쌀가루를 첨가한 복합분의 호화특성은 신속점도측정계를 이용하여 측정하였다. 시료 3g을 25ml 의 증류수에 분산시켜 처음 1분간은 50도로 유지시킨 후 95도로 12도/분 의 가열속도

로 가열하고 95도에서 2분 30초간 유지시킨 후 다시 50도로 12도/분의 속도로 냉각시켜 2분간 유지시키면서 점도를 측정함 전분의 호화특성으로는 호화개시온도(gleatinization temperature) 최고점도(peak viscosity), 최저점도(hot viscosity), 최종점도(final viscosity), 강하점도(breakdown), 치반점도(serback)값을 비교함.

◎ Mixogragh 분석

강력분에 쌀가루를 첨가한 복합분의 반죽특성은 AACC 방법에 따라 10g Mixograph를 사용하여 측정하였다. Mixograph의 장력은 9에 맞췄으며 반죽시간은 10분으로 고정하였고 실내 온도에 따른 변화을 줄이고자 실험실의 온도는 23도를 유지한다. Mixograph의 가수량은 복합분의 Mixogram을 참고하여 최적 가수량을 구하였고 최고높이에 도달한 시간을 반죽시간으로 정하였다.

◎ **식빵제조 방법**

밀가루에 쌀가루를 10, 20, 30% 대체한 복합분을 만들고 100g 복합분을 이용하여 직접반죽법에 준하여 빵을 제조하였다. 제빵에 사용된

기본적인 원료의 배합 비율로 진행하였다.

원료를 pin mixer를 사용하여 반죽한 후 온도 30도, 습도 85%에서 60분간 1차 발효 시켰으며 punching 후 15분간 resting 한 다음 40분간 proofing 하였다. 빵은 오븐온도 210도에서 24분간 굽기를 하였다.

◎ 연구 결과에 대한 고찰

쌀의 외관특성 및 일반성분의 경우 일품벼에서 유래된 배유 돌연변이 품종인 고아미2호는 원품종에 비하여 형태 및 품직특성에서 매우 다른 특성을 지니고 있다. 외관상으로는 고아미2호는 옅은 황색을 띠면서 대부분이 심복백으로 차있으나 일반쌀 품종인 추청벼는 색깔이 투명하고 옅은 담황색을 나타내고 있다. 쌀의 크키 및 모양을 나타내는 길이, 너비 및 장폭비는 2개의 품종간에 유의한 차이를 보이는데 고아미2호가 추청쌀에 비하여 크기가 작고 무게가 가벼운 것으로 측정된다.

고아미2호와 추청벼의 성분 함량에도 유의한 차이를 보였는데 고아미2호는 지방과 난소화성 다당류 함량이 매우 높은 것으로 나타났다.

이처럼 일반 품종에 비하여 높은 함량의 난소화성다당류는 전분의 호화특성 및 여러 가지 가공특성에 영향을 줄 것으로 사료된다. 한편 고아미2호 및 일품벼의 전분 구조 및 물리화학적 특성을 분석한 결과 고아미2호는 아밀로스 함량이 33.96%로서 고 아밀로스 쌀 품종으로 분류된다고 발표한바 있다. 반면에 쌀 배유 탄수화물의 특성과 식미와의 연관성에 관한 연구에 의하면 추청벼의 아밀로스 함량은 18.05%인 것으로 보고된다.

Table 3. Grain size and shape of Goami2 and chucheongbyeo

	Goami2	chucheongbyeo
Length(mm)	4.34	4.79
Width(mm)	2.77	2.84
L/W ratio	1.57	1.69
Grain weight(mg)	13.50	19.44

1) L/W ratio = length to width ratio
2) grain weight was determined by the average of 30 kernels

Table 4. Chemical compositions of Goami2 and chucheongbyeo

Component	Rice flour(%)	
	Goami2	chucheongbyeo
ash	0.91±0.12	0.25±0.09
crude lipid	2.42±0.08	1.17±0.14

crude protein	7.88±0.39	6.93±0.16
NDC	7.25±0.28	2.98±0.73

3) NDC = non-digestible carbohydrate

◎ **쌀가루의 호화특성**

고아미2호 및 추청벼 혼합분과 강력분의 호화특성을 측정한 결과 호화개시온도는 대조구조가 63.4도이고, 고아미2호가 82.9도, 추청벼가 69.7도로서 고아미2호가 높게 나타났다.

고아미2호의 호화점도를 추청벼와 비교했을 때 고아미2호는 최고점도치와 최저점도치가 매우 낮고 반면에 최종점도치가 비교적 높아 강하점도(breakdown)는 낮고 치반점도(setback)는 높은 특징을 보인다.

이러한 호화특성은 일품벼의 배유 돌연변이체인 고아미2호의 특이한 전분구조 때문인 것으로 추정되는데 일품전분은 전형적인 육각형 구조를 보였으나 고아미2호 전분은 무정형의 원형 또는 타원형의 전분 구조를 보인다고 보고된 연구결과가 있다. 즉, 고아미2호의 특이한 전분 구조로 인하여 전분의 호화 시 가열로 인한 전분의 팽윤 현상이 매우 느리게 진행되어 호화개시온도는 높고 전분의 팽윤이 억제되어 호화 점도가 매우 낮은 것으로 사료된다.

한편 전분의 노화현상을 나타내는 치반점도가 고아미2호가 45.7(RVU)로서 추청벼의 치반점도 39.9(RVU)에 비하영 높게 나타나는데 이러한 특성은 쌀가루를 첨가한 식빵의 노화에도 영향을 줄 것이라고 생각된다.

◎ **쌀가루 복합분의 Mixograph 특성**

쌀가루 첨가에 따른 반죽 형성의 특징을 알아보기 위한 mixogram 결과는 대조구인 강력분의 가수량은 65% 이었으며 반죽시간은 5.00분을 나타내었다. 그러나 쌀가루를 10% 대체한 혼합분의 가수량은 고아미2호가 66%이고 추청벼가 65%로 나타났고 반죽시간은 평균 5.20분으로 쌀가루 10%대체로 반죽시간이 약간 증가한 것으로 나타났다.

쌀가루 대체량을 10%에서 20%와 30%로 각각 증가하였을 때 반죽 특성은 다소 차이를 보였다. 고아미2호 혼합분의 경우는 쌀가루 10%씩 증가에 따라 가수량이 1%씩 증가하여 대체 쌀가루 함량이 20%와 30% 일 때 가수량은 67% 와 68% 로 결정되었다.

그러나 반죽시간은 5.20분으로 동일한 것으로 나타난다. 한편 추청벼 쌀가루 복합분은 쌀가루 함량이 10%에서 20%로 증가하였을 때 반죽의 안정도가 상당히 감소되는 것으로 확인되는데 이러한 현상은 30%로 증가시켰을 때 더욱 뚜렷하였다. 따라서, 추청벼 쌀가루 20% 와

30% 대체한 복합분의 가수량과 반죽시간은 반죽의 형성 정도에 따라서 66% 와 5.00분으로 결정되었다. 즉 고아미2호 쌀가루반죽과 달리 추청벼 쌀가루 대체량이 증가할수록 반죽시간은 감소하는 경향을 보임

◎ 쌀빵의 품질특성 비교(고아미2호, 추청벼)

쌀빵의 부피 및 체적 강력분에 고아미2호와 추청벼 쌀가루 10~30% 대체한 제빵 특성은 고아미2호 쌀빵의 체적은 쌀가루 함량이 10~30%

로 증가함에 따라 각각 1025cc, 875cc, 775cc 로 감소하는 경향으로 비체적도 현저한 감소를 보였다. 반면에 추청벼 쌀가루 대체 함량이 10~30%로 증가시켰을 때 쌀빵의 체적은 1012~1050cc였으며 비체적도 10%와 30% 대체하였을 때 각각 7.44 와 6.98(cc/g)로서 통계적으로 유의한 차이는 나타나지 않았다. 따라서 빵의 부피를 비교 해봤을 때 특수미품종인 고아미2호의 제빵 적성은 일반 품종인 추청벼에 비하여 낮은 것으로 판단된다. 대조구인 강력분 빵의 부피와 대조시 쌀가루 10%첨가는 비체적에 영향을 주지 않았으며, 추청벼의 경우 20%까지 첨가하여도 빵의 부피에는 변화를 주지 않았다.

빵을 절단한 단면 사진에 나타나듯이 쌀가루 함량이 증가함에 따라 추청벼(cc) 쌀빵은 쌀가루 함량 변화에 큰 차이를 보이지 않았으며 고아미2호(G2) 쌀빵은 쌀가루 함량이 증가할수록 현저하게 부피가 감소하였다. 고아미2호 쌀빵은 쌀가루르 30% 대체했을 때 현저한 부피 감소와 함께 빵 내부 조직의 기공이 작아 치밀한 구조를 보였다. 이와 같이 고아미2호의 제빵 적성이 추청벼에 비하여 낮은 이유는

배유 변이체 특성 때문인 것으로 추정된다.

변이체 쌀 품종별 전분분자의 포도당 사슬길이 분포와 쌀빵 가공성 간의 상관관계를 검ㅌ초한 결과 아밀로스 함량이 많을수록 아밀로스를 형성하는 포도당 사슬길이가 길며 이러한 품종의 쌀로 제조된 쌀빵은 노화지수는 높고 씹힘성이 나쁘다.

즉, 아밀로스 함량이 낮을수록 씹힘성이 좋은 쌀빵의 제조가 가능하였으며 아밀로펙틴 분획에 짧은 쇄장을 많이 함유하는 품종일수록 질감 및 기호도가 높은 쌀빵의 제조가 가능했음을 확인하였다.

한편, 쌀가루를 밀가루 대비 10~50%까지 대체시킨 혼합빵의 식미검정을 검토하였을 때 전체적인 기호도에서 쌀가루를 섞은 빵이 밀빵보다 유의적으로 높은 점수를 얻었는데 특히 10~30%를 섞은 경우가 40~50% 섞은 빵보다 좋은 반응을 보였다.

쌀빵의 색도와 물성 식빵 내부의 수분함량 색도 및 빵의 내부경도 측정결과는 다음과 같다. 쌀가루 혼합분에 의한 빵이 강력분 빵에 비하여 높게 나타나 빵 색이 밝은 것으로 관찰된다.

쌀 품종별 빵의 밝기를 비교할 때, 추청벼 쌀빵은 쌀가루 함량이 증가할수록 빵 색이 어두워졌으나 고아미2호 쌀빵은 쌀가루 함량에 따른 유의성을 나타내지는 않았다. 강력분 빵에 비하여 쌀가루 첨가 빵은 황색도가 높은 경향이였다. 한편 쌀 품종 간에도 약간 차이를 보였는데 쌀가루 함량이 증가할수록 고아미2호 쌀빵은 황색도가 높아진 반면 추청벼 쌀빵 녹색도가 높아지는 경향을 나타내었다.

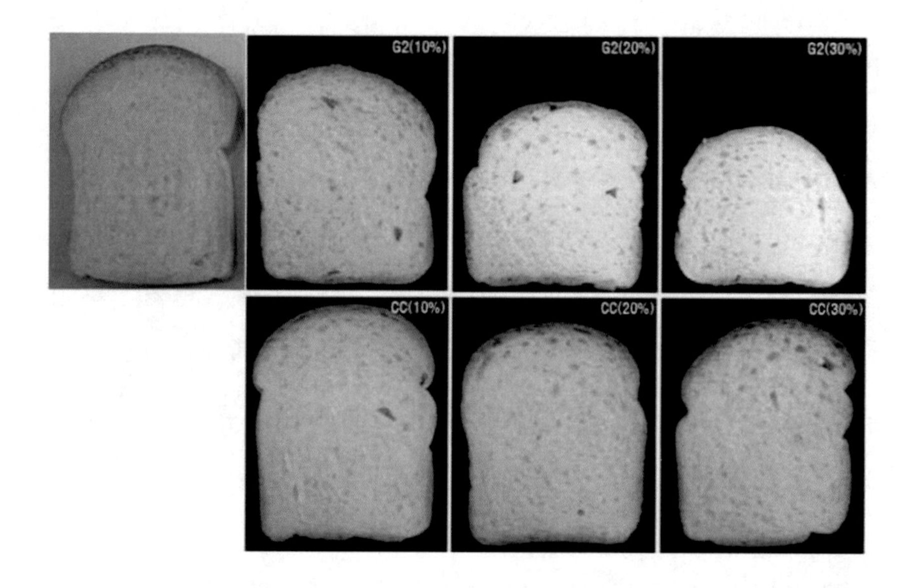

빵의 경도에 영향을 미치는 요인으로는 빵의 수분함량,부피, crumb 기공의 발달 정도 등이 있으나 위 실험에서는 빵 내부 수분함량에 따른 경도 변화의 관련성은 관찰되지 않았다. 추청벼 쌀빵의 경도가 고아미2호 쌀빵에 비하여 낮은 것으로 나타났는데 추청벼 쌀빵의 경도는 433~482g 범위로 쌀가루 함량 증가에 따른 유의성은 관찰되지 않았다.

강력분 빵 내도 경도가 460.9g인 것으로 나타나 추청벼 쌀가루 10~30% 첨가 식빵과 비교할 때 유의한 차이는 없는 것으로 판단되며, 반면에 고아미2호 쌀빵의 경도는 653~2034g 의 범위로 쌀가루 함량 증가에 따라 현저하게 높아지는 것으로 관찰되었다.

고마이2호 쌀가루 증가로 인한 쌀빵의 경도가 증가하는 것은 고아미2호를 이용한 취반 특성과 상관성이 있을 것으로 추정된다.
고아미2호의 취반특성 연구 결과보고에 따르면 고아미2호는 취반시 수분흡수율과 팽창용적이 매우 낮은 것으로 나타났으며 취반한 밥은 찰기가 없이 푸석한 조직감을 보여 일반 취반용 쌀에는 적합하지 않은 것으로 관찰되었다. 그러나 추후 연구된 논문을 살펴보면 고아미2호 취반미 섭취 후 혈당반응을 측정한 결과 일반 품종인 일품벼 취반미에 비하여 혈당치가 현저하게 감소하는 것이 확인되어서 낮은 취반 특성에도 불구하고 고아미2호는 기능성 쌀로서의 효능이 확인되었다.

위 연구결과를 종합해 볼 경우, 제빵에서 강력분의 일부를 쌀가루로 대체할 경우 특수미 품종인 고아미2호는 일반 쌀 품종인 추청벼에 비하여 낮은 제빵 적성을 나타낸다고 생각된다. 그러나 추청벼를 10~30% 까지 대체한 혼합분을 이용한 식빵의 경우 최대 30%까지 대체하여도 빵 품질에서 유의한 차이가 없는 것으로 나타나 제빵적성이 우수한 쌀 품종을 선발하여 강력분의 일부를 쌀가루로 대체하는 것이 가능할 것으로 사료된다. 이에 따라 기능성 쌀 품종이외에도 일반 쌀

품종간의 제빵 적성에 관한 지속적인 개발과 연구를 통해 제과제빵 산업발전을 위해 다양한 시도가 필요하다고 생각한다.

4장 국외 쌀가공 제품 및 현황

일본의 경우, 가공용 쌀 소비량은 연간 100여만 톤으로 생산량의 15% 정도를 차지하고 있으며, 1인당 쌀 소비량은 감소하는 추세이다.
1970년대 후반부터 조리 및 가공에 관한 연구를 통하여 다양한 쌀가공 제품을 개발하는 등 지속적인 개발을 통해 현재에는 100여 개의 식품 업체에서 쌀가공 제품을 판매하고 있다.

나카타 제분에서는 효소를 이용한 제분과 2단계 제분용 습식제분시설을 활용하여 멥쌀로부터 밀가루 대체 쌀가루를 생산하고 잇으며, 쌀가루 제조 기술의 개발과 제조 공정의 표준화, 매뉴얼화, 프로그램화 등을 통하여 과거 쌀과자, 경단을 만드는 정도로 사용되었던 쌀가루를 밀가루를 대체할 수 있는 빵, 케이크, 면류, 스낵류 등에 확대 적용되고 있다.

현재까지는 쉬폰 케이크 등 일부 품목에만 글루텐 첨가 없이 쌀가루로만 만들어 판매하고 있ㄹ으나 대부분의 빵이나 스낵 등에 사용하는 쌀가루에는 글루텐을 첨가하여 사용하고 있다.

미국의 경우, 쌀가루는 알레르기 발생률이 낮아 밀가루를 대체할 수 있을 것으로 여겨져 쌀에 대한 연구에 관심이 집중되고 있으며, 2008년부터 미국과 유럽에서는 글루텐 무첨가제품이라는 라벨을 명시하도록 하도록 하고 있다. 지난 몇 년간 셀리악병 환자 및 비셀리악 글루텐 민감증의 인식이 증가함에 따라 진단받은 인구 또한 증가하는 추세를 보인다. 2013년 8월 미국 식품의약국(FDA)은 식품 영양성분 표시규정을 추가하였다. 2015년 미국의 글루텐프리식품 시장은 약 116억 달러 규모로 2013년도 대비 약 136% 성장하였으며 매년 성장하고 있다.

전체식품 매출액 대비 글루텐프리식품 매출액의 비율을 살펴본 결과 2013년 2.8%에서 2015년 6.5%로 큰 폭으로 증가하였다.
 미국 시장에서 쌀을 활용한 글루텐프리제품은 많이 출시되고 있으며 쌀은 글루텐프리식품의 가장 중요한 재료 중 하나이며 백미 외에도 현미 등 잡곡을 활용한 곡물과자류가 출시되고 있다. 현재 제조업체들은 제품의 품질 및 영양학적 요소에 중점을 두고 제품개발을 진행하고 있으며 이는 글루텐프리제품이 영양학적 요소가 부족하다는 연구결과들이 발표되면서 영향학적 균형이 잘 갖추어진 제품에 대한 소비자들의 수요가 증가하고 있기 때문이다.

캐나다의 경우, 2015년 글루텐프리 제과 및 시리얼 카테고리의 규모는 약 15억 달러 규모로 성장하였으며 카테고리 내 모든 하위품목이 성장하면서 2013년을 기준으로 연평균 24.4%의 성장률을 기록함.
캐나다의 락토즈프리, 글루텐프리, 피넛프리 등 음식물 알레르기 식품 관련 시장은 2015년 기준 약 5억200만 달러 규모이다.

글루텐프리식품 소비트렌드는 소비자들의 건강에 대한 관심이 지속적으로 높아지고 있고 캐나다 소비자들은 글루텐프리식품이 보다 건강한 선택이라고 인지하는 것으로 나타난다.

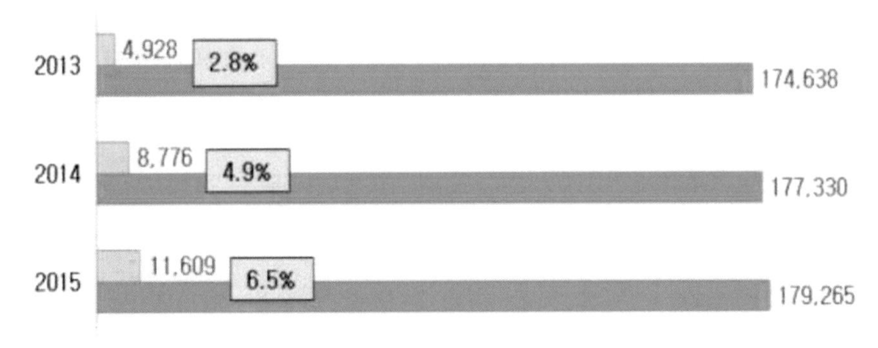

5장 유산균을 이용한 발효 쌀가루의 이화학적 특성

최근 밀가루 글루텐이 Celiac disease 의 원인으로 세계 인구의 약 1% 가 이 질환으로 밝혀지면서 글루텐프리 식품에 대한 관심이 증가되고 있는데 쌀은 밀가루나 글루텐을 함유한 맥류를 대체할 수 있는 소재로 알려지면서 쌀가루를 이용한 제품 개발에 대한 연구와 관심이 매년 증가하고 있는데 쌀에는 접착과 팽창을 촉진시키는 밀가루의 글루텐과 같은 점성 단백질이 없고 끈적이는 부착성이 강하여 조직감이 낮으며, 노화가 빠르므로 제과제빵 분야의 가공용으로의 기능은 떨어지나 쌀이 가지고

있는 소화흡수력, 아미노산 가치 등 영양적인 부분에서 다른 곡류보다 월등하다고 볼 수 있다. 따라가 쌀의 가공 적성 개선 및 이용성 증진을 위하여 유산균을 이용하여 발효시켜 제조한 유산발효 쌀가루의 이화학 특성을 연구한 논문을 통해 좀더 자세히 알아보도록 한다.

이 논문의 경우 연구방법으로 쌀은 4회 수세하고 상온에서 4시간 수침하여 물기를 뺀 다음 발효 처리 하였다.
대조구는 4회 수세하여 물빼기를 한 후 roller mill로 3회 분쇄한 후 소형 분쇄기를 이용하여 3분간 분쇄하였다. 수침발효는 쌀 5kg 에 증류수 10L를 가하여 37도 항온기에서 48~72시간 발효시켰다.

발효과정을 마친 쌀을 3회 수세하고 3시간 동안 물빼기를 한 후 roller mill을 사용하여 3회 분쇄한 후 소형 분쇄기를 이용하여 3분간 분쇄한 다음 냉동고에 보관하고 시료로 사용하였다.

◎ 분석방법

1) 쌀가루의 조단백질 함량 및 호화특성 측정 진행

쌀가루의 조단백질 함량은 쌀가루 5g을 취하여 kjeladhl 분석법에 따라 분석하였다. 쌀가루의 호화특성은 신속 점도 측정계를 이용하여 아밀로그램 특성으로 분석하였다. 시료의 양은 쌀가루 3.5g에 증류수 25ml를 첨가하였으며 호화온도 조건은 초기온도 50도에서 1분, 4분 동안 50도~93도로 가온, 93도에서 7분간 유지하였다.

냉각은 93~50도까지 4분간, 최종온도는 50도에서 3분간을 유지하였다.

100mesh로 분쇄한 시료 3g을 25ml의 증류수에 분산시켜 처음 1분간은 50도로 유지시킨 후 95도로 12도/분의 가열속도로 가열하고 95도에서 2분 30초간 유지시킨 후 다시 50도로 12도/분의 속도로 냉각시켜 2분간 유지시키면서 점도를 측정하였다. 총 연구실험 시간은 13분으로 실험 후 초기호화온도, 최고점도, 최저점도, 최종점도, 강하점도, 치반점도를 계산하여 비교하였다.

2) 쌀가루의 구조와 분자량 및 분자크기

쌀가루의 내부구조를 관찰하기 위하여 주사전자현미경을 이용하여 쌀의 처리 후 2,000배의 비율로 조사하였다. 쌀가루의 분자량 및 분자크기의 변화를 조사하기 위하여 다각광 산란검출기를 이용하였으며, 제분된 쌀가루를 동결건조 후 분쇄하여 120mesh 체로 친 것을 사용하였다.

3) 조단백질 함량

발효 처리하여 제조한 쌀가루의 단백질 제거 효과를 검토해 보기 위해 조단백질 함량을 분석하였을 때 대조구에 비하여 수침발효나 유산균에 의한 발효처리구의 조단백질 함량이 감소하여 단백질 제거효과가 있었다. 발효처리 후 쌀 단백질 제거량은 대조구와 비교하였을 때 유산발효 쌀가루의 조단백질함량이 수침발효 쌀가루 보다 적었음을 보아 유산발효에 의해 더 많은 양의 단백질이 제거되었음을 판단 할 수 있었다.

3일간 유산발효 처리한 쌀로 제조한 쌀가루의 조단백질 함량은 4.93%이었고, 2일간 유산발효 처리한 쌀가루는 5.71%로 3일간 유산발효 처리 쌀가루가 2일간 유산발효 처리한 쌀가루에 비하여 단백질 제거량이 많았다.

대조구 와 수침발효, 유산발효 처리 등 모든 처리간에 유의적인 상관을 나타냈는데 "김성곤 과 방점법(1996)"의 연구에서도 쌀의 수침 발효시 수침온도 30도에서 수침시간이 길어짐에 따라 단백질 함량은 계속 감소하였다고 보고하였다.

4) 호화특성

수침 발효하거나 유산발효 처리한 쌀로 제조한 쌀가루의 발효기간에 따른 아밀로그램 특성은 실온에서 수침발효하거나 37도에서 유산발효한 쌀의 최고점도, 최저점도, 최종점도, 강하점도, 치반점도, 응집점도와 최고점도에 대한 최저점도 비율을 나타내는 H/P ratio는 대조구에 비하여 감소하였다. 실온에서 수침 발효한 쌀의 최고점도, 최저점도, 최종점도, 강하점도, 치반점도, 응집점도 및 H/P ratio는 발효 2일까지는 감소하다가 발효 3일째에는 약간 증가하였고 37도에서 3일간 유산발효한 쌀은 2일간 유산 발효 처리한 쌀에 비하여 감소하였다.

~~호화개시온도는 모든 처리간에 차이가 없이 68.1~68.2도를 나타냈는데~~
쌀의 수침 온도는 대조구보다 낮았으며, 수침 온도 7도에 비하여 15도
20도, 30도에서 감소하였다고 한 결과값들과 차이가 있었다.

2일간 발효 후는 수침 발효에 비하여 유산 발효 쌀가루의 경우 치반점도는 감소한 반면 최고점도, 최저점도, 최종점도, 강하점도, 응집점도가 높았으나 3일간 발효 후에는 유산발효 쌀가루가 실온 수침발효 쌀가루에 비하여 최고점도, 최저점도, 최종점도, 강하점도, 치반점도, 응집점도 모두 감소하였다. 예로 "이영택(2004)"의 연구에 의하면 40도에서 수침한 쌀 전분의 최고점도는 증가하고 호화개시 온도가 감소한 반면 50도

와 60도 에서는 최고점도와 강하점도가 감소하였다고 한다.

호화개시온도와 최종점도가 증가하여 치반점도값이 높게 나타났다고 하였는데 위에서 실험한 37도 로 처리한 결과 호화개시 온도는 처리간에 차이가 없었으며 최고점도는 감소하여 다른 결과값을 도출하였다. 특히 치반점도가 감소할수록 노화가 지연되는 것은 앞서 지속적으로 설명하였으며 가공적성의 향상에 도움이 된다는 사실을 유추해 볼 때 유산 발효 쌀가루를 이용할 경우 품질향상에 매우 큰 도움을 준다는 것을 알 수가 있었다.

6장 쌀가루를 활용한 쌀빵 레시피

1. 재료

시중에 유통되는 쌀가루 제품(입도 300 mesh)은 덕산제품을 구입하여 시료로 사용하였다. 달걀, 버터, 설탕, 전지분유, 소금, 이스트푸)는 대형마트에서 구입한 제품으로 진행하였다.

2. 쌀가루의 일반성분분석

일반성분은 AOAC법(2000)에 따라 수분함량은 105℃ 건조법, 조지방은 Soxhlet법, 회분은 550℃ 회화법으로 분석하였고, 조단백질은 원소분석기(Thermo Quest사, Flash 2000)를 이용

하여 전질소량을 정량하고, 질소계수 6.25를 곱하여 조단백질로 하였으며, 탄수화물은 100에서 수분, 조단백질, 조지방, 회분의 값을 제한 값으로 하였다.

3. 쌀가루의 비타민 C, A, E 함량

비타민 C 함량은 시료를 5 g을 균질화 하여 10% metaphosphoric acid(HPO3) 용액을 가하여 추출한 다음 3,000 rpm에서 20분간 원심분리한 후에 상등액을 membrane filter (0.45 μm)로 여과하여 HPLC로 분석하였다. 분석조건은 column은 Dionex C18(300×3.9 mm)을 사용하고, solvent 0.05 MKH2PO4 : acetonitrile(60:40)과 flow rate는 1.0 mL/min으로 하였으며, UV 파장 254 nm, injection volume은 20 μL로 하였다. 비타민 A, E 함량은 시료 4 g에 ascorbic acid 0.1g과 ethanol 30 mL를 첨가하여 균질화한 후 80℃에서 20분

간 추출한 다음 50% KOH 용액 0.25 mL를 첨가하였다.

증류수 3 mL와 hexane 5 mL를 가하여 3,000 rpm에서 20분간 원심분리시킨 다음 잔사에 hexane 5 mL를 가하여 균질화한 후 80℃에서 20분간 추출시켜 3,000 rpm에서 20분간 원심분리하였다. 상등액을 합하여 무수황산나트륨을 가해 탈수시킨 후 50℃ 에서 감압 농축하고, methanol로 용해시킨 후 membrane filter(0.45 ㎛)로 여과하여 비타민 A와 E를 다음과 같이 HPLC

로 분석하였으며, 분석조건은 다음과 같다. Column은Phenomenex Luna 5 um C18(250×4.6 mm),Mobile phase: Acetonitrile : 2-Propanol(95 : 5)을 사용하고, flow rate는 1.0 mL/min으로 하였으며, UV 파장 254 nm, injection volume은 20㎕로 하였다.

4. 쌀가루의 무기질 함량

시료에 질산 8 mL와 과산화수소 2 mL를 가한 후 Micro-wave Digestion System을 상온에서 90℃에서 150℃까지 올린다.
분해 후, 190℃까지 온도를 올린 다음 30분 동안 분해하였다.

서서히 온도를 낮춰 50℃가 되면 시료를 50 mL 정용플라스크에 옮겨 증류수로 정용하고, filter paper로 여과하여 ICP-OES를 이용하여 측정하였다(Jeong 등 2006a). 분석조건 중 radio frequency power는 1.4 KW이며, analysis pump flow rate는 1.5 mL/min으로 하였고, gas flows는 plasma 15, auxiliary 0.2, nebulizer 0.8 L/min으로 하여 분석하였다.

5. 쌀가루의 아미노산 분석

시료를 6 N HCl 5 mL를 가하여 감압 밀봉한 후 110℃로 setting된 heating block에 24시간 동안 가수분해시켰다.
가수분해가 끝난 시료는 50℃에서 rotary evaporater로 산을 제거한 후 sodium dilution buffer로 10 mL 정용한 다음, 이중

1 mL를 취하여 membrane filter 0.2 ㎛로 여과시켜 아미노산 자동분석기(S433-H, Sykam GmbH, Germany, Munich)로 정량분석하였다(Jeong 등 2006b). 분석에 필요한 column은 Cationseparation column(LCA K07/Li)을 사용하고, flow rate은 Buffer0.45 mL/min, reagent 0.25 mL/min, Buffer pH range 2.90~7.95으로 하며, column 온도는 37~74℃로 분석하였다.

위 연구논문의 내용은 일반인들에게는 용어부터 시작하여 이해하기 어려워 보이지만 현재 수많은 사들이 쌀가루를 이용하여 연구 및 개발을 진행하고 있는 것이다. 단순히 제과제빵업에 종사하는 또 앞으로 종사할 사람들에게 감히 조언을 하자면 앞으로 이러한 연구와 개발의 결과물만 이용하여 제품을 제조하고 응용 할 것이 아니라 궁극적으로 쌀가루의 특성과 이해를 조금이나마 전문지식을 통해 습득하고 이해해야 고객들에게 더 좋은 제품을 드릴 수 있다

고 필자는 생각한다.

연구에 중간대목에서 이러한 말을 하는 이유는 현장에 있는 이들도 끊임없이 노력하고 전진해야 된다는 점을 말하고 싶었으며 이러한 연구들을 통해 참고문헌의 내용연구를 통해 만들어진 레시피를 현장에서 좀더 정확하게 구현하는 방안 또한 우리 제과 제빵사들에게 필요하다는 것이다.

쌀을 이용하여 빵을 만드는 경우, 쌀에는 부피를 유지시켜주는 글루텐이 없기 때문에 쌀만으로는 제조가 어려우므로, 쌀가루와 밀가루를 혼합하여 만들거나, 쌀가루에 글루텐을 강화하여 만들어야 한다. 시중에는 쌀가루에 밀가루에서 분리한 활성글루텐을 첨가하여 제조한 제빵용 쌀가루 제품이 판매되고 있으나, 쌀가루에 활성글루텐을 첨가하여야 하기 때문에 가격이 비싸진다는 단점이 있지만, 쌀가루를 첨가하여 빵을 만들었을 때에 촉촉한 질감을 얻을 수 있다는 장점도 있다. 쌀가루를 이용한 다양한 종류의 쌀빵 레시피는 다음과 같다.

쌀가루를 이용한 다양한 종류의 쌀빵으로는 쌀 식빵을 기본으로 하여 쌀가루 75% 함량으로 쌀베이글, 쌀단팥빵, 쌀버터롤빵, 쌀모카빵, 쌀버터톱, 쌀슈크림빵, 쌀소보로 등 8품목과, 쌀가루 80% 슈톨렌, 쌀호빵 등 2품목, 쌀가루 85%함량으로 쌀꽈배기 등 총 11개 품목의 레시피를 소개하고 있다.

쌀가루 제과.제빵 레시피

쌀식빵(Rice loaf bread)

Recipe

재료	쌀가루 270g, 활성글루텐 90g, 버터 12g, 소금 4g, 달걀 1개 물 240ml, 생 이스트 4g, 분유 10g, 설탕 10g, 베이킹파우더 3g

1	위 재료를 반죽기로 35분간 반죽
2	1차 발효 60분(발효기, 건열 40℃, 습열40℃)
3	분할 후 실온에서 중간 발효 18분
4	성형 후 2차 발효 28분(발효기, 건열 40℃, 습열 40℃)
5	계란물 입힌 후 오븐(180℃)에 1시간 굽기

 쌀베이글(Rice bagel)

 Recipe

재료	쌀가루 204g, 활성글루텐 36g, 소금 3g, 물 150mL, 생이스트 5g, 설탕 13g, 식용유 15g

1	위 재료를 반죽기로 15분간 반죽
2	1차 발효 26분(발효기, 건열 40℃ 습열 40℃)
3	분할 후 실온에서 중간 발효 20분
4	성형 후 2차 발효 37분(발효기, 건열 40℃ 습열 40℃)
5	끓는 물에 20초 데치기
6	오븐(윗불 190℃, 아랫불 170℃)에 58분 굽기

 쌀단팥(Rice sweet red-bean)

 Recipe

재료	쌀가루 175g, 활성글루텐 58g, 버터 40g, 소금 6g, 달걀 1개, 물 175mL, 생이스트 23g, 분유 10g, 설탕 10g, 제빵개량제 3g

1	위 재료를 반죽기로 58분간 반죽
2	1차 발효 10분(발효기, 건열 40℃ 습열 40℃)
3	50 g씩 분할 후 실온에서 중간 발효 16분
4	성형 후 계란물 입힌 후 2차 발효 20분 (발효기, 건열 40℃, 습열 40℃)
5	오븐(윗불 200℃, 아랫불 160℃)에 50분 굽기

우유쌀빵(Milk Rice bread)

Recipe

재료	강력쌀가루200g, 드라이이스트3g, 설탕20g, 소금2g, 우유80g,

	물65g, 무염버터20g
1	반죽이 한덩어리로 뭉치면 버터를 넣고 글루텐 형성까지 손반죽 진행
2	반죽을 7등분 분할 후 15분정도 중간발효
3	기름칠한 팬에 반죽이 2배가 될 때까지 2차 발효
4	위에 강력쌀가루를 체쳐 뿌린다.
5	오븐에 150도, 15~17분 굽기

쌀버터롤(Rice butter roll)

Recipe

재료	쌀가루 300g, 활성글루텐 100g, 생이스트 18g, 분유 16g, 소금 8g, 설탕 48g, 달걀 1개, 버터 60g, 물 236g

1	위 재료를 반죽기로 30분간 반죽
2	1차 발효 20분(발효기, 건열 40℃, 습열 40℃)
3	중간발효 15분(실온, 온도 27.7℃, 습도 69%)
4	2차 발효 15분(발효기, 건열 40℃, 습열 40℃)
5	오븐(180℃)에 1시간 굽기

쌀모카(Ricemochabread)

Recipe

재료	쌀가루 187g, 활성글루텐 63g, 생이스트 13g, 설탕 30g,

	소금 3g, 버터 30g, 건포도 30g, 달걀 1개, 물 100g
1	위 재료를 반죽기로 15분간 반죽
2	버터 30g, 설탕 50g, 달걀 반개, 우유 15g, 인스턴트커피 3g, 베이킹파우더 2g, 소금 약간, 박력분 120g을 반죽 후 냉장보관
3	반죽 후 1차 발효(발효기, 건열 35℃ 습열 40℃)
4	분할 후 중간발효(실온, 온도 26.9℃ 습도 56%)
5	성형 후 토핑 덮은 뒤 2차 발효(발효기, 건열 35℃ 습열 40℃)
6	오븐(180℃)에 굽기

7장 오미자 추출물을 이용한 제빵적성

시대가 빠르게 발전하면서 오늘날 우리의 식생활문화는 놀랄 만큼 빨리 변화하였다. 기술의 발달은 우리 식생활의 질적 향상을 발전시켰으며 점점 식품 소비문화에도 많은 변화가 일어나고 건강지향적인 제품구매 성향이 점차 높아지고 있는 실정이다.
그러면서 자연스럽게 각종 성인병 예방을 위한 자연건강식의 개발과 기능성 식품에 대한 요구 또한 지속적으로 증대하였다.

결국 소비자의 소비형태는 다양성을 띄게 되면서 소비자의 기호변화를 리드 할 수 있는 패턴의 제품이 필요하게 되었고 소비자가 제품을 고르는 기준이 양에서 질로 바뀌게 되었다. 그렇기에 모든 분야의 제품은 소비자의 선택을 위해 다양한 방식으로 변화되었다. 맛은 첫 번째요 둘째는 시각적인 형태 또는 다양한 재료를 이용한 궁금증이라 할 수 있다.

모든 제품의 흐름은 제과제빵 또한 다를 것이 없었는데 기능성이 부각된 제빵제품들이 소비자의 눈길을 끌고 수요가 증가함에 따라 빵과 과자, 샌드위치 등에 대한 소비자의 기호도가 다양화되고 고급화되면서 그 기호에 부합하는 다양한 측면의 신제품 개발이 끊임없이 요구되고 제과제빵업에 종사하는 우리 기술자들은 자신만의 상징적인 제품을 개발하고자 자연식품을 이용한 제과제빵 연구를 다방면으로 시작하게 된 것이다. 오늘날 다양한 자연식품 다시마,

단호박 분말, 향신료 고수, 감잎, 우리밀, 흑임자, 솔잎발효액, 구기자, 매실, 오미자 등 셀수 없는 다양한 개발을 통해 특허와 독보적인 기술을 확보하여 지역특산물을 통해 지역을 상징하는 제품들까지 선보이면서 소비자들에게 인정을 받았다.

이 중 오미자(Schizandra chinensis Baillon)는 목련과(Magnoliaceae)에 속하는 자생목으로 현급, 회급, 수신, 금령자,홍내소, 경저등의 이름으로 다양하게 불리워지고 있으며 6~7월에 꽃이 피며, 열매는 9~10월 성숙하여 심홍색을 뜨며, 서리가 내린 후 채취하여 식용

및 약용으로 사용되고 있다. 오미자의 대표적인 약리작용으로는 간장보호, 항산화, 혈당강하, 콜레스테롤 저하, 고지혈증 완하, 혈압저하, 카드뮴 해독, 면역조절, 항궤양, 항암 및 항종양 등으로 연구결과가 보고되고 있다.

또한 오미자는 단맛, 신맛, 쓴맛, 매운맛, 짠맛 등 5가지의 맛이 난다고 하여 오미자라는 이름이 붙여졌고 이들 중 가장 유기산 함량이 높은 신맛이 주된 맛이라 할 수 있다. 오미자를 활용한 제품은 우리주변에서 흔하게 볼 수 있는데 우리가 가장 잘 알고 있는 차로 이용되고 있고, 젤리, 스포츠드링크. 요구르트, 김치, 두부, 고추장, 소스, 와인 등 다양한 제품들로 소비자들에게 판매되고 있다.

그렇기에 오미자 추출물을 제과제빵에도 접목하고자 다양한 시도를

통해 제품개발을 하고자 하였다. 오미자 추출물에는 당유기산과 향기성분이 있기에 제빵의 재료로 이용한다면 건강에 유익할 뿐 아니라 빵의 산화방지 및 저장성에도 효과가 있을 것이라고 생각하였다. 생각을 실천하기 위해 단순한 이론이 아니라 검증된 자료가 필요하였고 다양한 논문과 연구학습지를 찾아 주관적인 것이 아닌 객관적 검증된 자료를 근거로 제과제빵 제품을 개발하고자 하였다.

그 중 첫 번째로 오미자의 추출물로 만든 대중적인 제품 엑기스를 가지고 그 첨가량을 달리하여 빵의 품질특성과 상품화 가능성을 알아보고 엑기스 비율 배합을 통해 관능검사를 실시한 자료를 토대로 맛과 품질 모두를 만족할 수 있는 우수한 제품을 찾고자 하였다.

■ 재료

건조 오미자를 10℃ 냉암소에서 24시간 정도 침출시켜 만든 추출물을 사용, 밀가루(강력분 1등급), 마가린, 생이스트. 설탕 ,소금(천일염), 탈지분유, 제빵 개량제

1) 배합구성

제빵 재료들의 배합 구성은 표1과 같으며 오미자 추출액을 0, 15, 30, 45, 60%로 희석하여 직접반죽법(straight dough method)에 의해 만들었다. 반죽은 3단으로 되어 있는 버티컬믹서

를 사용하여 저속에서 가루만을 1분간 혼합한 후에 나머지 재료를 첨가하여 2분간 반죽한 다음 2단에서 4분, 3단에서 6분간 반죽하였다. 1차 발효 온도는 27±1℃ 상대습도 75℃의 발효기에서 90분간 발효하였고 발효가 끝난 반죽은 170g씩 분할 한 후에 빵틀에(170g×3ea)씩 팬닝하고 식빵팬에 넣고 온도 38±1℃, 습도 85% 조건에서 50분간 2차 발효를 시킨 다음 윗볼 180℃, 아랫볼 170℃로 예열 시킨 후 예열된 오븐에서 30분간 굽기한 후 실온에서 1시간 30분 냉각하여 폴리에틸렌 필름을 사용하여 포장하였다.

밀가루 반죽의 Rheology 특성

재 료	content(%)
밀가루(강력분 1등급)	100.0
물(오미자추출물 희석%)	62.0
설탕	6.0
소금(천일염)	1.8
이스트	2.5
마가린	4.0
탈지분유	3.0
제빵개량제	0.3

가. 아밀로그램(Amylogram)

시료의 호화특성은 온도 변화에 따른 밀가루의 점도에 미치는 알파 아밀라제의 활성도 측정을 위하여 아밀로그라프를 행하였고 그 방법은 Juliano법에 준하여 Brabender Visco Amylogragh를 사용하여 측정하였다고 한다. 즉 60g의 시료를 450ml 증류수에 현탁시켜 bowl에 넣고 회전속도를 75rpm으로 조정하였다.

현탁액은 35℃에서 95℃까지 1.5℃/min의 속도로 가열시키면서 paste의 호화 개시온도, 최고점도 및 최고점도를 나태는 온도 등을 측정하는 것은 제품이 온도변화에 따라 밀가루의 점도에 어떠한 영향을 미치는지 확인하고자 위함이다.

- 결과

실험의 결과는 오미자추출물이 첨가된 실험구와 대조구를 비교해 약 10℃ 정도 낮은 온도에서 호화되는 것을 볼 수 있었다고 한다.

이는 각 농도의 첨가구에서는 1℃ 미만의 온도 차이로 오미자추출물 농도에 의한 호화온도의 변화는 없는 것으로 판단이되며. 최고점도는 아밀로그램에서 밀가루의 성징을 파악하는데 이용되는 지표로서 최고점도가 너무 높으면 밀가루의 효소활성이 약해서 제빵성 특히 발효력이 나빠짐으로 빵의 crust color와volume 이 왜소하여 품질이 떨어지며 최고점도가 낮으면 밀가루의 효소활성이 강해서 제빵성, 특히 성형이 어렵고 끈기가 지나쳐 완성된 빵이 수축되는 등 불량제품의 원인이 된다는 것을 확인할 수 있었다.

점도의 상승은 오미자 추출물 중 알파 아밀라아제 활성을 저해하는 물질이 존재하여 최고점도가 상승한 것으로 판단된다.

※ **아밀로그램이란?** 쌀가루 현탁액을 92~97℃까지 서서히 가열하여 전분을 호화시키고, 호화된 전분을 다시 25~50℃까지 냉각시키는 과정에서 점도 변화를 나타내는 것을 아밀로그래프 또는 아밀로그램이라고 한다.

나. 패리노그램(Farinogram)

파리노그라프 측정은 AACC법에 따라 constant dough weight 법으로 분석. 즉 bowl의 온도가 30±0.2℃를 유지하는 조건에서

밀가루 300g을 기준으로 가수하여 혼합. 혼합하는 동안 반죽의 굳기가 500±20B.U에 도달할 때까지 가수하여 측정.

이 방법은 흡수율(water absorption), 도착시간(arrival time), 반죽형성시간(dough development time), 반죽안정도(stability), 약화도(weakness)를 각각 구하기 위함으로 판단된다.

- 결과

파리노그램의 측정치는 반죽이 일정한 굳기(consistency)에 도달하는데 필요한 물의 양과 반죽과정 중 반죽의 점탄성 등의 상호관련성을 분석하는 것으로 제빵 적성을 판단하는 지표가 될 수 있다고 생각이 된다. 오미자 추출물을 첨가한 제품의 파리노그램 특성치를 분석하였을 때 대조구의 수분 흡수율은 61%였으나 오미자 추출액 15,30,45,60% 첨가한 실험구에서는 각각 64, 66,69,71%의 흡수율을 보였다고 한다.

흡수율은 밀가루를 500BU의 굳기로 반죽시키는데 필요한 물의 양에 대한 밀가루 비율은 %로 나타낸 것으로 이는 제빵시에 필요한 최적의 가수량을 알아내는 지표가 된다고 할 수 있는 것이다. 일반적으로 흡수율은 글루텐 단백질, 손상전분, 펜토산, 입도, 지방, 산화제, 밀가루의 숙성정도 등 여러 인자들에 의해 영향을 받으나 주로 단백질 함량, 손상전분 및 펜토산 등에 큰 영향을 받는다고 한다.

또한 섬유소 첨가시에는 흡수율이 증가되고 그로 인해 수분 보유력이 증가되어 빵의 노화지연에 도움이 되는 것으로 확인된다.
일반적으로 단백질의 함량이 증가할수록 반죽의 도착시간도 증가한다 이 값이 짧을수록 제빵시 반죽에 소요되는 시간이 단축될 수 있는 것이다.

1) 발효팽창력
반죽을 마친 직후 50g을 취하여 1000ml 메스실린더에 넣고 발효기에 1차 발효를 시킨 후 부피를 측정하고 측정시간은 30분, 60분, 90분으로 하여 각 시간대 별로 발효 후 최고점을 측정하여 발효팽창력이 제품이 미치는 영향을 확인하기 위함이다.

2) 무게 및 부피 측정의 경우, 제조된 빵을 실온에서 2~3시간 냉각시킨 후 무게를 달고 부피는 종자치환법에 의해 측정하고,

빵용적비(specific loaf volume)는 빵 부피(ml)/빵 무게(g)로 하였다.

3) **제품의 수분 흡수력**
제조된 제품 1g에 증류수 10ml를 첨가하여 자석교반기를 사용하여 30분간 교반한 다음 3,700rpm에서 15분간 원심분리 하여 분리된 액은 10ml 메스실린더로 그 양을 측정하여 흡수된 수분의 양으로 수분흡수력을 계산하였다.

4) **굽기 손실율의 경우**, 오븐에서 꺼낸 제품을 실온에서 1시간 동안 냉각한 후 빵 중량을 측정하였고 굽기 손실(baking loss)과 굽기 손실율은 다음과 같은 수식에 의하여 계산한다.

굽기손실 = dough weigh - bread weigh

$$\text{굽기손실율(\%)} = \frac{\text{dough weigh} - \text{bread weigh}}{\text{dough weigh}} \times 100$$

8장 오미자 발효액을 이용한 호밀사워반죽의 발효특성

호밀(Secale cereale)은 라이보리 혹은 흑밀이라고 불리는 곡물로 단백질(15.9%), 지방질(2.2%), 녹말(68.6%), 회분(2.5%), 식품섬유(23.8%), 수분(10.8%)로 특히 다른 곡류에 비해 섬유질이 풍부하다. 식이섬유의 종류로는 아라비노자일란(arabinoxylan), 프럭탄(fructan), 셀루로오즈, 베타글루칸 등이 있으며 이중에서도 아라비노자일란과 프럭탄은 섬유질의 40%를 차지하며 제빵시 주용한 역할을 한다.

사워반죽이란 밀가루와 호밀 등 곡물 가루에 물을 첨가하여 재료자체가 가지고 있는 효모와 젖산세균에 의해 발효시킨 반죽으로 전통적으로 제빵 시 팽창제로서 사용해 왔다. 전통적으로 호밀로 빵을 제조할 경우는 항상 사워반죽을 사용했는데 그 이유는 발효를 통해 반죽의 ph가 낮아져 내인성 아밀라아제의 활성감소로 반죽의 탄력성과 신장성을 높여줘 빵의 부피를 늘려줄 뿐 아니라 호밀빵 특유의 향미를 제공할 수 있기 때문이었다.

사워반죽을 이용해 빵을 만들 경우 풍미향상, 유해 곰팡이의 생육억제와 노화지연, 저장기간 연장, 반죽의 구조개선 및 영양학적 가치증가 등 다양한 긍정적인 효과가 있다는 것이 밝혀졌다. 사워반죽에 관한 연구로는 미생물 종류, 향미성분, 영양학적인 가치 등에 관한 연구가 있으며 호밀 사워반죽에 관한 연구로는 젖산세균 community dynam-ics 와 대사산물, 향미성분에 관한 연구 등이 있다. 국내연구로는 통호밀 첨가식빵의 혈당지수(glycemic index) 감소효과 , 호밀가루 첨가가 베이글(bagel)의 제빵과 저장특성에 미치는 영향등이 있으나 호밀 사워반죽 발효 과정 중의 변화에 대한 연구는 미미한 실정이다.

오미자나무는 목련과에 속하는 목본식물로서 우리나라 중북부 지방에 분포되어 있고, 그 열매는 단맛,신맛,쓴맛,매운맛, 짠맛 등 다섯가지 맛을 내며 이중 가장 주된 맛은 신맛으로서 높은 유기산에 기인한다. 오미자를 발효시키면 미생물에 의해 새로운 생리활성

성분의 생성, 독성의 감소, 알파아밀레이스 억제효과, 향균효과 등이 나타나는 것으로 보고된 바 있다. 따라서 아래의 참고문헌에서는 젖산세균과 유기산이 풍부한 오미자 발효액을 호밀 사워반죽 발효 초기에 첨가함으로써 호밀가루 ph를 효과적으로 낮추고 부패균이 성장을 억제하여 발효를 효율적으로 유도하기 위한 목적으로 이용하였으며 이러한 과정을 통해 제조된 호밀 사워반죽의 발효특성을 분석함으로써 호밀빵 제조를 위한 과학적인 자료를 얻고 이 내용이 필요한 사람들을 위해 아래와 같이 정리하였다.

1. 일반성분분석

호밀가루의 일반성분은 AOAC의 표준 분석법을 이용하였다. 즉 수분함량 측정은 105℃ 상압가열건조법, 조단백질 함량은 Micro-Kjeldahl법을 이용한 단백질 자동분석기, 조지방 함량은 Sochlet 추출법을 이용하였으며 총 탄수화물은 100에서 수분, 조단백질,

조지방 및 조회분을 뺀 값으로 계산하였다. 오미자 발효액의 당도 굴절당도계를 이용하여 측정하였다.

[당도굴절당도계]

2. 오미자 발효액 제조

오미자 발효액은 오미자와 설탕을 1:1 비율로 섞어 살균된 유리병에 넣고 20~24℃ 실내에서 3개월간 발효시킨 후 고형물을 제거한 후 살균된 유리병에 담아 실내온도(13~15℃)에서 3개월간 숙성시켰다. 숙성이 완료된 시료는 냉장 보관하면서 사용하였다.

3. 호밀 사워반죽의 제조

오미자발효액 첨가 호밀사워반죽은 호밀가루 100g에 오미자발효액 100g을 섞어 30℃에서 72시간 동안 1차 발효를 시켰고, 1차 발효물 100g에 호밀가루 100g과 물 100ml를 섞은 후 30℃에서 24시간 발효시켜 2차 발효물을 제조하였다. 3차 발효물은 2차 발효물 100g에 호밀가루 100g과 물 100ml를 섞은 후 30℃에서 24시간 발효시켜 오미자 호밀 사워반죽을 완성시켰다. 호밀사워반죽는 호밀 가루에 오미자 발효액 대신 물을 첨가하여 제조하였다.

4. 호밀 사워반죽의 ph 및 총산도 측정

오미자 발효액, 호밀가루, 오미자 호밀 및 호밀 사워반죽의 ph는 ph meter로 측정하였다. 각각의 사료 5g에 증류수 45ml를 첨가하여 vortex mixer로 섞어주고 15분간 1,10g에서 원심분리 한 후 상층액을 취하여 3회 반복하여 측정하였다. 총산도는 각각의 오미자 발효액, 호밀가루, 오미자 호밀사워반죽 시료 5g에 증류수

45ml를 넣어 섞어 준 후 1,010g에서 15분간 원심분리 후 상층액을 0.1N 수산화소듐(NaOH)으로 PH가 8.30이 될 때까지 소요된 ml를 3회 반복하여 측정하였다.

5. 호밀가루, 오미자 발효물 및 호밀 사워반죽의 효모와 젖산 세균수 측정

호밀가루와 오미자 발효물의 효모는 YM(yeast and mold count plate) petrifilm, 젖산균은 BCP agar 고체 배지에 도말하여 30℃에서 48시간 배양한 후 계수하였다. 호밀 사워반죽의 효모와 젓산세균수 측정은 30℃에서 24시간 동안 6시간 간격으로 발효시킨 3차 사워반죽 시료를 희석시키고 vortex mixer로 잘 섞어 준 후 위의 방법으로 계수하였다.

6. 호밀 사워반죽의 팽찰률 측정

사워반죽의 팽창률은 AACC 22-14방법을 변형시켜 3차 사워반죽을 각각 10g씩 100ml 메스실린더에 넣고 30℃(상대습도 80%)발효기에서 발효 시키면서 3시간 간격으로 24시간 동안 부피를 3회 반복 측정하였고 아래식을 이용하여 계산하였다.

팽찰률(%) = (발효 후 부피 - 발효 전 부피)/발효 전 부피 × 100

■ 결과 및 고찰

호밀가루의 수분(9.13%), 탄수화물(77.30%), 조단백질(9.03%), 조 지방(2.15%) 및 조회분(2.40%)의 함량으로 오미자 발효액의 당도는 54.33 brix로 나타났다.

가. 호밀 사워반죽의 ph와 총산도

오미자 발효액과 호밀가루의 ph는 각각 3.34, 7.36 총산도는 각각 3.50, 0.97ml인 것으로 나타났다. 오미자 발효액은 발효기간을 거치며 ph는 낮아지고 총산도는 높아진 것으로 사료된다.

호밀사워반죽의 ph는 발효 0, 6, 12, 18, 24시간이 각각 5.75, 4.22, 3.99, 3.92, 3.91, 오미자 호밀 사워반죽의 ph는 각각 5.60, 4.22, 3.98, 3.89, 3.86으로 발효 시간이 증가함에 따라 유의적으로 감소하였다.

오미자 발효액은 사워반죽 제조 초기 풍부한 미생물과 유기산으로 인한 낮은 ph로 호밀가루의 ph를 효과적으로 낮추어 줄 수 있어 호밀만으로 사워반죽 제조 시 보다 위생적으로 안전하게 발효가 진행 될 수 있었을 것으로 판단이 된다.

젖산세균이 첨가된 밀가루 사워반죽의 ph는 4로 나타났으며 이는 발효시 젖산세균에 의해 생성된 유기산에 의한 것이며 사워반죽을 첨가해 빵 제조 시 향미, 텍스쳐 및 저장기간에 긍정적인 영향을

주는 것으로 보고 하였다.

호밀 사워반죽의 총산도는 발효 0, 6, 12, 18, 24시간이 각각 2.17, 5.07, 6.40, 7.20, 7.73ml 오미자 호밀 사워반죽 총산도는 각각 2.39, 5.00, 6.83, 7.77, 8.50ml로 발효 시간이 증가함에 따라 유의적으로 증가하였다. 사워반죽의 총산도는 적산세균들이 생성하는 젖산, 아세트산,caproic acid, 폼산(formic acid), 프로피온산(propionic acid), 뷰티르산(butyric acid) 및 n-발레르산(n-valeric acid)과 같은 유기산에 의해 높아지는 것이며 이러한 유기산들은 사워반죽의 발효, 글루텐 분해 및 전분분해 등에 영향을 주고 이를 이용한 빵의 향미를 제공 할 뿐 아니라 항진균 효과가 있어 빵의 저장기간을 연장 시키는 역할을 한다. 따라서 오미자 발효액은 호밀 사워반죽의 발효를 도와 유기산의 생성을 증가시켜 제빵 시 향미 뿐 아니라 저장기간연장 효과를 줄 수

있을 것으로 사료된다.

나. 호밀 가루, 오미자 발효물 및 호밀 사워반죽의 효모와 젖산세균수 측정

오미자 호밀 사워반죽과 호밀 사워반죽의 효모 수와 젖산세균 수의 경우, 효모 수는 각각 3.43, 4.78 logCFU/g로 나타났다.
호밀 사워반죽의 발효 0, 6, 12, 18, 24시간의 효모 수는 각각 7.17, 8.00, 8.04, 8.07, 8.00logCFU/g로 발효 6시간까지는 유의적으로 증가하였으나 그 이후에는 유의적 변화를 보이지 않았

다. 오미자 호밀 사워반죽의 발효 0. 6, 12, 18, 24시간의 효모 수는 각각 7.33, 7.96, 8.00, 8.06, 7.98logCFU/g로 발효 12시간까지는 유의적으로 증가하였으나 그 이후에는 유의적으로 감소하는 경향을 보였다. 이와 같이 효모의 수가 증하였다가 감소한 것은 발효과정 중 생성된 유기산들에 의해 사워반죽의 ph가 떨어지면서 효모의 생육이 억제되어 나타난 현상으로 사료된다.

사워반죽 내 젖산세균과 효모는 영양원에 대한 경쟁관계에 있기 때문에 과도한 젖산세균의 생육은 영양소의 결핌을 가져와 효모의 생육을 억제할 수 있다. 효모와 젖산세균의 공생과 경쟁속에서 생성된 알콜과 유기산은 빵의 풍미를 향상시키고 세균 증식을 억제해 빵의 보존 기간을 연장해주는 장점이 있는 것으로 생각할 수 있는 것이다. 발효 초기에는 오미자 호밀 사워반죽에 존재하는 효모수가 호밀 사워반죽 보다 유의적으로 높았다가 그 이후에는

유의적인 차이가 없는 것으로 보아 발효 과정 중 젖산세균의 증가로 효모의 증식 효과가 감소한 것으로 사료된다.

다. 젖산세균 수

사워반죽의 재료인 오미자 발효액과 호밀가루의 젖산세균 수는 각각 4.16, 4.82logCFU/g로 2가지 재료 모두가 젖산세균이 밀가루(2.56logCFU/g)와 쌀가루(2.39logCFU/g)보다는 높은 것으로 보아 호밀가루는 밀가루나 쌀가루 보다 사워반죽의 제조에 유리하다고 볼 수 있는 것이다. 호밀 사워반죽의 시간대별(6시간 간격

24시간 동안) 젖산세균 수는 각각 8.48, 9.05, 9.15, 9.16, 9.08 logCFU/g로 발효 6시간 까지는 유의적으로 증가하였으나 그 이후에는 유의적인 변화를 보이지 않았다. 오미자 호밀 사워반죽의 시간대별(6시간 간격 24시간 동안) 젖산세균수는 각각 8.86, 9.36, 9.34, 9.21로 발효 6시간 까지는 유의적으로 증가하였으나 그 이후 18시간까지는 정체 현상을 보였고, 이후 유의적으로 감소하였다. 두 시료 간 젖산세균 수의 변화 양상은 비슷한 패턴을 보였으나 대부분의 발효기간 동안 오미자 호밀 사워반죽에 존재하는 젖산세균의 수가 호밀사워반죽보다 유의적으로 높았다.

이러한 현상은 호밀 사워반죽 제조시 오미자 발효액을 넣어줄 경우 효모 보다는 젖산세균이 산성 ph에 대한 내성이 크기 때문에 나타난 것으로 판단된다. Vogelmann 등 곡류와 카사바로 만든 사워반죽에 69logCFU/g의 젖산세균이 존재한다.

사워반죽에 존재하는 젖산세균들 중에서도 lactobacillus속은 항진균 효과가 뛰어나며 특히 Lb. sanfrancisco CB1SMS Fusarium속, Penicillium속, Aspergillus속, Monilia속과 같은 다양한 곰팡이를 억제하는 것으로 보고가 되었다고 한다. 따라서 사워반죽내에 존재하는 젖산세균은 빵의 텍스쳐와 노화에 긍정적인 영향을 주는 유기산과 EPS와 같은 대사산물을 생성하여 반죽의 점탄성 개선, 부피증가, 빵의 경도 감소 및 저장기간을 늘리는 기능 뿐 아니라 항진균 효과로 인해 그 가치는 높다고 하겠으며, 이

러한 젖산세균의 성장에 도움을 주는 오미자 발효액은 사워반죽 제조 시 그 의미가 크다고 할 수 있는 것이다.

라. 호밀 사워반죽의 팽창률

오미자 호밀 사워반죽과 호밀 사워반죽의 팽창률은 24시간 동안 3시간 간격으로 측정한 결과는 두가지 사워반죽 모두 발효 6시간까지는 유의적으로 증가한 이후에는 유의적으로 감소하였으며, 오미자 호밀 사워반죽은 팽찰률 최고치가 183%로 호밀 사워반죽의 최고치인 129%보다 42%가 더 팽창된 것으로 나타난다.

오미자 쌀가루 사워반죽의 팽창률이 쌀가루 사워반죽보다 높게 나타났다고 보고된 바가 있으며, 오미자 발효액은 당도가 54.33 brix로 당이 풍부해 오미자 호밀사워반죽 내 젖산세균 수가 호밀 사워반죽 보다 유의적으로 많아 젖산세균이 생성하는 EPS의 양도

많을 것으로 사료된는데 이로 인해 오미자 호밀 사워반죽의 팽창률이 호밀 사워반죽 보다 유의적으로 높은 것으로 사료된다.

젖산세균이 생산하는 EPS는 반죽의 점탄성을 제공하여 글루텐 함량이 적은 곡류로 빵을 제조할 경우 반죽 물성에 긍정적인 역할을 하는 것으로 알려졌다. 따라서 사워반죽 제조 시 젖산세균과 당이 풍부한 오미자 발효액을 첨가하는 경우 팽창률을 높이는데 긍정적인 효과가 있으며 발효 6시간에 최고치를 보인 것으로 보아 제빵 시 6시간 발효된 사워반죽을 사용할 경우 부피 증가 효과가 있을

것으로 사료된다. 반죽의 팽창률은 빵으로 구웠을 때의 상태를 빠르게 예측 할 수 있는 방법으로 이스트 농도, 재료의 종류, 젖산균, 지질, 당, 소금, 상대습도, 발효온도 및 혼합시간에 영향을 받는 것으로 보고되었다.

위 참고 문헌의 내용은 오미자 발효액을 이용하여 호밀 사워반죽을 제조하여 발효 특성을 살펴봄으로써 제빵 이용 가능성에 대한 기초 자료를 얻기 위해 시도되었다고 한다. 오미자 호밀 사워반죽과 호밀 사워반죽의 ph와 총산도, 효모와 젖산세균수, 팽창률을 측정하였다. 오미자 호밀 사워반죽과 호밀 사워반죽 모두 발효 시간이 경과 할수록 ph는 유의적으로 감소한 반면 총산도는 유의적으로 증가한 것을 알 수 있었고, 오미자 호밀 사워반죽에 존재하는 젖산세균수는 대부분의 발효기간 중에 호밀 사워반죽 보다 유의적으로 높은 것으로 나타났다.

오미자 호밀 사워반죽의 팽창률은 최고치가 183%로 호밀 사워반죽의 최고치인 129%보다 47%이상 팽창한 것으로 확인되며 효모와 젖산세균이 풍부한 오미자 발효액을 호밀가루에 첨가하여 사워반죽을 제조할 경우 ph가 낮아져 발효 초기 부패균 억제 및 항진균 효과가 있을 것으로 생각되며 풍부한 효모와 젖산세균들로 인해 높은 팽창률을 보인 것으로 보아 오미자 호밀 사워반죽을 이용해 빵을 제조할 경우 부피 증가, 풍미향상 등 제빵 품질 개선에 기여할 것이라 생각된다.

9장 오미자 추출물 항산화 효과

유지는 지방, 필수지방산, 지용성비타민과 같은 영양소의 공급은 물론 튀김식품에 고유한 향미를 부여하거나 열매체로 중요하게 사용된다. 그러나 유지를 함유하는 식품은 저장, 가공중에 여러 가지 이화학적 변화 특히 산화되면 과산화물의 생성이나 중합체의 형성으로 유지식품의 변색, 이취, 영양소 손실 및 독성물질등을 발생시킨다.

항산화제는 유지의 산화로 인한 특정비타민류와 필수 아미노산 등의 손실을 최소화하거나 유지식품의 산패를 지연 또는 방지하는데 사용한다. 가장 많이 사용하는 합성 항산화제는 BHT, BHA, PG, TBHQ등이나 이들을 실험동물에 고농도로 투여하면 간 비대증이 유발되거나 발암성이 나타난다고 한다. 특히 BHT는 실험동물 간의 microsomal enzyme activity를 증가 시킨다고 하여 이들 페놀계 합성항산화제의 안전성에 대한 문제는 끊임없이 논란이 되어 현재는 그 사용량이 법적으로 규제되어 있다.

따라서 적은양으로도 항산화효과를 나타내고 쉽게 용해되며 이상한 맛과 색이 없고 안전성이 확보된 새로운 천연항산화제에 대한 개발은 지금까지 꾸준히 시도되어 왔다. 연구초기에는 주로 천연향신료에 대한 연구가 많아 rosemary, sge, thyme 등이 다른 향신료에 비해 높은 항산화활성을 갖는 것으로 보고되어 왔고

oregano에 존재하는 flavonoids 물질은 BHT와 비슷한 항산화효과를 나타낸다고 하였다. 또 여러 생약재 및 식용식물의 추출물에 대한 항산화효과도 계속 보고되어 그 중 붉나무 와 propolis 추출물, 소목의 추출물 등이 다른 생약재나 식물성분보다 항산화능이 높았다고 하며 김, 미역, 다시마 등의 수산물 추출물의 항산화 활성도 비교적 높게 나타났다고 하였다.

오미자(Schizandra Chinesis Baillon)는 목련과에 속하는 자생목으로 현급, 회급, 수신, 금령자, 홍내소, 경저 등의 이름으로 불리

워진다. 한방에서는 진정, 진해, 해열 등의 중추억제 작용과 간보호 및 혈압강하, 알코올에 대한 해독작용 및 항산화 효과등으로 오미자가 사용되고 있으며 음식에서는 오미자의 홍색색소를 이용한 녹말다식이나 녹말편, 오미자차 등의 음료 및 오미자술 등이 가공되어 이용되고 있다.

니아신	나트륨	단백질	당질	레티놀	베타카로틴
0.60mg	2.00mg	1.30g	4.00g	4.00μg	4.70μg
비타민 A	비타민 B1	비타민 B2	비타민 B6	비타민 C	비타민 E
0.40μgRE	0.40mg	21.00mg	31.00mg	130.00mg	91.20mg
식이섬유	아연	엽산	인	지질	철분
5.70g	1.30mg	2.00μg	31.00mg	0.40g	0.60mg
칼륨	칼슘	콜레스테롤	회분		
125.00mg	21.00mg	0.00mg	0.40g		

영양성분 : 100g 기준

[오미자의 영양성분]

이같은 오미자에 대한 지금까지의 연구는 오미자의 영양성분과 anthocyanin 색소, 오미자 부위별 각 영양소함량 및 지방산조성 등이 보고되어 왔다. 또한 오미자의 성분 분획별 간조직의 과산화지질 생성억제효과와 오미자의 methylene chloride 추출물의 항산화효과 그리고 Su 등의 대만산 생약추출물에 대한 항산화력 검토 결과 생강, 황기, 대황, 오미자 등이 강한 항산화력이 있다고 보고한 문헌들도 들 수 있다.

아래 참고문헌에서는 오미자추출물이 유지가공 및 저장시에도 항산화효과가 나타날 것으로 추정되어 다음과 같은 방법으로 실험을 수행하였다. 먼저 극성이 다른 5종류의 용매를 사용하여 오미자추출물을 얻은뒤 각각의 추출액을 각기 다른 농도로 대두유 기질에 첨가한뒤 용매별, 첨가농도별로 나타난 항산화능을 BHT와 alpha-tocopherol과 비교하였고 가장 항산화 효과가 높게 나타난 첨가농도에서 각 용매별 오미자추출물을 항온저장과 가열조건에서 각각 자동산화와 가열산화를 시킨뒤 용매별로 나타난 항산화 효과를 합성항산화제와 비교하여 그 결과를 나타낸 연구내용이다.

1) 실험재료 및 시약

오미자의 경우, 국내산으로 사용하고 실험용 유지는 항산화제가 첨가되지 않은 순수 정제 대두유로 냉장보관하며 사용함. 표준

시약인 alpha-tocopherol과 BHT의 경우, 시중 제품을 사용하였고 추출용매는 모두 1급 시약을 사용하였음.

2) 실험방법

가. 오미자 추출액의 조제

분쇄한 시료 100g을 Merhanol(MeOH), Ethanol(EtOH), Butanol(BtOH), Ethyl acetate(EA) 및 Perto-leumether (PE)와 1:10(w/v)이 되게 하여 상온에서 약 20시간 정도 교반한 후 10℃에서 9,000rpm 으로 30분간 원심분리한다.

상등액과 잔사를 분리한 후 잔사에 다시 5배의 용매를 가하여서 4시간 교반하고 같은 조건으로 원심분리하여 상등액을 처음의 상등액과 합하였다. 이것을 Whatman(No.44)여과지로 여과한 후 여과액을 40℃에서 감압농축하여 처음의 약 1/5정도만 남게 한 뒤 sodium sulfate로 탈수시켜 다시 여과하여 완전 농축시킨 것을 추출물로 하였다.

나. 시료의 제조

각 용매에 따른 오미자 추출물을 기질인 대두유 200ml에 각각 0.05, 0.5 및 1.0% 농도로 첨가하여 magnetic stirrer로 10분간 교반한뒤 시료로 사용하였다. 대조구는 기질만을 사용하였고 BHT와 alpha-tocopherol를 각각 0.02%(w/v)첨가한 것을 비교구로 하였다. 추출물의 첨가농도는 식용상 문제가 없고 예비

실험 결과 그 이하의 낮은 농도에서는 항산화 효과가 뚜렷하지 않아 0.05%이상으로 함.

다. 항온저장 및 가열조건

각 시료를 시험관에 15g씩 담아 60±2℃의 항온기에서 30일간 저장하는 자동산화 조건과 180±2℃의 oil bath상에서 24시간 가열하는 가열산화 조건에서 경시적으로 각각 시료를 채취하여 용매별 오미자 추출물의 항산화능을 측정하였다.

라. 용매별 오미자추출물의 항산화력 측정

각 시료의 산화정도를 측정하는 지표는 AOCS법의 과산화물가(POV)와 표준유지 분석 시험법의 산가(AV)로 측정하였으며 POV가 일정량에 도달하는 시간을 유도기간으로 하여 각 시료의 항산화 정도를 비교하고 AI(Antioxidative index 각 항산화제 첨가구의 유도기간을 대조구의 유도기간으로 나눈 값)로 표시하였음.

3) 결과 및 고찰

가. 용매별 추출물의 항산화 효과

MeOH, EtOH, BtOH, EA, 및 PE 등의 5가지 용매로 추출한 오미자의 용매별 추출물을 0.05%, 0.5%, 1.0% 농도로 기질 대두유에 첨가하여 POV법으로 각 시료의 항산화력을 비교하여 AI로 나타낸 결과는 다음 표와 같다.

[표 1]

		Concentration(%)			
		0.02	0.05	0.10	1.0
Extract	MeOH		1.92	1.54	1.46
	EtOH		1.77	1.42	1.02
	BtOH		1.55	1.51	0.98
	EA		2.03	1.76	1.55
	PE		1.69	1.47	0.22
Antioxidant	BHT	2.81			
	α-Toc	1.32			

오미자 추출물의 기질 대두유에 대한 항산화 효과는 표에서처럼 모든 시료에서 항산화력이 관찰되었다. 특히 EA 0.05%와 MeOH 0.05% 의 첨가 시료는 AI가 각각 2.03과 1.92로 나타나 BHT의 2.81에는 못 미치나 다른 용매 추출물에 비해 항산화능이 높은 것으로 비교되었다.

또한 EtOH 추출물도 0.05% 농도에서 AI가 1.77로 비교적 높았으며 나머지 BtOH와 PE 추출물도 각각 1.55와 1.69로 나타나 α-Toc 의 1.32에 비해 항산화 효과가 높게 인정되었다. 이같은 결과는 김 등과 최 등의 생약추출물과 식물성 천연항산화제에 대한 연구에서 오미자가 다른 생약 및 식물성분과 함께 항산화 효과가 있었다는 보고내용과 일치하는 것으로 나타났다. 특히 5가지 용매 중 EA와 MeOH 추출물의 첨가시료가 가장 항산화 효과가 높게 나타난 것은 생약재인 황금의 용매별 추출물의 항산화효과

측정에서 Aceton과 Ethy acetate추출물이 가장 항산화력이 강했다는 보고 내용과 유사한 것으로 극성이 강한 용매일수록 추출물의 수율이 높고 항산화성분의 추출이 더 좋은 것으로 나타났다.

한편 추출물의 첨가 농도를 달리한 각 시료의 항산화효과는 표 에서와 같이 첨가 농도가 높아질수록 항산화 효과가 높아지지는 않았으며 오히려 1.0% 수준일 때는 급격히 그 효과가 감소되는 것으로 나타나 0.05% 정도의 첨가농도가 비교적 적합한 범위인

것으로 판단되었다. 따라서 용매를 달리한 오미자 추출물의 기질 대두유에 대한 항산화 효과는 POV로 측정했을 때 EA와 MeOH 추출물을 각각 0.05% 수준으로 첨가할 때 가장 그 효과가 높은 것으로 나타났으며 그때의 항산화력은 0.02%의 BHT를 첨가한 것 보다는 약간 약하였다. 그러나 0.02%의 α-Toc 보다는 모든 용매추출물들이 항산화 효과가 높게 나타나 오미자의 추출물이 유지에 대해 항산화력이 있는 것으로 판단되었다.

나. 항온 저장시의 항산화 효과

각 용매별 오미자 추출물의 항산화 효과가 가장 높았던 0.05% 농도에서 오미자 추출물을 기질 대두유에 첨가한 뒤 60±2℃에서 303일간 저장하면서 POV와 AV를 측정한 결과로는 유도기간은 POV가 80 meq/kg oil 에 도달하는 시간으로 나타내었으며 용매별 오미자 추출물의 항온 저장시의 항산화작용은 대부분의

시료가 대조구에 비해 2배 이상의 항산화 효과를 나타내었다.

특히 EA와 MeOH의 추출물은 AI가 각각 2.94와 2.82로 나타나 BHT의 3.02에 비하면 약간 낮았으나 다른 용매에 비해서는 뚜렷하게 항산화효과가 높은 것으로 비교된다고 한다. 또한 EtOH 추출물도 AI가 2.01로 나타나 대조구에 비해 2배이상의 항산화력을 나타내어 항온 저장시에도 이들 3가지 용매추출물이 가장 효과가 높은 것으로 측정되었다.

이 같은 결과는 AV측정치의 결과에서도 유사한 경향을 나타내어 저장일이 길어질수록 EA와 MeOH 추출물의 AV는 다른 시료에 비해 큰 변화를 나타내지 않았다. 즉 저장 22일째의 대조구의 AV는 0.85인데 비해 MeOH 추출물은0.43으로 2배 정도 AV가 낮게 나타났고 EA추출물은 0.20으로 4배 이상 낮아 BHT의 0.49와 비교할 때 이들 용매 추출물이 오히려 산가측정치에서는 항산화 효과가 높은 것으로 비교되었다.

그러나 EtOH 추출물을 제외한 나머지 용매 추출물은 대조구에 비해 그다지 뚜렷한 차이점이 없었고 α-Toc의 AV는 0.91로 나타나 대조구에 비해 오히려 높게 나타났다. 따라서 용매별 오미자 추출물의 항온 저장시 대두유에 대한 항산화 작용은 POV와 AV에 의해 EA와 MeOH 추출물이 가장 항산화 효과가 높게 나타나 BHT보다 약간 낮거나 비슷한 수준인 것으로 비교되었다.

그러나 BtOH와 PE 추출물은 α-Toc 보다는 항산화능이 인정되나 대조구에 비해 그다지 두드러지지 않았다고 한다.

다. 가열시의 항산화 효과

기질 대두유에 오미자의 각 용매별 추출물을 0.05%로 첨가하고 180±2℃에서 24시간 가열하면서 측정한 POV와 AV의 결과의 경우 유도기간은 POV가 20 meq/kg oil에 도달하는 시간으로 나타내었다. 각 용매별 오미자 추출물의 가열시 기질 대두유에 대한 항산화 효과는 저온 저장시의 조건 보다도 그 결과를 뚜렷

하게 나타내었다고 한다. MeOH와 EtOH, EA 추출물은 AI 가 각각 2.96, 2.93 및 2.98로 합성항산화제인 BHT첨가군의 1.95보다 오히려 높게 나타나 오미자 추출물의 항산화력이 가열조건에서 더 강하게 작용하는 것으로 비교되었다고 한다.

저온저장에 비해 가열시 BHT의 항산화력이 감소된 것은 BHA보다 BHT는 고온일 때 쉽게 휘발되거나 분해된다는 보고와 비슷한 결과로 생각되며 BtOH와 PE 추출물의 AI도 1.67과 1.84로 측정되어 이들 용매추출물도 가열시에 항산화 작용을 나타내었다.

한편 α-Toc의 가열시 AI는 0.58로 나타나 대조구에 비해 오히려 산화촉진의 결과로 나타났다. 이같은 결과는 대두유의 지방산 조성이 50% 이상 linoleic acid라는 사실로 미루어 볼 때 α-Toc은

불포화도가 높을수록 첨가농도가 증가할수록 linoleic acid에 대한 과산화물 생성량을 증가시켰다는 기존의 보고내용들과 유사한 결과로 추정되었다. 가열시간이 경과됨에 따라 대조구의 AV는 점진적으로 증가하는 것에 비해 BtOH 추출물을 제외한 나머지 모든 추출물의 시료들은 대조구에 비해 AV의 측정치가 낮게 나타났다고 한다.

특히 EA와 MeOH, EtOH 추출물의 첨가 시료는 24시간 가열시의 AV가 각각 0.28과 0.31, 0.36으로 나타나 대조구의 AV

0.75에 비해 2배 이상의 항산화력이 측정되었으며 BHT의 0.39와 비슷한 경향을 나타내었다고 한다. 그러나 BtOH 추출물은 AV가 0.77로 α-Toc의 AV 0.85 보다는 낮으나 대조구와는 별 차이가 없었다. 따라서 용매별 오미자 추출물을 180±2℃에서 24시간 가열하면서 측정한 POV와 AV의 결과는 EA와 MeOH, EtOH 추출물의 첨가시료가 일관되게 대조구에 비해 기질 대두유에 대해 항산화 효과가 나타났고 그 때의 항산화력은 BHT보다 약간 높게 나타났다.

그러나 BtOH추출물은 POV측정에서는 항산화능이 있었으나 AV 측정에서는 대조구와 차이가 없는 것으로 나타나 다른 용매에 비해 가열조건에서 불안정한 것으로 나타났다. 가열시 α-Toc의 항산화능은 관찰되지 않았으며 오히려 산화촉진의 결과로 나타났음을 알 수 있는 것이다.

국내산 오미자의 용매별 추출물의 항산화력을 검토하기 위해 극성이 다른 5종의 용매를 사용하였고 0.05%, 0.1% 그리고 1.0% 농도로 기질 대두유에 첨가하여 용매별, 농도별에 따른 각각의 결과를 POV와 AV측정치를 통해 비교하였음을 볼 수가 있는데 용매 종류에 따른 오미자 추출액의 항산화 효과는 EA 〉 MeOH 〉 EtOH 〉 PE 〉 BtOH 순으로 나타났고 이들의 항산화력은 0.02%의 BHT보다는 약했으나 0.02%의 α-Toc에 비해서는 월등히 높았다.

또한 첨가농도별 오미자 추출액의 항산화 효과는 모든 시료에서 0.05%농도가 가장 높았고 그 이상의 농도에서는 그다지 효과가 두드러지지 않거나 오히려 감소하였다.

각 용매별 오미자 추출액을 0.05% 농도로 대두유에 첨가한 뒤 항온저장(60±2℃)과 가열조건(180±2℃)에서 각각의 항산화능을 측정한 결과 두 조건에서 모두 EA와 MtOH, EtOH 추출액의 순으로 항산화력이 높게 나타났으며 특히 가열시에는 BHT의 항산화력보다 높은 것으로 비교된다.

나머지 용매, PE와 BtOH 추출물도 대조구에 비해 항산화능이 인정되었으나 가열조건에서 BtOH은 대조구와 뚜렷한 차이점이 발견되지 않았다. 그러나 α-Toc 첨가구에 비해서는 모든 조건에서 용매별 오미자 추출물의 항산화 작용은 훨씬 높게 측정 되었다.

따라서 오미자에 함유된 항산화 성분의 검색과 천연항산화제로서의 이용 가능성에 대한 지속적인 연구가 진행된다면 오미자의 용매 추출물은 천연 항산화제로 사용될 수 있으며 제과.제빵 부분에서도 건강하고 다양한 제품이 더욱더 개발될 것이라 생각된다.

10장 한약재 및 액상칼슘을 첨가한 제빵의 품질특성

생약재는 대부분 식물성 소재이며 생약재의 약효란 식품의 2차 대사산물이 인체에 작용하면서 질병의 예방 및 치료효과를 나타내는 것으로서 오랜 기간 인류가 이용해옴으로써 인체에 미치는 안전성의 여부는 검증된 것이다. 이러한 점에서 생약재는 생리활성 물질을 추출하여 식품에 이용하거나 또는 그 자체를 기능성 식품으로서 이용되는 등 활용기능성이 다양한 식물성 식품소재이며

최근 이들 생약재로부터 기능성 및 건강식품의 소재 발굴 한국 고유음료의 개발, 천연 항산화제의 분리, 항균미생물 소재개발 등에 관한 연구가 활발히 진행되고 있으며, 관심이 날로 더해가고 있는 실정이다.

기능성 식품의 제조에는 기존의 식품재료 외에 민간 전통요법에 이용되어온 생약재에 대한 관심이 높아지고 있다. 식품공전에서는 식품으로 이용 가능한 생약재, 최소량으로 식품에 사용 가능한 생약재 및 식용 불가능한 생약재 등으로 분류하고 있지만 최근에 식품위생법과 식품공전이 개정되면서 많은 생약재들이 식품에 사용할 수 있도록 허가되고 있는 추세로 생약재를 활용한 다양한 기능성 식품의 제조가 기대된다. 녹각, 우슬, 구기자, 용안, 두충, 오미자 등은 뼈와 신체의 성장발육과 생식을 주관하는 신장을 튼튼하게 하며 관절을 튼튼하게 하는 대표적인 생약재이다. 녹각,

~~우슬,구기자는 칼슘을 함유하고 있으며 두충, 오미자, 용안육 등과~~
한방에서 널리 이용된 재료이다.

전 세계적으로 50대 이상의 성인 여성 3명중 1명, 남성 12명 중 1명이 골다공증 증세를 가지고 있으며 이는 성장기부 칼슘의 섭취 및 흡수 부족에서 유래된다. 인체에 분포가 되어 있는 칼슘의 99%는 뼈를 만드는데 이용되고 나머지 1%가 생체의 기초적인 대사에 관여하고 있다. 즉, 생체내 각종효소의 활성화, 신경흥분의 조절, 근육 수축과 이완, 심장의 규칙적인 박동, 생식기능 그리고 혈액응고

등 체내의 생리조절기능을 담당하고 있다. 칼슘은 성장기 어린이와 청소년에 있어서 성장발육을 도우며 특히 갱년기 여성에게 흔히 발생하는 골다공증을 예방하기 위해서는 성인기에 도달하는 최대 골질량(peak bonemass)을 높게 유지할 필요가 강조되고 있다.

한국인의 1일 칼슘 섭취 권장량은 어린이와 청소년의 경우800~1200mg/day 정도이며, 성인은 700mg/day 이상으로 설정하고 있다. 매년 실시된 국민영양조사 결과를 보면 칼슘은 우리나라 식생활에서 가장 결핍되기 쉬운 영양소 중의 하나이다. 즉, 전국 1인 1일 평균 칼슘 섭취향은 권장량에 미치지 못할 뿐만 아니라 칼슘급원으로 그 생체 이용율이 비교적 낮은 식물성 식품이 주로 차지하는 실정은 심각한 국민 영양문제로 제기되고 있다.
이에 어린이의 성장 발육에 널리 이용된 한약재 추출액과 액상칼슘을 첨가한 **"소보로 빵"**을 제조하여 특성을 비교하였다.

[실험재료]

소보로빵 제조를 위해 녹각, 우슬, 구기자, 용안, 두충, 오미자 6종의 한약재와 액상칼슘을 사용하였다. 6종의 한약재는 시장에서 대중적으로 구매할 수 있는 것으로 사용하였으며, 녹각 120g, 우슬 250g, 구기자 280g, 용안육 280g, 두충 100g 및 오미자 30g씩을 물 5500ml에 넣고 130~140℃에서 3시간 동안 열수 추출을 행하여 최종 volume이 3500ml까지 추출하여 사용하였다. 또한 액상칼슘은 칼슘함량 2500mg/100ml를 사용하였다.

1) 소보로 빵의 제조

소보로 빵은 한약재 추출물과 액상칼슘을 반죽에 사용되는 물의 비율에 대하여 각각 10%, 50%, 100% 첨가하여 제조하였으며, 이때 한약재 추출물과 액상칼슘을 첨가하지 않은 대조군 빵과의 여러 가지의 일반특성, 관능검사 및 저장성을 비교하였다.

가. 관능검사

여러 가지 한약재 추출물과 액상칼슘을 첨가한 기능성 빵 3종과 대조군과의 관능검사를 실시하였다. 해당 연구에 관심이 있는 20명을 선발하여 훈련시킨 후 각 시료에 대한 색상, 향, 맛, 전반적인 기호도에 대한 관능검사를 7점 채점법에 의해 실시하였다고 한다. 관능검사의 통계분석은 SAS프로그램을 이용하여 분산분석과 duncan's mkul-tiple test로 유의성의 유무를 검점하였다고 한다.

나. 저장성 실험

제조된 빵의 저장성을 알아보기 위해 5일 동안 저장 후 각각의 시료를 1개씩 채취하여 외관과 미생물 검사를 실시하였다. 외관은 관찰 후 사진으로 기록하였으며 미생물검사는 일반세균과 대장균수를 검사하였다.

다. 물성측정

기능성 빵의 대조군과 3군의 실험군에 대한 물성측정은 rheometer

를 사용하였으며, 측정항목은 strngth, hard-ness, cohsivness, springness, gumminesss, brittleness 등이었다.

라. 칼슘정량

기능성 빵에 대한 칼슘함량을 측정하기 위해 원자흡수 광도계를 이용하였다. 각각의 시료 일정량을 취하여 회화 시킨 후 6H-HCl에 용해 시키고 적당량 희석한 용액을 분석에 사용하였다.

마. 일반세균수 측정

일반세균수는 plate count agar를 이용하여 평판배지를 만든 후 각 시료를 100ul 접종하고 37℃, 2일간 배양하여 colony 수를 측정하였다. 대조군과 3종의 기능성빵의 전처리는 각각의 시료를 25g씩 채취하여 saline 용액 225g 첨가한 후 분쇄하고 취한 액을 일반세균수 측정에 사용하였다.

colony - formingunit = 평균 colony 수 × 희석배수 × 10

바. 대장균 측정

대장균 측정은 deoxycholate 배지를 사용하고 암적색의 colony를 양성으로 판단하여 대장균 수를 측정하였다. 각 시료별 검액 1ml를 petridish에 넣고 deoxycholate 배지를 주입하여 균일하게 혼합한 후 응고시키고 중층배지를 부어 재응고 시킨 것을 37℃, 24시간 배양하였다. 이때 시료의 전처리는 일반세균수 측정과 동일한 방법으로 실시하였다.

2. 결과 및 고찰

1) 물성비교

한약재와 액상칼슘의 함량이 다른 기능성빵의 물성에 대하여 살펴본 결과 Strength는 모든 구에서 큰 차이를 보이지 않았으나 추출물 및 액상칼슘을 100% 첨가한 C구에서 98g/㎠로 가장 높았다. Hard-ness는 230g/㎠ 인 control구가 가장 높았으며 추출물 및 액상칼슘의 첨가 함량이 높아질수록 낮아지는 경향을 보였다.

Conhsivness 와 Springness 에서는 큰 차이를 나타내지 않았으나 Gumminess와 Brittleness는 control구가 다른 처리구에 비해 높은 값을 보였으며 hardness와 비슷한 경향을 나타내었다고 볼 수 있다. 전통적으로 한방에서 성장 촉진을 위하여 사용된 녹각, 우슬, 구기자, 두충, 오미자 및 용안 등의 한약재 추출물과 액상칼슘을 각각 첨가하여 빵을 제조하여 품질특성을 비교해 본 결과 빵의 물성을 측정하였을때는 strength, hardness는 한약재 추출물과 액상칼슘의 첨가량이 많을수록 높아지는 경향을 나타내었으며 cohesiveness, springiness, gum minesss, brittleness는 감소하는 경향으로 나타났다.

빵의 내부와 표면의 색도는 첨가량에 따라 차이가 있었으며 저장 4일째에 각각 변화정도의 차이가 있었다. 37℃에서 4일간 저장 후 일반세균은 무첨가구에 비하여 한약재추출물 및 액상칼슘 첨가량이 많은 구간에서는 급격히 감소하여 보존성이 높게 나타났다.

관능적 특성은 유의적 차이는 크게 나타나지 않았으나 각각의 실험구간에 따른 칼슘함량을 비교 분석한 결과, 한약재 추출물과 액상칼슘이 많은 구간에서 높게 나타나는 경향이 있다고 생각되며 결과를 토대로 성장촉진 한약재 및 액상칼슘을 기능성 소재로서 제빵에 활용할 가치는 매우 높다고 판단된다.

한약재를 활용한 제과제빵 제품개발이 필자 뿐만 아니라 모든 제과.제빵업에 종사하는 이들이 새롭게 도전하여 다양한 건강 제품이 개발되기를 바란다.

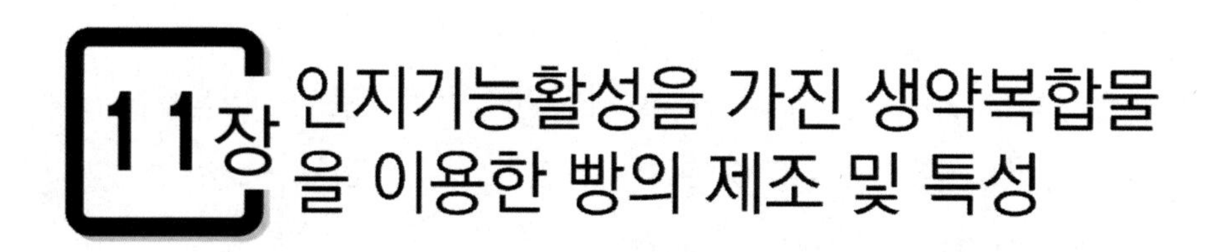

11장 인지기능활성을 가진 생약복합물을 이용한 빵의 제조 및 특성

치매는 노년에 나타나는 정신병적 증상의 가장 흔한 원인 질환으로 만성적이고 서서히 악화되는 진행서잉며 기억력, 사고력, 학습능력 및 판단력 등의 손상을 일으키는 만성퇴행성 뇌 정신질환으로 한국의 경우, 노인인구 증가에 따라 2020년까지 65세 이상 노인인구의 약 83%인 62만명이 알츠하이머 환자가 될 것으로 추정하고 있다.

알츠하이머 질환은 암, AIDS와 함께 WHO가 지정한 21세기 3대 난치성질환의 하나로 노령인구에서 뿐만 아니라 30~60세 사이에서도 사회문제로 대두되고 있으며 기억력 장애를 비롯한 여러 가지 인지기능을 손상시켜 결국 환자를 폐인에 이르게 하는 무서운 질병으로 현대의학의 비약적 발전에도 불구하고 병의 진단 및 진행사항을 정확하게 파악하기 위한 특별한 검사법이나 효과적인 치료제가 거의 없는 실정이다.

알츠하이머형 치매로 인한 인지기능저하현상에 대한 현대 의학적 견해는 대부분 뇌 choline성 신경세포의 광범위한 변성 및 소실을 인지기능감퇴의 가장 중요한 원인으로 간주하고 있으며, 이를 극복하기 위한 방편으로 손상되지 않고 남아 있는 콜린성 신경계의 활성을 증가시켜 손상된 인지기능을 부분적으로 회복시킬 수 있는 약물들을 개발하고자 하는 연구가 주종을 이루고 있다.

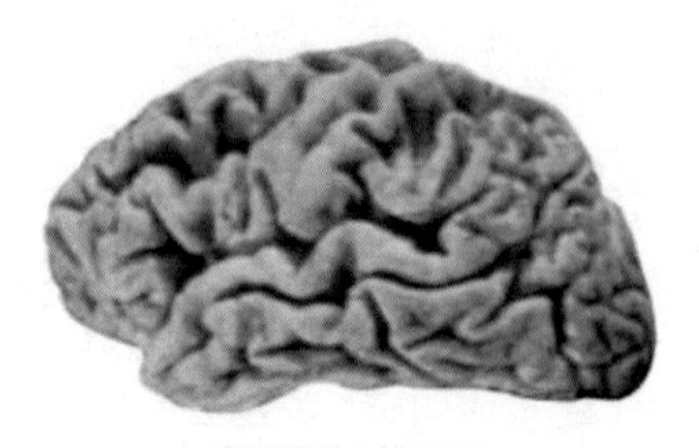

알츠하이머병 환자의 뇌

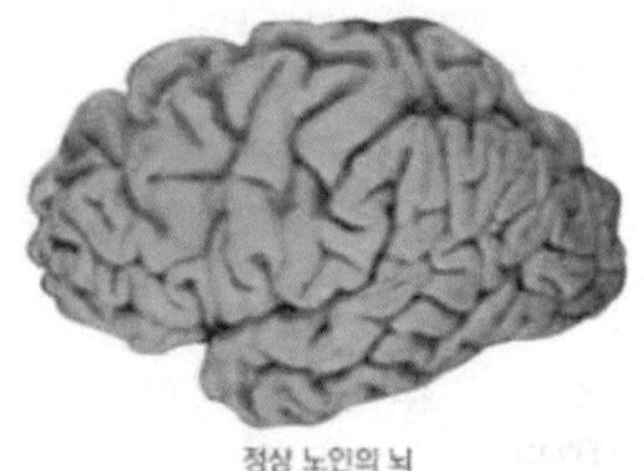

정상 노인의 뇌

알츠하이머병 노인과 정상 노인의 뇌 모습

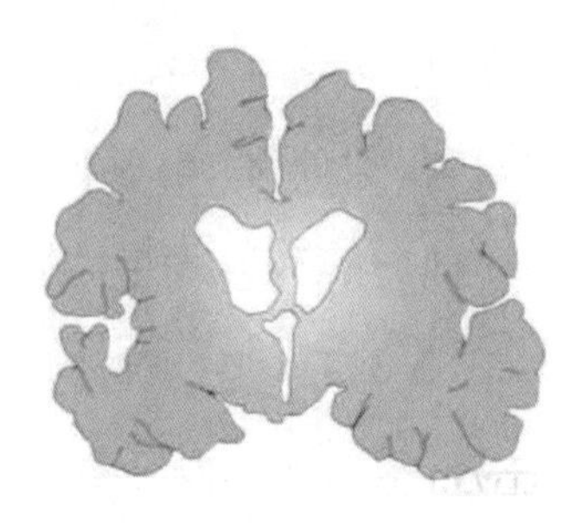

알츠하이머병 노인의 뇌 단면

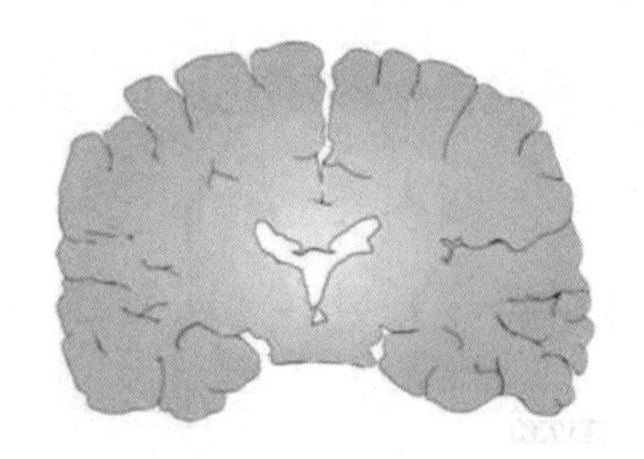

정상 노인의 뇌 단면

현재 미국식품의약구(FDA)으로부터 알츠하이머형 치매의 치료제로 공인 받은 두가지 약물(Tacrine과 Donepezil) 모두 acetylcholine 분해 효소의 활성을 억제함으로써 인지기능을 항진시키는 acetylcholinesterase(AChE) inhibitors 이다. 또한 AChE inhibitors에 대한 연구뿐만 아니라 콜린성 신경계에 작용하는 각종 수용체(특히

muscarine 수용체)에 대한 효능제 혹은 길항제의 개발연구도 많이 수행되어지고 있다고 한다.

이와 같이 이 질병의 예방 및 치료를 위한 다각도의 신약개발연구를 대규모로 진행하고 있으며 이와 병행하여 여러 가지 대체요법(alternative therapy)을 강구하고 있는데 다양한 식품의 약(nutraceutical) 또는 기능성식품 개발이 대표적인 예로 시도되고 있다. 이러한 범세계적인 연구추세에 부응하여 본 연구에서는 국내 자생식물에 기원을 둔 치매 등 각종 퇴행성 뇌질환에 수반되는 인지기능 손상을 효과적으로 개선할 수 있는 기능성 제빵류를 개발하고자 한

연구결과를 토대로 치매와 직접적인 관련이 있는 각종 약물작용점(효소,수용체)에 대한 저해효과를 120여종의 식물 추출물(주로 약용식물)을 대상으로 하여 폭넓게 검색한 내용을 토대로 활성이 높은 생약재를 선발하여 최적조성물을 조제한 다음 뇌세포 퇴화에 의해 발생되는 인지기능 개선효과를 보여주는 한약제 추출물을 활용하여 고령화 대응용 제빵제품의 개발을 시도하고자 한 연구결과이다.

즉 황련, 산수유, 치자엽, 당귀 등을 포함한 15가지 전통 생약 추출물을 식빵제조에 첨가하여 식빵의 품질을 손상시키지 않고 상용할 수 있는 배합조건을 찾아내어 제품화 된 빵을 생산할 수 있도록 하기 위한 실험결과는 다음과 같다.

1. 인지기능활성 실험을 위한 생약조성물의 조성과 추출

실험의 경우 인지기능조절 및 증강소재인 황련, 하수오, 산약, 산수유,

치자엽, 당귀, 작약, 창출, 저령, 시호, 천궁, 택사, 삼백초, 백복령, 복분자 등을 사용하였으며 이러한 생약재를 전통의약서와 현대과학에서 인지기능활성이 규명된 연구논문을 기초로 최적 생약조성물을 다음과 같이 구성하였다고 한다.

MH-1, MH-2, MH-3 시료를 건조, 분쇄한 후 10배의 증류수를 가하여 90 ~100℃에서 3시간 동안 열수추출한 후 감압농축한 다음 동결 건조하여 조성물 농도 10, 50, 100(ug/ml)농도에 따른 인지기능활성 실험을 수행하였다.

2. 인지기능 관련 수용체 및 효소에 대한 조성물의 invitro 저해활성

연구에서 조제된 최적조성물이 인지기능 관련 수용체 및 효소에 대한 생약재의 제어효과 즉 muscarine성 acetylcholine receptor와 glutamate recetor에 대한 조성물의 길항효과, AChE에 대한 조성물의 저해활성에 어떤 영향을 미치는가를 조사함으로서 인지기능 증강용 식품 소재로서의 활용가치가 있는가를 검증한 연구라고 볼 수 있다.

Mucsarin 성 acetylcholine receptor 및 glu-tamte receptor에 대한 invitro binding assay 및 NMDA receptor(glycine binding site)에 대한 조성물의 효과와 receptor-ligand의 상호관계를 연구하기 위하여 방사성 동위원소가 부착된 ligand를 사용하여 수용체와 반응시킨 후 glass fiber filter disc에 잔존하는 동위

원소의 양을 측정하여 수용체에 대한 lignad의 결합반응을 정량하고 이를 이용하여 약물의 효과를 결정하는 방법으로 수용체 source 로는 각 약물의 여러 subtype에 대한 상호작용을 제외시키기 위하여 CHO 세포에서 발현된 human re-combinant muscarinic receptor subtype를 그리고 NMDA receptor 수용체는 쥐의 대뇌에서 분리한 수용체 분획을 사용하였다.

즉 50uL의 hot-ligand와 10uL의 조성물을 혼합한 다음 반응의 시작은 100uL의 receptor suspension을 첨가하는 것으로부터

하여 27℃에서 30~60분간 반응시켰다. 1단계 약효 검색에서는 두 농도에 대하여 약물의 수용체에 대한 친화력을 검색하였다.
Incubation(27℃, 30min) 후 Wallac glass fiber filtermate CF/C를 이용하여 Inotech cell harvester system으로 0.1M Tris 완충액(ph 8.0)으로 여과하여 반응을 종료시키고 수용체에 결합 된 동위원소를 분리한 후 세척하여 filtermat에 잔류하는 동위원소의 양을 Microbeta-Counter로 측정하였다.

3. 생약조성물을 첨가한 빵의 품질특성 실험

1) 빵제조에 첨가한 생약조성물의 추출

빵 제조에 첨가한 생약조성물은 인지기능실험을 통해 규명된 인지기능 증가활성이 가장 높은 최적조성물 MH-3의 조성으로 생약재

대비 10배의 물을 넣어 90~100℃에서 3시간동안 추출하여 60℃ 이하로 냉각한 다음 여과하여 찌꺼기가 제거된 순수한 생약 열수 추출액(Brix 5.0)을 얻었다.

2) 반죽 배합비와 제빵

제빵에 사용한 반죽의 구성의 배합비는 밀가루 0%를 기준으로 각 재료들이 배하되었고 추출물 첨가는 제빵 시 사용되는 급수 65%에 대해 추출물을 각각 10%, 20%, 30%, 50%의 비율로 첨가하였으며 제빵공정은 직접법에 의해서 실시하였다.

3) 빵의 무게와 부피측정

식빵의 부피와 무게는 baking한 다음 실온에서 식힌 후 측정하였으며, 부피는 종자치환법으로 측정하였고, specific loaf volume (㎤/g)은 빵 무게로 나누어 표시하였음.

[결과]

120여종의 국내 자생 천연약용식물의 열수추출물을 조제하여 muscarine성 acetylcholine receptor 와 glycine binding site (NMDA) receptor에 대한 저해효과, 그리고 AChE 저해효과를 invitro로 검색한 결과 muscarine성 acetylcholine receptor에 대한 저해활성은 황련에서 가장 우수하고, 황백, 저령, 지실, 백화사설초에서 검색되었다. glycine binding site(NMDA) receptor에 대한 저해활성은 저령, 산약, 인진, 공사인, 상황버섯, 오가피, 황기, 어성초 등에서 높게 나타났다. AChE 저해활성은 황련,

치자, 하수오, 죽여, 비파엽, 천궁, 목단피 등에서 비교적 높게 검출되었다.

4. 생약조성물을 첨가한 빵의 품질특성

1) 빵의 무게와 부피

국내산 15가지 생약재의 구성비를 달리하여 유용물질을 추출하여 인지기능 활성실험을 통해 생약재의 인지기능을 확인한 후 이 추출물을 제빵 시 첨가하여 만든 빵의 무게 및 부피를 측정하여 본 결과 대조군에 비해 추출물의 첨가 시 빵의 무게는 약간 증가하였

으나 유의적인 차이를 볼 수 없었으며 specificloaf volume도 전 군에서 유의적인 차이를 볼 수 없었다. 빵의 부피는 대조군에 비해 추출물의 첨가 시 대체로 감소하는 경향이었으며 20% 첨가군은 대조군과 비슷하였고 30% 첨가 시에 1,676㎤를 나타내어 부피 및 용적비가 감소 되긴 했으나 빵의 품질면에서 크게 떨어지지 않았다.

그리고 생약 추출물을 첨가하여 제좋란 빵의 용적은 대조군에 비해 전군이 대체로 낮았으나 추출물 20% 첨가군에서는 대조군과 비슷하였다. 이와 같은 결과는 강황 추출물 첨가에 의한 식빵 반죽의 부피 팽창도는 감소하였다는 연구 결과와도 비교적 일치하였으나 솔잎추출물 첨가 시에는 제품부피가 증가했다 라는 연구결과와는 상반된 결과로 나온 것이다.

이런 결과는 빵의 부피와 비용적에 영향을 미치는 중요한 요인으로 가스 발생력과 반죽의 가스 보유력의 상호관계를 들 수 있으며 가스 발생력은 효모의 양과 질, 당의 양, 반죽의 온도, 반죽의 산도, 소금의 양 등에 따라 좌우되며 가스 보유력은 단백질의 양과 질, 산화정도, 가수량, 산도 등에 의해 영향을 받아 이런 요인들이 상호 복합적으로 작용하는 것에 기인하는 것으로 생각된다.

5. 빵의 색도

생약추출물을 첨가하여 식빵을 제조한 후 crust와 crumb의 색도는 다음과 같았다. crumb의 색도는 대조군에 비해 10%군, 50%군에서 유의적인 차이를 나타내어 추출물의 첨가량이 많을수록 유의적으로 감소하였으며 10% 첨가군, 20% 첨가군 및 30%첨가군 간에서는 유의적인 차이를 볼 수 없어 그 범위에서의 생약추출물의 첨가가 색도에 별 영향을 미치지 않은 것으로 나타났다.

a(redness)값은 대조군에 비해 추출물 첨가량이 많을수록 유의적으로 증가하여 적색도가 높음을 알 수 있었고, b(yellowness)값 역시 a(redness)값과 비슷한 경향을 나타내어 추출물 첨가량이 많을수록 명도를 나타내는 L값은 유의적으로 감소하고 적색도와 황색도를 나타내는 a,b값은 증가하였는데 이와 같은 결과는 식빵에 영지 추출액의 농도가 높아질수록 명도는 조금씩 어두워지며 적색도

와 황색도가 증가한다는 연구와 구기자분말을 첨가한 케이크의 내부 색도는 구기자의 첨가량이 증가 할수록 L값이 낮아져 어두워진다는 연구결과와 일치하는 경향을 보인 것이다.

빵의 crust의 L값은 대조군에 비해 추출물 10%.20% 첨가군에서는 유의적인 차이가 없었으나 30% 첨가 시에 유의적으로 감소하였으며, a값은 추출물 20% 첨가 시에 11.62로 가장 낮았고 30% 첨가 시에 13.67로 가장 높았다.

b값은 10%, 30% 첨가군에서는 대조군과 유의적인 차이를 볼 수 없었으나 20%, 50% 첨가군에서는 비교적 높았다. 색은 외관의 평가에서 매우 중요하게 여겨지는 항목으로 굽고 난 후 색이 좋아야 먹음직스럽게 보일 뿐만 아니라 풍미를 향상시킬 수 있기 때문에 식빵은 황갈색을 띠는 것이 좋으며 식빵의 색도는 ph, 당의 종류와 양, 온도 등에 많은 영향을 받는 것으로 알려져 있다.

본 연구에서 a값은 낮았고 L, b값은 비교적 높게 나타난 추출물 10% 혹은 20%를 첨가한 군이 식빵의 기호적 품질에 상당히 좋은 영향을 미치리라 생각된다.

[표1]

	Color	Extracts of medicinal herb (%)				
		0	10	20	30	50

Crumb	L	80.09±0.15	73.40±0.40	72.41±0.76	71.12±0.33	68.86±0.82
	a	-2.15±0.06	-1.08±0.06	-0.29±0.07	0.08±0.09	0.54±0.09
	b	12.80±0.37	12.83±0.57	13.88±0.49	13.07±0.65	14.65±0.04
Crust	L	56.75±0.60	57.87±0.34	57.69±0.34	54.65±1.27	51.63±0.73
	a	13.02±0.26	13.34±0.41	11.62±0.27	13.67±0.07	12.59±0.20
	b	28.14±0.63	28.64±0.39	29.51±1.29	28.31±1.15	29.08±0.11

6. 조직감의 측정

제빵 후 실온에서 2시간 정도 방낸한 후 texture analyzer를 이용하여 빵의 조직감을 측정한 결과 경도(hardness)의 경우 대조군과 비교하면 추출물의 첨가량이 증가할수록 대체적으로 증가하였으나 타군에 비하여 20% 첨가군에서는 가장 낮았다.

이것은 [표1]에서 빵의 경도가 20% 첨가군이 다른 첨가군에 비해 낮게 나타난 것과 연관지어볼 때 빵의 부피가 커질수록 빵의 softness가 증가하며 빵의 경도가 감소한다는 것을 알수가 있다.

부서짐섬(fracurability)의 경우는 대조군에 비해 전군에서 낮게 나타났으며 그중 30%에서 가장 낮았고 10%, 20% 첨가군이 대조군에 가까웠다. 부착성(adhesivenss)은 대조군에 비하여 30%, 50% 첨가군에서는 유의적인 차이가 없었으나 10%, 20% 첨가군에서 낮았다. 응집성(cohesivenss)의 경우는 전체적으로 큰 변화가 없었으나 10%, 50% 첨가군에서 대조군과 비슷하였으나 20%, 30% 첨가군에서는 다소 감소하였다.

점착성(gumminess)과 씹힘성(chewiness)의 경우는 대조군에 비해 첨가군에서 증가하는 경향이었으나 그중 30% 첨가군에서 가장 증가하였고 복원성(resilience)의 경우는 50% 첨가군에서는 대조군과 같았으나 다른 군들은 감소하였다. 이와 같이 생약추출물을 첨가하여 식빠을 제조한 결과 전반적으로 조직감 측정시 부서짐성과 응집성 등은 10% 첨가군이 대조군에 가까웠으며 경도, 부서짐성, 점착성, 씹힘성은 20% 첨가군이 대조군에 가까웠다. 또한 부착성 및 탄력성은 30% 첨가군이 대조군에 가까운 것으로 나타나 추출물의 첨가량에 따라 유의적인 차이를 볼 수 있었다.

이에 대한 연구로는 식빵에 감초와 강황 열수 추출물을 첨가하여 제조한 빵의 씹힘성, 탄력성, 복원성은 첨가농도에 따른 유의적인 차이가 없었으나 응집성은 유의적으로 증가하였고 식빵에 신선초, 녹차가루를 첨가할수록 탄력성, 씹힘성은 증가하고 응집성은 낮아지며, 케이크에 김 분말을 첨가할수록 탄력성과 응집성은 유의적인 차이가 없었으나 점착성과 씹힘성은 증가했다는 연구결과를 토대로 빵의 물성특성은 첨가소재와 첨가량에 따라 많은 영향을 받으며 또한 빵의 수분 함량, air cell의 발달정도, 부피등에 의해서도 영향을 받는 것으로 여겨진다.

12장 우리농가를 살리는 우리밀 바로알기

우리밀의 주요생산지는 광주 광산구, 남구, 북구, 서구, 전북 고창
, 경남합천, 함야, 제주도 증지에서 한해 약 7천톤정도를 생산하고
이있으며, 이를 가마로 환산할 경우, 약 175,000가마가 된다.
이는 대략적으로 우리국민이 소비하는 밀가루 소비량의 하루소비량
에도 못 미치는 양이다.

시간이 지나고 우리밀의 꾸준한 연구,개발에도 불구하고 그 생산량
이 증가하지 않는다는 것은 반대로 말할경우, 소비자들에게 제품의
만족함을 주지 못한다고도 볼 수 있는것이다. 다음표는 년도별
우리밀 재배 및 생산량 통계자료로 표에서 보여지는 것처럼 정부
의 수매가 있었던 1983년까지는 11만톤이었으나 수매가 중단된
다음해에는 1만7천톤으로 대략 1/7정도로 급격하게 생산량의
하락을 보였다고 한다.

1991년까지 지속적인 하락을 보이고 있으며 우리밀 살리기운동
본부가 결성된 1991년을 기점으로 본격적인 활동이 이루어지기
시작한 1992년부터는 우리밀 생산량이 약간씩 증가하였다. 이는
정부 수매가 중단되고 10년만에 노력으로 일구어낸 성과라고 볼

수 있는 것이다.

[우리밀살리기]

그리고 1995년과 1996년에는 급격한 증가로 생산과 수매, 가공, 유통에 있어서 "우리밀살리기 운동본부"를 중심으로 제반의 역학들이 이루어졌지만 아쉽게도 1997년부터 우리밀 살리기 운동본부의 운영미숙과 재정상황 그리고 온 국민을 고통으로 몰아세웠던 IMF 국가금융위기로 인하여 결국 부도처리 되면서 수매와 판매에 있어 농협중앙회로 넘어가게 되었다.

[한국IMF외환위기]

그 계기로 인하여 우리밀 수매량의 감소로 이어지면서 2001년과 2002년에는 결국 밀알곡 부족사태를 겪게 되었고 그동안 어렵게 구축하였던 생산구조와 유통구조 시스템이 무너지게 되면서 우리밀의 하락이 시작되었다.

또 하나의 변화는 1997년 이후 우리밀 생산과 수매, 가공, 유통구조에 있어서 변화가 일어났는데 그동안 우리밀 살리기 운동본부를 통하여 진행되어온 수매와 가공유통구조가 변화되면서 농협중앙회를 중심으로 수매가 이루어지게 되었고 한사림, 우리밀통상. (주)우리밀, 함양농협, 원주농협, 우리밀 구례공장, 가톨릭농민회, 한국생협연합회, 신용협동조합 등 생산과 계약재배 그리고 가공과 유통이 다양해짐에 따라 자본주의 경쟁체제로 돌입하게 되는 상황이 되었다.

농협중앙회는 수매이후 2001년 2,800톤과 2002년 5,800톤으로 생산량이 감소되고 물량부족으로 농협수매도 축소시키는 결과를 가져왔다. 또한 농협중앙회에서는 우리밀 살리기운동의 본래 취지보다는 투자자본에 비하여 상대적으로 잉여가치가 적은 우리밀에 대하여 장점을 찾지 못하고 부담감을 느끼는 상황이 연출되어 우리밀에 대하여 적극적인 투자나 지원, 홍보활동들이 전혀 이루어지지 못하는 상황으로 오게 되었다.

2003년도와 2004년도에는 생산의 급증과 함께 소비도 회복되었으나 2003년의 경우 경기불황과 우리밀 소비증가 추세가 생산된 물량을 전부 감당하기에는 역부족인 상황으로 되었다.
우리밀 재고량은 2001년에 0톤이었던 재고량이 2002년 95톤 2003년 4,766톤, 2004년에는 6,646톤, 2005년에는 6,254톤 등 점점 증가하는 추세로 이어져 생산과 소비의 불균형을 균형

있고 체계적으로 조절할 필요성이 제기되면서 다시 한번 우리밀을 위하여 계획생산과 조직적인 유통, 그리고 수매단가를 낮추고 수매량을 늘리는 동시에 소비자가를 낮춰 소비를 늘리는 등 정책적인 역할과 노력들이 필요함에도 불구하고, 다원화된 자본주의 경쟁체제 속에서 이루어 내기에는 현실적 한계를 안고 있다.

이러한 현실적인 인식속에서 생산농민들을 중심으로 우리밀 농협

의 필요성이 나타나게 된 것이다. 우리밀농협의 설립의의를 정리하자면 농민들이 WTO의 파고와 쌀 시장 개방요구에 적극 맞서 농민의 소득감소에 따른 대정부 소득보상을 적극 요구함과 동시에 쌀보리 수매축소와 마늘소득 감소에 대응하여 소비가 증가하는 밀을 생산함으로써 농가소득을 보전하기 위함인 것이다.

겨울철 재배작목으로서 농약이 필요 없는 고품질 우리밀의 경우 농약투성이인 수입밀과 다르게 소비자의 건강을 지키고 농가의 소득도 보장받기 위함인 것이다.

외국농산물의 수입이 증가하는 와중에서 우리밀의 생산을 확대하는 것은 외화를 절약하는 길일뿐만 아니라 식량의 일부분 수입밀이 아닌 우리밀로 확립하는 중요한 문제이기 때문에 우리밀농협 설립을 통하여 정부의 올바른 식량정책 수립을 촉구하는 데에도 그 의미를 두고 있다고 생각이 된다.

이를 위해 많은 노력을 지금까지도 하고 있는 가운데 우리밀 살리기 운동의 성과를 알아볼 필요가 있다. 우리밀 살리기 운동의

가장 큰 성과점은 우리국민 소비자들과 기관 및 기업체가 우리밀의 중요성을 깨닫고 농가를 살리기 위해 논,밭에서 사라진 우리밀에 대하여 되살림이었다는 것이다. 우리밀 재배면적이 1970년 96,740ha에서 1975년 43,709ha, 80년 27,868ha, 1984년

정부수매 중단, 1985년 3,000ha 그리고 1990년에는 294ha 1992년 164ha로 사라지기 일보직전의 상황까지 갔었다.

우리밀 살리기 운동 전개이후 급속히 재배면적이 확산되었으며 1996년 3,667ha(1,110만평)이 되었다. 1992년부터 1997년까지 농가에 지급된 수매대금은 262억원으로 농가소득 증대에 큰 역할을 하였다. 기존사회에서는 농민운동의 적대적 사회세력 설정을 통한 활동방식을 극복하고 일상활동과 연계하여 다양한 높은가치를 달성해 나가는 생활적 대안운동으로 자리매김 할 수 있었다는 점도 들수가 있다. 또한 우리밀의 생산토대를 확보했다는 것이다.

이것은 향후 자주적인 식량 자급계획이나 자급율 확보에 있어서 필연적으로 확보되어야 할 생산기반이 민간위주로 확보됨으로서 그 의미와 성과는 매우 크다고 할 수 있는 것이다.하지만 그러한 노력에도 불구하고 우리밀 살리기 운동의 한계를 찾아볼 수 있는 부분들이 있는데 간략하게 설명을 해보자면 초기에 진행해 왔던

운동들에 비하여 운동성의 약화와 변질을 들 수가 있는 것이고 우리밀 살리기 운동은 생산과 가공, 판매의 일원화를 통하여 힘있게 출발하였으나, 운동의 힘은 약해지고 1977년을 기점으로 생산, 가공, 판매는 다양화되는 결과를 초래하였다.

[우리밀 살리기 운동 "우리밀 체험"]

운동성에 기초한 초기의 설립취지나 의도는 자본력과 자본주의의 체제에 의하여 변질되었으며 그러면서 운동성의 근본에서 벗어나게 되면서 가장 중요한 농가들이 피해를 입어야하는 상황까지 온 것 또한 생산성과 전문성의 느린 성취를 들 수 가 있는데 우리밀의 생산성은 운동본부의 설립이후 확장되어 오다가 97년과 2002년까지 생산량이 급감했다. 2005년 현재 우리밀은 IMF시기인 97년과 비슷한 7,000톤 정도에 머물러 있다.

또한 우리밀 생산을 확대하고 가공과 향후 정책적인 대안 등을 만들어내는 전문성은 다양한 방향에서 진행되고 있으나 집중적인 고민과 기존의 성과들을 안고 확대시켜갈 조직이 부재하다는 점도 운동에 대한 전문성과 성과 확대에 한계로 작용하고 있다.

또한 자금력의 한계부분도 들 수가 있는데 우리밀은 97년까지 수매과정에 알곡대금을 보증으로 대출받고 이자를 지불해왔다. IMF사태가 빚어지면서 급상승한 금리에 대하여 대응할 자금력을 확보하지 못하였으며, 2006년 현재에도 자금력에 대한 한계는 진행중에 있다. 우리밀을 지속적으로 발전시키기 위해서는 농업의 발전과 농산물 유통의 역할이 크다고 볼 수 있는데 농민의 손을 떠난 농산물은 검사, 선별, 포장, 저장, 상차, 수송, 가공, 하차 등의 과정을 거쳐 최종소비자에 이르게 된다. 이같은 중간과정, 생산과 소비의 연결고리가 바로 유통부문이다.

거시적 시각으로 볼 때 농산물 유통부문은 국내적으로는 농산물 생산부문, 농식품 소비부문 및 일반유통 부문과 대외적으로는 농산물 수출입 부문과 상호 연관관계를 맺고 있다.

각종 유통시설, 수송수단, 저장 및 가공시설, 도로, 통신 등 사회간접자본 등 하드웨어 부문, 유통인 조직 및 관련제도 등 소프트웨어부문, 무형 서비스에 해당하는 유통정보, 유통금융, 표준화 및 등급화, 유통교육, 유통행정 등 유통조성기능이다.

농업발전과 관련한 농산물 유통부문의 바람직한 역할은 다음과 같다고 생각한다. 생산 및 소비부문의 변화를 포함한 국내외 유통여건변화에 따라 유통부문 역시 변화하면서 농업발전 목표달성을 위해 효과적으로 기여할 것인가 라는 동태적 의미의 **"효과성 측면"**

이다.

정태적 의미의 효율성측면으로서 현행 농산물유통체계의 최적운영, 다시 말해서 유통의 3박자를 여하히 효율적으로 작동케 하며 동시에 공정하며 효율적인 가격을 형성하게 만드는 것이냐 이다.

동태적 개념으로서 효과성과 정태적 의미의 효율성이 제대로 이루어질 때 비로소 농업발전과 관련한 농산물 유통의 올바른 자리매김이 가능하다 하겠다. 이는 곧 유통이 물처럼 자연스레 흘러 생산자 농민, 최종 소비자, 유통인 모두가 만족할 수 있는 상태를 의미하는 것이다.

농업발전단계를 5단계로 구분하고 농산물 유통체계를 4개 부문으로 세분화 하여 발전단계별 특성에 대한 일반화를 시도하였는데 이들에 따르면 공급측면의 경우 생산의 전문화는 생태조건이 비슷한 지역, 농가의 규모, 계약재배 등을 포함한 수직적 결합 등에 의해 점차 확대된다고 한다. **"시장접근성"**은 대농의 경우가 소농에 비해 보다 빨리 확대되고, 생산자조직은 보다 대규모화됨은 물론 유통전문 협동조합의 탄생, 유통은 물론 가공 및 농업관련 서비스까지

를 망라하는 농업관련 기업 형태로 발전하였다.
농업발전단계에 따라 생산요소시장 역시 급격히 변화하게 되는데 종자수요의 경우 기존 종자의 반복 사용으로부터 특정의 상업적 목적에 걸맞는 형태로 변화하게 된다. 농산물에 대한 수요패턴은

소득계층이 보다 분화됨에 따라 상품차별화 현상이 뚜렷이 나타나게 된다. 유통기능과 관련하여 농산물은 지역 내 이동에서 지역간 이동으로 공간적 교환범위가 확대된다.

농업발전이 어느 정도 진행됨에 따라 저장 등을 통해 곡류 등 비부패성 농산물의 계절성이 완화되기 시작하고, 이는 점차 부패성 농산물까지 범위를 넓히게 되고 궁극적으로 거의 모든 농산물의 계절성 문제가 해소되게 된다. 거래행위는 신용범위내의 현물시장 거래로부터 계약에 의한 거래가 확대되고 선진 발전단계에 이르면 선물시장거래가 도입된다.

농업발전에 따라 거래비용은 점차 감소추세를 보이게 된다. 하지만 소비자 지불가격이 낮아지는 것은 아니다. 이는 유통과정에서 선별, 가공 등 추가서비스가 확대되어 소비자 입장에서는 품질이 보다 향상되는 것이지 가격이 낮아지는 것은 아니기 때문이다. 동시에 다양한 유통서비스가 추가됨에 따라 유통과정에서의 부가가치는 점차 증대되어 발전후기에 이르면 생산과정에서 발생되는 부가가치를 능가하게 된다.

[우리밀 가공제품]

소비부문에 있어서의 변화가 농산물 유통에 부여하는 중요한 의미만을 정리하면 다음과 같다.

1. 소득수준 향상에 따라 총가계 비중 식료품의 비중이 지속적으로 감소하고 있는 추세는 비탄력화 되어 감을 의미한다.
이 같은 현상에 식품소비구조가 고급화 및 다양화되고 있는 현상을 더하게 되면 품목에 따라 차이가 있지만 농산물 수요의 가격

탄력성 또한 전반적으로 비탄력화 됨을 뜻하며 이는 곧 수요의 조금만 변화에도 농산물 가격의변동폭이 커짐을 의미한다. 같은 수요의 비탄력화 현상은 공급의 비탄력화 현상과 더불어 농산물 가격의 불안정성을 더욱 확대시키게 되므로 농산물

유통분야 중 가격의 불안정성 완화와 관련한 측면이 앞으로 보다 더 강조되어야 함을 의미한다.

2. 농산물에 대한 소비패턴이 고급화, 다양화되고 있음은 곧 농산물 유통영역 자체가 다양한 품목 및 품질로 확대되고 있음을 의미할 뿐만 아니라 유통대상품목의 주종이 곡류에서 점차 저장성이 낮은 청과물로 이행되어 감을 의미한다.

이제 농산물에 있어서도 상품차별화 현상이 뚜렷해 지고 있는데 생산부문에서 이에 대한 보다 신속하고 치밀한 대응, 고품질화를 위한 대응이 요구된다. 고품질 농산물 생산을 위해서는 생산단계 뿐만 아니라 수확 후 관리단계(예냉, 저장, 선별, 포장, 수송 등)에서의 개선이 요청된다.

3. 가공식품과 외식에 대한 소비지출증대는 농산물 유통상 가공의 비중이 확대됨을 의미한다. 따라서 가공식품 유통에 대한 보다 큰 관심이 요구됨을 뜻한다. 동시에 외식업체의 체인화가 확대되면서 구입물량 단위가 확대되고 산지 직구입을 선호하고 있어 생산자 조직의 규모화 및 계약생산체계 활성화가 요청된다.

4. 건강식품, 무공해식품 등 안전한 식품에 대한 수요증대는 농산물의 안정성에 대한 검사기능 및 추가적인 외부표시(칼로리, 영양소함량, 유기농산물 품질인증 등)의 강화와 더불어 유기농산물 유통문제가 새로이 제기되고 있음을 의미한다.

[유기농 제품 / HACCP 제품 / 우리밀과자]

마지막으로 소비자의 구매패턴이 가격조건에 보다 민감해짐에 따라 소매단계에서 할인점 등 신유통업태의 확대와 더불어 소매유통업체간 치열한 가격경쟁을 초래하게 된다. 이같은 경쟁에서 살아남기 위해서 소매유통업체는 도매시장보다는 산지로부터 구매비중을 증가시키지 않을 수 없게 된다. 따라서 일정한 품질 및 규격, 비교적 큰 구매량을 원하는 소매유통업체의 요구에 호응할 수 있는 산지단계에서의 준비가 시급히 이루어져야 한다.

동시에 대형소매유통업체와의 거래에 있어 자칫 낮아지기 쉬운 농민의 거래 교섭력을 증진시킬 수 있는 생산자 조직의 규모화 등 보완장치가 마련되어야 한다고 생각된다. 또한 대형소매업체에 의한 산지 직구입 등 후방수직결합의 확대와 종합유통센터 형태의 등장은 기존의 도매시장을 중심으로 한 시장 유통형태가 소매업체를 중심으로 하는 시장외 유통형태로 전환되고 있음을 의미한다.

결국 유통의분산화는 도매유통부문의 상대적 축소를 뜻하는데 이 같은 변화 속에서 도매유통부문의 생존을 위한 전략은 효율성추구를 통한 유통비용의 획기적 절감 및 역할구조의 변화 등에 초점을 맞추어야 함을 의미한다.

여기서 대형소매유통업체를 발전단계에 따라 구분하여 살펴볼 필요가 있는데 일반적으로 대형소매유통업체의 점수가 20개미만일 경우에는 자체물류기지를 운영하는 것이 비경제적인 동시에 거래포섭력도 그다지 큰 편이 아니므로 물품조달을 벤더 또는 도매유통기구에 의존하는 경향이 강하다. 하지만 점포수가 20개를 넘어 30개 이상 정도가 되면 자체물류기지 건설이 경제적 타당성을 갖게 된다.

이 같은 단계가 되면 이들은 산지로 눈을 돌리게 되고 상당한 정도의 물량과 품목 구성을 갖춘 산지주체와 거래를 시작하게 되는 것이다. 물론 이 경우 대형소매유통업체가 우월한 거래포섭력

을 갖게 된다. 점포수가 30개 이상을 넘어서게되면 대형 컨테이너 단위의 거래가 경제성을 갖게 되는 단계에 들어서게 된다.

이 단계가 되면 컨테이너 단위 거래가 일반적이 수입농산물에

본격적인 관심을 갖게 되는데 다시 말해서 해외시장으로의 물품 조달을 시작하게 되는 것이다. 이같은 이론에 따라 우리의 경우를 보면 이마트, 롯데마트, 홈플러스, 코스트코 등은 제 3단계에 진입하여 해외시장으로 부터의 조달을 본격적으로 시작한다.

이와 같은 예시로는 국외 일본의 경우를 볼 경우, 대형유통업체인 쟈스코나 다이에등의 발전 단계를 구체적으로 살펴보면 충분히 공감할 수 있다.

[왼쪽. 쟈스코 / 오른쪽. 다이에]

다시 우리의 산지로 시선을 돌려보면 산지농협 유통활성화 사업의 초기 국면에서는 수확 후 관리 개선등을 통해 고품질 농산물 생산을 이루어낸 조합의 경우 판매에는 별 어려움을 겪지 않았다.

왜냐하면 대형소매유통업체는 이같은 농산물 확보에 서로 매달리는 단계였으며 본격화되면서 참여 조합과 물량이 확대되는 반면 몇몇 대규모소매유통업체는 커진 규모에 따라 시장지배력을 확보하면서 전에 비해 점점 까다로운 조건을 산지에 대해 요구하기 시작한 것이다. 이같은 상황의 전개는 바로 산지출하조직간(지역조합, 영농조합법인, 수집상 등) 판매처 확보를 위한 치열한 경쟁을 초래하게 되었는데 이에 대한 대응방안으로 농협은 사업연합 혹은 연합마케팅 사업을 전개하고 있다. 조합간 사업연합이냐 아니면 광역합병이냐는 별도의 논의를 필요로 하지만 아무튼 사업연합 방식만으로 대형소매유통업체의 강력한 시장지배력에 대응하거나 산지물량을 충분히 소화시킬 수 없다는데 문제의 본질이 있다.

보다 규모화 된 몇몇의 대형소매유통업체가 해외로 눈을 돌려 물품조달을 계획하고 있고, 산지유통의 개선을 통해 조합들의 물량은 더욱 확대되는 반면 판매처 확보에 어려움이 가중되고 있는 것이 현재의 상황이라 할 수 있다.

이 같은 상황에 대처함과 동시에 대형소매유통업체의 시장지배력을 적절히 견제하는 길은 바로 농협이 소비지에서의 역할 특히 도매기능을 강화하는 것이라 생각한다. 비교적 규모가 작은 대형소매

유통업체는 물론 중소규모 소매업체를 고객으로 확보하여 산지 농협의 적체되고 있는 물량을 소화시키는 노력이 절실히 요구되는 시점이라 하겠다.

이를 위해 우선 농협유통에서 운영하는 종합유통센터의 도매기능을 대폭확대토록 함과 동시에 농협유통과 농협중앙회로 이원화된 종합유통센터의 운영을 농협유통으로 일원화함으로써 운영효율성을 제고토록 하여야 한다.

중기적으로는 정부 지원 아래 농산물종합유통센터의 추가 증설을 보다 적극적으로 검토해야 할 것이다.농산물 수입의 전면적 개발 및 유통시장 개발 등 국제환경의 변화가 농산물 유통부문에 주는 의미는 다음과 같다고 생각한다.

1) 외국산농산물의 수입 확대는 농산물 유통에 있어 종래의 국내산 농산물을 위주로 한 한줄기 흐름에 수입농산물을 더하여 크게 두줄기 흐름으로 변화시키게 된다. 따라서 가격,규격화 및 등급화면에서 상당히 우월한 위치를 점하는 수입농산물에 대등한 국내산 농산물의 유통상의 경쟁력 제고가 시급히 해결해야 할 과제가 된다.

2) 값싼 외국농산물 수입의 확대는 국내농산물 소비의 대체를 촉진시켜 해당 국내농산물의 생산위축을 초래하게 된다. 이에 따라 농민들의 작목 선택의 폭이 수입개발의 영향이 적은

작목으로 집중하게 되고 수입대체 작목의 개발, 지역간, 작목간 생산조정정책이 미흡할 경우, 상당히 넓은 범위에 걸쳐 국내농산물 가격의 폭락이나 폭등현상을 초해하게 되는 것이다.

3) 수입농산물의 안전성에 대한 문제제기 및 앞서 언급한 소비자의 식품 안전성에 대한 인식제고 현상은 그동안 농산물 유통 부문에서 비교적 소홀히 취급되어 왔던 농산물 검사분야, 특히 수입농산물의 검역분야에 대한 고려가 보다 큰 비중을 갖게 됨을 의미하는 것이다.

세계무역기구(WTO)체제는 국내시장과 해외시장의 문호도 보다 더 확대됨을 의미하는데 이는 곧 지금까지 국내에 머물던 유통의 시각을 해외까지 넓혀야 됨을 뜻한다. 외국인의 관점에서 기존 수출품목에 대한 새로운 점검은물론 해외 틈새시장을 겨냥한 신규 수출전략품목의 개발 등이 요구되는 것이다.

수출대상국 소비자의 기호에 걸맞은 품종선택 등 생산은 말할 것도 없고 선별 및 포장, 신선도 유지 및 수송방법, 해외시장에서 판매방법 및 홍보수단 등에 대한 세밀한 연구 및 선택이 요청된다.

13장 우리밀 유통시스템

정부는 1984년 이후 밀 수매를 중단이후 2001년 보리수매 축소를 선언했으며, FTA협상에 따라 농촌과 농업의 위기는 매년 벼랑으로 내몰리고 있다. 농촌을 살리고 국민생존의 기초인 자급식량의 확보를 위한 노력이 계속되고 있지만 식량자급율법제화를 통하여 우리밀이 농민에게는 소득개발 자목으로, 소비자에게는 생태적, 문화적,그리고 경제적인 삶의 질을 향상시키는 방안으로 우리밀 부문에서의 유통시스템을 연구하는데 그 의미가 있다.

유통시스템의 궁극적인 목표는 상품의 질과 양,획득의 가능성이나 비용, 문화적 환경의 질적 수준에 따른 삶의 질 향상에 있다고 볼 수 있다.유통시스템은 생산시스템과 소비시스템의 조건에 의하여 규정된다고 볼 수 있는데, 이 두 가지의 시스템 변화와 발전에 대응하여 유통시스템이 변화와 발전을 할 수 있다.그러므로 우리밀의 유통을 되돌아 볼 때 가장 먼저 생산자의 시각에서 우리밀의 생산실태와 문제를 고찰해 보고,다음으로 가공을 담당할 수매와 가공담당업체의 입장에서 우리밀의 수매·보관상의 문제를 재인식하고자 하였으며, 뒤이어 가공상의 문제점을 파악하고자 하였다. 마지막으로 우리밀의 유통상에 해결해야 할 문제를 경제적 측면을 포함한 소비자의 시각에서 유통구조의 문제점과 개선점을 파악하고자 하였다.

1. 우리밀의 생산실태와 문제

앞에서 제기되었던 우리밀의 생산에 대한 문제점들은 다음과 같다.

1) 2000년이후 밀 재배면적은 계속 증가하여 2004년 3,792ha로 최대면적을 기록했으며, 생산량도 1,200톤으로 최대생산을 했으나, 2005년도 면적은 2,935ha로 감소하게 되었다고 한다. 즉,계획적인 생산이 이루어지지 못하고 있었고 그에 따라 소비와 생산에 대한예측이 수치를 통한 관련성을 갖기가 어려웠다는 것이다.

2) 세심한 관리가 필요하며 생산의 적정 규모화가 되어있지 못하여 단가의 조절에 한계가 있을 수밖에 없었다고볼수있는 것이다. 수입밀에비하여 일손이 더가고 수확한 알곡이 습도에 민감하고 농약을 치지 않는 관계로 쌀벌레나 바구미가 자주 발생하는 등

수매이전 단계 그리고 보관단계에 이르기까지 훈증 등 세심한 관리가 필요한 상황 이다.

또한 우리밀의 생산은 소규모로 이루어지고 있는 반면 수입밀의 경우 대규모로 경작하고 있어 소규모의 생산공정에서 단가를 낮출수 있는 요인이 상대적으로 적은 것도 문제이다.

3) 체계적인 재배 관리가 미흡한 것을 들 수 있다.우리밀에 대한 종자 염병이나 다른 품종의 혼입 등으로 인하여 현재의 생산된 보급종의 종자에 한 품질 확보가 곤란하다는 점을 들 수가 있는 것이다.

4) 수요 정체에 따른 재고량 증가를 들 수 있다. 생산은 증가 했으나 가공수요가 증가하지 않아 재고량이 누증되어 향후 수급에 차질이 빚어질 수 밖에 없는 상황이 되었다.
가공업체 등 수요처의 2003년산과 2004년산의 우리밀 구매량이 당초 협약물량의 22%에 불과해 2005년 8월말 현재 재고량은 6,033톤에 달하고 있다.

전반적인 우리밀 생산과정에서 나타난 현상들과 함께 나타난 또 하나의 문제점으로는 현재 농협중앙회로 되어 있는 상황에서 보급종의 공급 투명성 확보가 곤란하다는 점도 있다. 이러한 문제점을 해결하기 위해서는 원종 및 보급종에 대하여 농림부 해당규정을 개정해서 국립종자공급소에서 공급할 수 있도록 국가기관에서 생산과 공급을 담당해야 한다는 것이다.

칼슘, 철, 마그네슘, 섬유질 풍부
인체 면역기능 증진&노화 억제
복합다당류 단백질이 다량 함유
수입밀보다 밀 품질 우수

싼 값에 구매가능
우리밀보다 밀 품질 낮음
방부제 사용 가능성

2. 우리밀의 수매, 보관상의 문제

현재 우리농촌의 열악한 현실들은 우리밀의 수매 및 보관 과정에서도 나타나고 있다. 우리밀 수매시 알곡에 대한 검사는 필수항목이다. 알곡의 상태에 따라 제분율이 달라지고 품질저하가 이루어질 수 있기 때문이다. 수분함량 초과,수발아 문제, 알곡의 굵기 정도, 단일한 품종 여부 등에 따라 제분율 뿐만 아니라 밀가루 제품의 성상이 영향을 받기 때문에 제품을 만드는 원료곡으로써 수매시에 매우 세심한 점검과 생산농민들의 주의와 함께 관련기관들의 협조가 필요한 상황이다.

그러나 현재의 상황은 생산농민들과 관련기관들과 우리밀농협을 포함한 수매단체들과 협조와 주의와 유기적인 관계가 이루어지기 힘든 구조로 되어 있다. 수분함량이 기준치를 초과하는 경우도 있으며, 품종도 섞여있는 경우도 있다. 또한 제분율과 제품에 영향을 미치는 수분함량검사와 밀의 등급검사에대하여 농협중앙회에서 수매하는 밀에 대하여는 검사가 이루어지고 있으나 수매를 하는 다른 단체들의 경우는국정검사가 이루어지지 못하고 있다.

그 원인은 물론 제도적인 한계에서 연유한 것이라 하더라도 이는 향후 우리밀소비와 품질향상을 위해서는 필연적으로 확보해야하는 관문이다.

다음은 보관상의 문제이다.수확 후 알곡의 관리체계가 미흡하다는 것으로 우리밀 생산농민들이 생산한 알곡에 대하여 보관할 수 있는 공간이 없으며 현재 지역농협창고를 임대하여 보관이 이루어지고 있는 실정이다.

알곡의 보관 또한 품질에 영향을 미치며,보관방법과 지역에 따라 여러 단계와 이동을 거치면서 우리밀 가격상승의 원인으로 작용하고 있다. 수매시 검사비용,입고비용,출고비용,창고임대료,운반비용,훈증비,인건비 등이 포함되어 수매당시보다 상승되는 요인이 발생하고 있다.

3. 우리밀의 가공상의 문제

90년대 우리 밀 살리기 운동이 활발하게 전개되면서 1년에 30만가마(1가마/40kg)가 생산되고 제1공장 구례,제2공장 무안,제3공장 합천,제4공장 정읍,제5공장 아산 공장을 비롯하여 가공공장도 많이 늘어났다. 그러나 96년도 우리 밀 살리기 운동본부가 앞서 기술한 여러 가지 이유에 의하여 경영악화 및 적자가 누적되어 파산되었고 구례공장을 제외한 나머지 4개 공장 또한 재정적 어려움으로 공장이 문을 닫게 되었다.

그 원인은 우리 국민의 식량인 밀 350~400만 톤을 수입하여 4~5배싼값에 가공하여 전 국민의 입맛을 바꾸어 버렸고 우리나라 시장의 거의 대부분 을 장악하였기 때문이다.

정부의정책 없이 우리밀 살리기 운동 정신으로 우리밀의 안정적 생산과 가공 그리고 자금과 유통 문제를 해결하기란 역부족이였다. 실례로 2001년도에는 우리밀의 전국 생산량이 25,000가마/40kg밖에 되지 않아 우리 밀 원곡이 부족하여 가공 유통에 큰

시련을 겪기도 했다.

이로 인하여 지금은 한국우리밀농협을 중심으로 광주 광산, 경남 합천,전남 고흥,장흥,구례,전북 전주,고창,정읍 등에서 생산자 조직을 결성하여 목적 생산을 하게 되었다. 구례 공장은 92년도에 곡물 분쇄기로 시작하여 몇 번의 시행착오를 겪으면서 지금은 1일 4~6톤의 생산체제와 450ha에서 45,000 가마를 생산하고 있으며 전국 생산량대비 17%를 생산,가공,판매 하고 있으며 체계적인 종자의 관리와 생산관리를 통해 원료 곡에 서부터 품질의 차별화를 꾀하고 있다.

[우리밀 구례공장]

구례의 경우 소비자는 고품질과 다양화 된 제품을 원하고 있으나 공장 증설 17억원, 수매자금 16억원을 비롯하여 외상 매출에 대한 자금압박이 가중되고 있어 우리밀의 다양화된 제품개발에 한계를 가지고 있다. 밀 산업은 정부 정책없이 농민이 협동체제로 제2식량을 담당하기란 매우어렵다고 필자는 생각하기에 우리밀 산업이 발전하기 위해서는 정부정책이 절실하다고 생각한다.

위 내용을 토대로 우리밀의 가공상의 문제를 몇가지로 요약해 보면 첫번째는 우리밀 소비를 촉진할 수 있는 기초시설인 제분시설을 자체적으로 갖고 있지 못하다. 또한 현재 출시되고 있는 제품에 대하여도 대부분 OEM방식으로위탁가공을 하고 있는 상황이다.
그렇기에 현재 우리밀 산업이 성장한다고 하여도 우리밀을 생산하는 농가와 중소업체는 기업과 경쟁력에서 밀려날 수 밖에 없는 것이다.

두번째는 다양한 제품 생산을 위한 두뇌조직이나 품질의질 향상을 위한 연구소 등의 체계를 갖추기에는 현재의 재정적으로나 경쟁체계속에서 분명한 한계를 가지고 있다는 점이다. 그렇기에 정부와 지자체에서 우리 농가를지원하고 경쟁할 수 있도록 초기 지원이 필요하다고 생각되며 기업이 아닌 농가와 소상공인을 위한 지원이 주가 되어야 우리지역 농가가 살아남을 수 있다고 생각한다.

세번째는 기존의 제분시설이 영세하고 열악한 제분시설로이는 필연적으로 밀가루 및 가공제품의 질 저하를 초래하게 되며 궁극적으로 완제품에 대한 상품성이 떨어진다는점을 들수가 있는데,경쟁력이 약한 지역농가 일반인과 소상공인에게는 우리밀의 가공제품의 질을 높일수 있는데에 한계가 있다는 것이다.

마지막으로 밀의 종류가 다양화되어 있으나 연질밀이 대부분이며, 경질밀 종류는 거의 없어 다양한 밀제품 생산에 제약이 따른다는 것이다. 수요자의 요구에 미흡한 품질 수준을들 수가 있는데 우리 밀의 품질은 그동안 꾸준히 향상되어왔으나 여전히 수입밀에 비해 가공적성이 뒤지는 것이 사실이다. 품질개선은 품종자체의 문제와 수확후 품질관리 문제로 구분되는데 품종개량의 방향은 제분율, 단백질 등을높이는 것뿐만 아니라 가공 적성을 높여 가공업체의 수요를 충족시켜야 한다.또한 수확 후 품종 혼입으로 우리밀의 품질을 떨어뜨리는 사례가 발생되고 있고, 제분시설이 열악해 품질 향상에 제약이 있는 것도 현실이다.

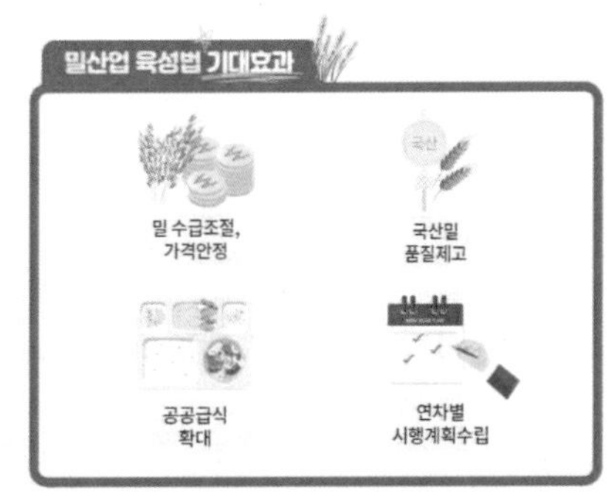

14장 우리밀 산업발전 유통력 문제고찰

우리밀 산업이 발전하고 성공하기에는 가장 중요한 것이 무엇인가? 부분적인 측면으로는 모두 중요하고 가장 중요하지만 가장 높은 비중을 차지하는 것은 바로 유통적인 문제가 아닐까 생각이 된다. 그 이유는 소비가 일어나기 위해서는 가격과 품질에서 경쟁력이 있어야 하는데 우리밀의 경우 수입밀에 비하여 비싼 가격이

형성되어 있고 이는 소비자 들의 선택에 큰 영향을 줄 수 밖에 없는 것이다. 특히 외국산 수입밀이 우리나라에 들어올 때 2% 라는 관세율로거의 무관세로 수입되고 있는 반면 일본의 경우에는

~~수입밀에 대하여 관세율 200%를 적용하고, 발생된 관세수입으로~~ 자국밀농가를 지원하여 외국밀과의 격차를 없앰으로써 가격이 수입밀과같게 하고 있다.

이에 따라 자연적으로 자국밀을 사용하고 부족분에 대하여 수입밀을 사용하게 만드는 등의 정책적 노력을 하고 있어 정부의 우리밀 정책과 비교되고 있다. 우리밀원곡의 가격은 수입산 밀원곡의 5배가 넘고 있으며, 밀가루의 가격을 비교해 보면, 우리밀이 3배정도 비싸게 판매됨으로써 제조업체의 입장에서는 구매를 기피하고 있으며, 일반소비자를 대상으로 판매하는 데에도 수요확대에 한계와 어려움이 뒤따르고 있다.

브랜드 비교[곰표]

[왼쪽. 우리밀 900g 4,540원 / 오른쪽. 일반 3kg 5,810원]

비싼 가격은 상대적으로 소비자들의 선택욕구를 떨어뜨리는 역할을 하고 있다. 실제로 수도권에 살고 있는 보리쌀 구매주 1,000명을 대상으로 실시한 우리밀 판매인지도 및 구입 경험 이유에서 92%

가 우리밀 제품 판매에 대하여 인지하고 있었으며, 구입해본 경험은 83%로 호전적인 결과가 나왔지만 구체적으로 우리밀 가공품을 계속 구입할 의사를 묻는 질문 78%가 구입하겠다고 응답했고, 구입하지 않겠다는 응답자도 22%로 나타났다는 것이다.

구입하지 않겠다는 이유로는 가격이 비싸서가 46%로 가장 많이 나왔으며, 맛이 없어서가 28% 순으로 나왔다고한다. 이는 우리밀이 소비자들에 의하여 선택받기 위해서는 저렴한 가격과 소비자의 입맛에 다가갈 수 있는 여러문제 등 앞으로 우리밀 산업이 소비자에게 원하는 상품이 될 수 있도록 다양한 정책방향과 유통시스템 구축이 필요하다고 필자는 생각한다.

우리밀가루의 경우 백밀가루와 통밀가루로 구분하고 있으나 제품에 대한 다양성과 차별화가 이루어지지 못하고 있다. 발아통밀가루와 전환기 우리밀가루 등은 차별화된 제품이지만 전환기 유기농 밀가루에 대한 인식이나 소비가 뒤따르지 않아 시장이 형성되지 않고 있다. 또한 우리밀가루 품질 현황을 보면 현재까지 가공기술의 선진화에 따른 전반적인 품질은 향상되고 있으나 원곡의 혼재에 따른 2차 가공품 생산시 품질의 불균형문제는 유통에까지 영향을 미치고 있는 상황이다.

다음문제는 소비자들의 구매욕구와 선호도 등에 대한 과학적인 분석과 홍보가 뒤따르지 못하고 있다. 그렇다면 우리밀의 소비상에 문제는 단순히 유통시스템과 가격경쟁 부분으로 단정지을

수 있는 문제인가를 한번 생각해 보아야 한다고 판단되며 다음장에 추가적인 문제들을 살펴보도록 하자.

15장 우리밀 소비에 대한 문제점 고찰

우리나라의 농촌지역은 여러 가지 측면에서 심각한 어려움에 처해 있다. 우선 경제적으로는 일자리창출과 소득기회가 도시에 비해 현저하게 부족하다. 더욱이 농산물 시장개방과 세계화 물결로 인해 농업 및 1차 산업이 쇠퇴하고인구가 급속히 감소하고 고령화되어서 지역경제가 활력을 잃어가고 있다. 사회적으로는 장기화된 불황과 취업난,빈곤층에 대한 사회적 배제가 심화되고 있고, 지역경제 또한 쇠퇴하여 공동체적 삶이 붕괴되어가고 있다.

우리 농산물 자급 도는 25%이하로 떨어졌으며, 외국농산물 수입량은 2,190만 톤으로 약 7조 4억이며 하루에 150만 가마가(가마/40kg기준)수입되며 202억의 자금이 외국으로 빠져나가고 있다. 값싼 외국 농산물이 봇물처럼 밀려오는 수입개방 시대에서는 생산 위주의 농업은 쇠퇴하고 경쟁에서 뒤떨어 질 수밖에 없다.

이제 수입농산물과 대응하기 위해서는 대량생산의 생산 방식을 탈피하여 고품질과 유기농으로 차별화 하여야 하며 생산과 가공, 판매로 농촌 유휴인력의 고용창출과 함께 이로부터 얻어지는 이익이 생산 농민들에게도 골고루 돌아가는 농업으로 탈바꿈하여야 한다. 좋은 아이템을 가지고 품질과 효능이 우수한 상품을 만들어 놓아도 이를 소비자의 식탁에 올리지 못하면 그 상품은 시장에서 소비자의 반응을 채 확인하기도 전에 사장되고 만다.

한 상품이 가지는 생명력을 결정하는 것은 바로 판매에 대한 홍보 ,광고 등 유통에서 그 전체를 좌우한다고 본다. 우리나라의 유통은 직판, 일반대리점, 총판, 전자상거래를 통해서 이루어 지기도 하지만 루트시장이라고 하는 신세계, 롯데, 현대 등 백화점과 대형할인점이 소비시장의 대부분을 장악해 나가고 있고, 우리 농산가공품이 대형 시장에 납품되고 판매되기에 는 너무나 큰 장벽과 어려움이 존재하고 있다.

납품 계약이 성사되더라도 생산자보다는 유통 업자에 유리한 일방적 계약이 이루어지고 있고, 생산 마진보다는 유통마진의 폭이 더 크게 되어 제품값의 인상으로 이어지는 것이 대부분의 현실이다.

생산이나 가공은 현장에서 할 수 있지만 판매는 전국을 상대로 활동하기 때문에 유통전문가와 조직이 필요하다.

현재 우리밀과 우리밀 제품이 각 업체간 구성원간 사이에서 작은 시장 내 에서 치열하게 경쟁하고 있어 소비자의구매 결정에 혼란을 초래하고 있다. 이는 결코 우리 밀 산업에도움이 되지 못하고 있다는 것을 직시해야 한다. 우리 밀의 모든 조직이 수직적 관계가 아니라 상호 협력하는 수평적관계로 사고로 전환되어야만 현재 우리밀 산업이 당면한 국면을 헤쳐나 갈 수 있다고 생각한다.

16장 우리밀 산업발전 방향

현재의 우리밀 유통구조에서 가장 크게 대두되는 문제이다.

생산을 안정화 시키고 가공과 유통을 확대시키기 위해서는 자금력의 확보가 관건이라 할 수 있다. 현재 이러한 자금력 확보를 우리밀농협의 출범을 통해서 보완하려는 움직임이 있었고, 이제 어느 정도 우리밀농협이 제 궤도에 올라가고 있는 상황이다.

지난 시기 우리밀살리기운동이 어려운 상황에 봉착하게 된 원인은 근본적으로 생산에 대한 수매자금 부족에서 비롯되었다. 향후 가공과 홍보 및 마케팅을 위한 자금력을 확보함으로서 우리밀의 유통

체계를 안정화시키는 방법들이 모색되어야 할 것이다.

소비자가 무엇을 원하는지 니즈를 파악해야 한다.

현재의 우리밀 유통구조에 대한 특이성으로는 우리밀살리기운동을 통하여 그동안 많은 활동이 이루어져 온 관계로 우리밀의 독점성과 일반인들에 대한 인지도가 널리 알려져 있는 것은 큰 장점이다. 반면에 이러한 인지도에도 불구하고 자본력이 미약한 관계로 그동안 마케팅 개념의 도입이나 광고의 TOOL 및 기법개발 등이 이루어지지 못한 채 원시성을 극복하지 못하고 있다는 것이다.

특히나 대기업과 큰 차이점으로는 시대의 흐름 즉 유행을 파악하지 못하며 대기업의 마케팅을 모방하기 때문에 매번 한박자 이상 차이가 날 수 밖에 없으며 그것은 바로 매출로 직결되는 부분이기 때문에 젊은고객들의 니즈를 잘 파악해야 할 것이다.

[편슈머 마케팅 사례]

우리밀의 친환경성과 웰빙식품으로서의 역할,대중적인 인지도, 그리고 쌀 다음으로 많이 소비되는 식량으로서 우리밀의 위치를 직접적으로 부각시켜 홍보할 수 있는 전략적이고 과학적인 마케팅 개념의 도입이 필요하다.

한 예로 기업들이 하고 있는 그린마케이팅 개념이 그것이다. 그린마케팅은 사회의 가치추구가 양적 추구에서 질적추구로 변화해 가는 것은 시대적 조류에 맞추어 나타난 현상이라 할 것이다. 그동안 기업은 재화의 양적 생산에만 몰두함으로써 사회,경제전반에 걸쳐 물질적인 풍요를 제공하기도 했으나, 오늘날과 같이 대량생산, 대량소비로 인한 「자원의 낭비」,「자연의 파괴」,「환경공해」 등을 야기시킴으로써 이제는 환경파괴의 문제가 직접적으로 개인(소비자)의 건강과 복지를 위협하고 있다는 인식이 소비자들에게 크게 작용하고 있다.

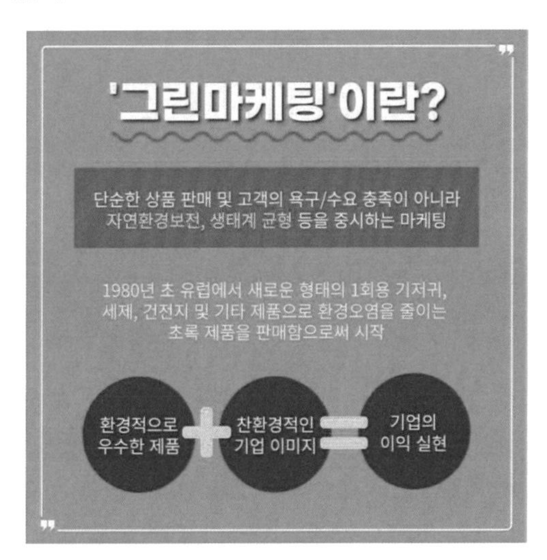

따라서 환경보전문제는 소비자들에게 직접적이고도 개인적인 관심사가 되어 많은 소비자들의 환경오염에 대해 자신들 스스로를 보호받고자 하는 소비자층(그린소비자)으로 인식하게 되었으며,

기업의 마케팅 활동도 점차로 종래의「수익지향적 마케팅」의 관점에서 벗어나 사회적인 공공성과 공익성을 고려한「사회당위적 마케팅」의 관점으로 변화하게 되었던 것이다.

즉,「인간의 삶의 질」을 중심으로 한 접근에 의하여 마케팅의 개념을 재정립함으로써 기업이 사회적 책임을 달성하자 하는 수단이 그린 마케팅의 위상적인 것이다.

17장 소비욕구 변화에 따른 대처방안

소비자들의 식품에 대한 욕구가 복잡하고 다양화 되어가고 있다. 경제발전으로 생활여건이 좋아져 자기 자신의 생활을 향유하고 쾌적한 환경, 문화생활을 누리고자 하는 여유가 생겼다.
특히 건강한 먹거리에 대한 욕구와 함께 아토피,환경호르몬 등에 노출되어 있는 현실 속에서 무농약, 저농약 등을 선호하는 계층들이 주변 환경오염의 심화에 따라 욕구가 커지고 다양화되어가고 있다.

이러한 소비자들의 변화는 구체적으로 시장의 세분화를 부추기게 되고, 결국 소비패턴의 변화와 함께 라이프 스타일의 변화를 동반하게 된다. 소비패턴에 대한 모니터링과 라이프 스타일의 변화를 감지하고,과학적으로 분석하고 효과적으로 홍보할 수 있는 체계마련이 시급하다.

1. 우리밀의 그린화 전략과 기업의 위상확립이 필요하다.

우리밀에 대한 그린화 전략에 있어서 무엇보다 선행되어야 할 것은 우리밀을 유통하고 있는 기업들의 경영이념의 정립과 함께 환경의 중요성을 인지하고 삶의 질을 추구하는 기업으로서 자신의 기업위상을 확립해야 한다는 것이다.

이러한 경영이념을 바탕으로 해서만이 신뢰성 있는 외부 공중관계를 유지해 갈 수 있는데, 내부의 그린화를 추구해 가는 구체적 방향으로는 생산과 가공, 유통, 소비시에 발생할 수 있는 환경적 오염부하를 최소화하려는 노력과 그 결과이다. 또한 구성원들의 교육 및 실천을 통하여 장기적인 측면에서 환경보전문제를 연구하고 그에 따른 효과적이고 근본적인 전략을 수립해 나가야 한다. 기업차원에 기초한 우리밀에 그린화 전략을 적용해 볼 경우에는

1) 그린전략수립

판매만을 위한 전략이 아닌 사회에 환원한다는 차원에서의 그린전략수립이 장기적으로 볼 때,기업 이미지 상승과 판매효과가 신장된다.

2) 공익캠페인 활성화

그린상품 및 환경기술의 연구에 초자와 노력을 다해야 하며, 기업에서는 환경문제와 관련된 공익캠페인 및 광고를 좀더

활성화할 필요가 있다.

3) 기업참여 독려

기업은 기업의 가장 핵심적인 외부공중이자 활동의 최대변수인 소비자를 선도해 나가야 하며,환경에 지속적으로 관심을 유지하게 하면서 기업활동에 참여시켜야 할 필요가 있다.
일반적으로 환경에 대한 소비자들의 관심은 높지만 그것에 대한 지식은 부족 하여 환경보전활동에 참여할 수 있는 기회는 매우 한정적이다.

기업은 단순히 소비자 유행적인 요구에 맞는 상품개발에 끌려가서는 안되며 소비자들이 환경에 대한 정확한 인식을 갖도록 각종 미디어 또는 강연회를 통하여 인식의 개선을 유도해 나가야 하며, 소비자들의 방문 및 참여의 폭을 넓혀 나가야 한다.

향후 지향해야 할 방향은 기업적인 측면에서는 이미지 및 제품광고에 환경보호주의 조성 및 정착기업이 환경문제에 대해 능동적으로 그리고 미래지향적으로 대응을 꾀함으로써 쾌적한 환경을 만들어가고 지켜가는 실천을 해야한다. 또한 그린 상품 및 환경기술의 연구개발에 적극적인 자세와 사회적 책임감을 가지고 참여

함으로써 소비자의 욕구와 필요를 충족시켜야 한다.
궁극적으로 기업은 호의적 이미지를 형성시켜 수입증대를 꾀하게 되고 빠른 성장을 도모할 수 있는 것이다.

18장 우리밀 식량자급율에 대한 고찰

정부의 정책적인 측면에서는 환경에 관련된 공익적인 캠페인 및 광고를 좀 더 활성화해야 하며, 소비들의 측면에서는 환경문제에 대한 도덕적 가치관과 의식의 개혁을 통해 녹색상품, 친환경기업에 대한 수준높은 안목을 갖춰나가야 할 것이다.
우리밀은 돈으로 환산할 수 없을 만큼의 공익적 기능을 가지고 있으며 우리 국민의 건강한 식탁을 가꾸는 농민들의 희망이다.
정부는 우리 밀에 대한 조그마한 정책이라도 가져야 하고,생산자인 농민은 소중한 식량 자원을 지키기 위한 노력을 해야 한다.

우리밀의 가공과 판매는 단순히 소비자에게 물건을 파는 것이 아니며, 농민의 땀과 희망,그리고 양심과 생명을 존중하는 마음을 담아 신뢰를 회복하는 길이며, 농촌과 도시가 함께 상생하는 모범을 창출하는 길이다. 그럼으로써 단순한 유통적 가치의 기능을 넘어 생명을 살리는 건강한 먹거리로, 우리 밀의 공익적 가치는 더 빛을 발할 수 있다.

제과제빵을 업으로 살아가는 한사람으로서 소비자의 인식과 선호도로 수입밀을 이용한 제품을 사용하고 또 판매하기도 한다. 하지만 항상 마음 한켠에는 우리 국산밀이 소비자에게 인정받고 인식이 바뀌길 바라며 우리밀을 활용한제품을 만들고 소개하고 시식 또한 많이 진행하고 있다.

물론 이런 작은 일들로 국내 소비자들의 인식이 바뀔수 있다고는 생각하지 않는다. 하지만 나와 같은 생각을 가진 사람들이 저마다 자기의 위치에서 노력하고 있다는 것이다. 이러한 생각을 보다 구체적이고 정확한 데이터자료가 있다면 보다 소비자들에게 제품을 설명하는 방법이 다양하고 전문화 될 수 있지 않을까 생각된다.

여러 문헌을 찾아보면 국산밀 자급률 달성을 위한 소비자 인식 연구를 진행한 국립식량과학원 자료를 읽게 되어 이 내용이 제과제빵업종에 종사하는 많은 이들이 보기를 원하여 내용을 요약하면서 설명하고자 한다.

연구개발의 목적과 필요성은 이렇게 이야기를 한다.
소비자 인식조사에 기반한 밀 자급률 제고 전략수립 방향을 제시하고 국산밀의 가치창출 컨셉 및 자급률 제고 전략수립 기초 자료를 구축하여 종합자료를 만드는 연구자료 로써 연구개발이 왜 필요한지 아래 내용과 같이 설명 하고있다.

2008년부터 국산밀 시장이 급속히 성장중이나 장기적 식량 자급률 확보 측면에서 지속적 국산밀 시장 확보로 국산밀 산업의 방법론 측면에서 현재 국산밀 시장은 초기상태이며 소비자층이 소수로 정량적 소비자 조사만으로 유의미한 결과를 도출하는데 한계가 있어 정성적 연구가 필요하며, 국산밀에 대한 소비자 인식 조사결과는 영세한 국산밀 산업이 현대사회에서 급격하게 변화되는 소비트렌드를 선도하는 기초자료가 될 것임을 확신한다.

현재 국산밀 제품들은 고유의 뚜렷한 마케팅 포인트가 없어 기존 수입밀 제품들과 동일한 형태로 가격과 품질 면에서 경쟁하기가 어려운 것이다. 국산밀에 대한 소비자 인식에 기반을 둔 마케팅 포인트 도출과 현재 기존수입 밀가공 식품과 동일한 시장에서 경쟁하지 않고 차별화된 제품개발 로 고유의 시장을 개척할 필요성이 예전부터 대두되었으나 현실적인 문제가 지금 현재까지도 실현되지 못하고 있는것이다.

지구환경변화와 소비자 요구를 반영한 가까운 먹을거리로써 국산밀의 정보전달이 필요하며, 이를 통한 소비자의 국산밀 선택 폭의 확대가 필요하다고 생각된다. 국산밀소비자와 시장을 명확히 함으로써 밀 산업과 밀 연구의 방향성을 제시하는 정책·전략 수립이 절실히 필요하다.

1) 국산밀 소비자 인식 조사 및 분석

- 국산밀 인식 실태 조사(정성)
- 국산밀 AAU(Awareness, Attitude, Usage) 조사(정량)
- 국산밀 컨셉 도출 및 분석
- 컨셉 검증: 식품관련라이프스타일조사, 식품선택동기조사, 컨조인트분석
- 제품력 분석: 맛품질관능검사, 선호지도분석

2) 국산밀 생산지, 가공업체, 전문업체, 인터넷 소비자 정보 조사

- 국산밀 제품 조사
- 국산밀 생산 및 유통·소비 조사
- 소비자가 접하는 국산밀 조사(인터넷 조사)
- 밀 생산자와 소비자의 접점 조사
- 국산밀 산업 현황파악 구축

3) 연구개발결과

1) 국산밀 소비자 인식 조사 및 분석

우리밀 이미지로 강하게 나타나는 항목은, 「오래되지 않은 신선한

느낌」,「토속적인 느낌」, 「환경친화적인 느낌」, 「건강에 좋을 것 같다」,「자연적이다」, 「웰빙에 가까운 느낌」으로 조사되었다.

Brand Health Matrix 분석에서 우리밀 관련 상품류 브랜드 대부분이 비슷한 수준으로 나타났으며 특히 컨셉지수가 낮게 나타났다. 제품력 있는 상품이 되기 위해서는 향후 Concept 및Performance에 대한 개선이 필요할 것으로 판단되었다.

우리밀 수요확대를 위한 해결과제로서는 수입밀과의 품질적 차이를 극복할 수 있도록 용도별, 세분화 상품 개발을 통해 제품력을 향상 시키고, 우리밀로 만든 상품임을 신뢰할 수 있는 시스템의 구축과 우리밀 의 건강지향이미지의 우리밀의 우수성을 알리는 홍보 등 3박자가 조화 롭게 발전할 수 있도록 하는 것이 무엇보다 중요한 것으로 나타났고, 소비자들이 우리밀 이용에 있어서 가장 큰 이용 저해 요인으로 꼽히고 있는 가격이 비싸다는 문제를 해결하기 위해서는 가격 이외에 소비자가 우리밀에서 구매의 가치를 느끼고 있는 제품의 신뢰를 강화함으로써 가격에 대한 저항감을 완화시킬 필요가 있다.

2) 국산밀 제품력 조사

전반적으로는 수입밀 제품이 국산밀 제품 보다 제품력이 좋게 평가되었으나, 국산 밀 제품 중 에는 튀김가루, 프리믹스, 과자, 냉동식품, 장류 카테고리가 라면, 빵, 소면, 부침가루, 밀가루, 통밀가루에 비해 상대적으로 제품력이 우수한 카테고리로 평가되었고, 부침가루, 통밀가루, 냉동식품, 프리믹스 카테고리는 수입 밀 제품에 비해 상대적으로 국산 밀 제품의 품질력이 더 우수한 것으로 평가되었다. 제품력 열위 제품의 품질

개선점 분석결과에서 라면의 경우 조화로움과 쫄깃함의 개선이 요구었고, 소면제품 조화로움과 구수함과 쫄깃함, 과자제품의 경우는 씹는강도와 고소함, 빵 제품은 조화로움, 향긋함, 부드러움, 쫄깃함 및 단맛특성, 밀가루 제품은 쫄깃함과 조화로움, 쌈장은 텁텁함 고추장은 색상과 이취, 통밀가루 제품은 고소함, 딱딱함, 단단함 및 색상, 튀김가루 제품은 바삭함 특성의 개선을 요구하였다.

국산 밀 이용 만족도에 '대체로 만족스럽다'고 응답한 591명의 바람직한 국산 밀 상품 개발 방향에 대한 반응에서 현재 이용 상태와 관계없이 신뢰보증을 가장 우선시 하고, 지속적으로 이용하고 있는 소비자의 경우는 고급품질을, 제한적으로 이용하는 소비자나 이용 중단 소비자의 경우는 가격 저렴을 그 다음의 개발 방향으로 희망하는 비율이 높았다.

블라인드 테스트 제품력의 차이가 뚜렷하게 수입밀 제품이 우위인 경우 국산 밀과 수입밀 사용에 대한 원산지 정보는 두 제품간 품질 인식차이 정도를 좁혀주는 영향이 있었고, 블라인드

테스트 평가에서 뚜렷하게 국산 제품의 품질이 우위인 것으로 평가된 경우 원산지 정보는 국산 밀 제품에 대해서는 긍정도가 훨씬 올라가는 대신 수입 밀 제품에 대해서는 심할 정도의 기호도 하락이 나타났으며, 테스트평가에서 수입밀 제품과 국산밀 제품 모두 맛 품질이 높지 않게 평가된 경우 원산지 노출은 두 제품에 대한 기호가 모두 낮아지는 반응을 나타냈다.

블라인드 테스트 제품력 평가를 실시한 63개 국산 밀상품의 사진을 카테고리 별로 제시하여 한번이라도 구입한 경험이 있는 제품을 선택하게 하여 경험율(%)을 계산한 결과에서 응답자 전체중 20% 이상의 경험율을 보인 제품으로는 오뚜기 옛날 우리밀국수(51.1%), 백설 우리밀찹쌀호떡 믹스(30.1%), 백설 100% 우리밀밀가루(28.1%), 해표 100% 우리밀 밀가루(27.1%), 백설 우리밀핫케익 믹스 (25.4%), (주)미미제과식품 우리밀 계란 쿠키(20.3%) 등 6개 제품이었다.

우리밀 상품 이용 만족도에 '대체로 만족스럽다'고 응답한 591명을 대상으로 한 바람직한 국산밀 상품 개발 방향에 대한 반응을 FRL 세부 그룹별로 구분하여 분석한 결과 Rational그룹은 신뢰보증과 고급품질을 바람직한 개발방향으로 생각한다는 응답율이

가장 높았으며, Conservative와 Uninvolved 그룹은 신뢰보증과 저렴한 가격을 개발방향 으로 생각한다는 응답율이 높았다.

고급품질에 대한 요구는 Rational 그룹에서 강한 편이었으며, 신뢰보증은 Conservative 그룹에서 상대적으로 요구가 강한 것으로 나타났다. Adventurous 그룹은 Rational 그룹과 마찬가지로 '우리 땅 에서 재배한 우리 밀로 만든 맛있는 고급 제품'과 '인공첨가물이 들어있지 않은 우리 밀 전문기업의 믿을 수 있는 제품' 컨셉 (우리땅 재배, 천연 첨가물, 국산 밀 전문기업등 고급화 컨셉)에 대한 만족도가 상당히 높은 것으로 나타났으나, Conser vative 그룹의 경우는 상대적으로 다른 그룹에 비해 만족도가 뚜렷하게 떨어지는 것으로 나타났다.

Rational 그룹은 '맛이 좋은 우리밀 별미식 (자녀 간식용, 손님접대 용)'과 '맛과 가족의 건강을 생각한 다양한 우리밀 상품' 컨셉에 대해서도 나머지 그룹에 비해 상대적으로 높은 만족도를 나타냈으나, Conservative와 Uninvolved 그룹의 경우는 뚜렷하게 낮은 만족도를 나타냈다.
국산 밀 제품력 분석과 소비자 인식 조사분석을 통해 국산밀 자급률 10% 달성을 위한 소비자 기반 국산 밀 상품화 전략은 다음과 같다.

① 관능품질 개선의 전략적 지원
② 타깃 소비자 맞춤형 상품 개발
③ 국산 밀 원료 사용 신뢰구축,

④ 제품의 다양화와 유통의 다변화 지원
⑤ 인공첨가물을 들어가지 않은 국산밀 전문기업의 제품
⑥ 파괴적인 혁신 상품 개발 등 6가지로 요약할 수 있다.

3) 국산밀 브랜드의 선호도 조사

대형유통채널 소비자의 경우 대기업 브랜드 선호하고 친환경 매장은 우리밀전문 기업에 대해 우호적 이미지를 갖는 것으로 보이나 정량적으로 확인할 수는 없었다고 생각한다. 우리밀을 원료로 하여 제품을 생산하고 있는 식품제조 업체로서 대기업으로는 (주)동아원, 대상, 동원F&B, 롯데 삼강, 사조해표, 삼양밀맥스, 애경, 오뚜기, 우리밀愛(SPC), 우리밀愛(SPC)-삼립식품, 우리밀愛(SPC)-파리크라상, 풀무원, CJ-뚜레주르, CJ-CJ제일제당 등이 포함되어있다.

중소기업체로서는 주식회사 도투락식품, 독도, 밀원, 범우, 보부식품, 안복자한과, 엄지식품, 우리밀식품, 움트리, 이가자연면, 이든힐, 전주주조, 한살림우리밀제과, 한주, 해마, 광덕호두과자, 금천농산, 농업회사법인 팔당올가닉 후드, 눈비산농산, 담양한과, 대광식품, 대산후드, 대전 우리밀제과, 도울바이오푸드영농 조합법인, 동명식품, 두레촌, 두보식품, 뜨레봄, 맛가마식품, 몽도레, 베리

하우스, 산내마을, 산들촌, 살렘식품, 삼아인터내셔날, 삼양식품, 삼육유기농자연식품, 새남해농협, 새롬식품, 샤르르파이, 서울식품공업, 세린식품, 세종주조, 송경란 고구마빵, 송학 식품,

순우리밀, 순창고추장 마을영농조합법인, 순천우리밀 제과, 시골생활건강식품, 영진식품, 오성식품, 오성 제과, 왕의호두과자, 우리밀가공공장, 우리밀베이커리, 우리밀식품, 우리밀식품, 우리밀 제과, 유기농하우스 해가온, 자연드림, 중부우리밀제과, 찰보리식품 보리수, 천호당, 청우식품, 큰바위식품, 토리식품, 풍년제과(강동오케익), 하동녹차찐빵, 함양농협, 형제제면, 호밀호두, 호선당, 화성한과, 황영훈 베이커리, 훼미리식품, 흙살림, 흥신식품등 다양한 업체가 있었으며, 사회적 기업으로 서는 하나하나몰, 주식회사 나눔회사, 위캔쿠키, 소올베이커리, 내리사랑, 쿠키트리,세하앤, 올리, 쿠키나라, 솔라피데, 콩새미, 씨튼베이커리 등이 조사되었다.

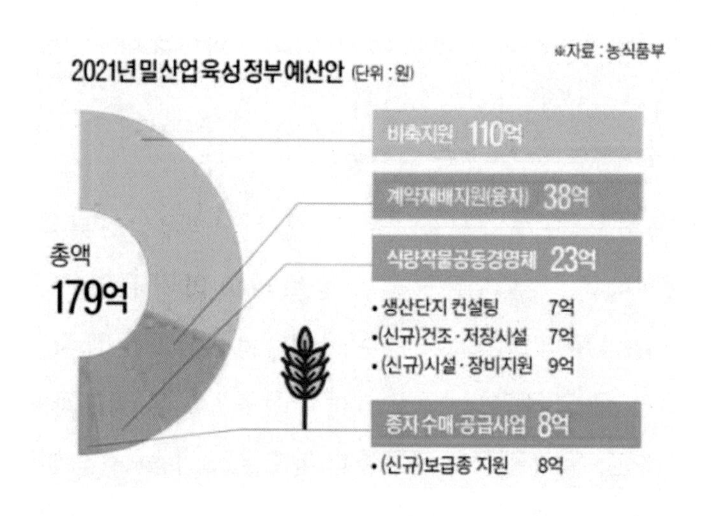

국산밀 수매는 (주)우리밀, 우리밀농협, (주)밀다원, 생협연대 및 구례우리밀 공장이 대부분의 물량을 수매하고 소량이기는 하나 함양농협과 새롬식품이 수매에 참여하고 있었다. 국산밀은 자가 소비

~~량을 제외하고 수매업체와 사전 계약을 하고 밀 재배가 이루어지~~ 고 있었는데, 2009년과 같이 생산된 물량이 계약물량 보다 현저히 적게 생산될 경우에는 수매업체간 과다경쟁으로 인한 전매 현상과 2011년과 같이 수요업체의 우리밀 사용량 감축 등의 문제로 수매된 물량이 제대로 소진되 지 못할 경우 재고 밀 발생문제가 앞으로 해결해야 할 과제인 것으로 생각되었다.

우리밀 소비처로서는 2010년도부터 SPC, CJ 등 대기업의 비중이 50% 이상으로 커지고 있어서 우리밀 수요측면에서 매우 바람직스럽다 할 수 있으나, 국민1인당 밀가루 소비량이 31kg 수준으로 거의 정체상태임을 감안할 때 자급율 10% 달성을 위해서는 이들 밀가루 식품 제조업체에서 국산밀 소비량 증가가 더욱 필요할 것으로 생각된다. 삼양밀맥스, 동아원 등은 주로 임가공 형태로 우리밀을 제분하고 있었고, 밀다원 등은 수입밀 제분과 병행해서 우리밀을 수매 및 제분하여 SPC 그룹에 공급하거나 B2B (Business toBusiness) 판매를하고 있었으며, CJ는 국산밀의 구매,제분 및 가공제품의 판매에 관여하고 있었다.

2010년도의 경우 SPC와 CJ 그룹의 국산밀 시장 진출로 급격한 소비 시장을 확대하는데 크게 기여를 한 것으로 파악되었다. 특히, SPC그룹의 경우는 2010년 30억 정도의 우리밀 광고비를 투자

하면서 국민들에게 우리밀에 대한 의식을 함양시키는데 크게 기여한 면도 있었다.

연간 양곡 생산량 및 식량 자급률 추이 (단위: t · %, ( ) 안은 자급률, 자료: 농림축산식품부·농수산식품유통공사·통계청)

구분	2016년	2017년	2018년	2019년	2020년	2021년
쌀	419만6691(104.7)	397만2468(103.4)	386만8045(97.3)	374만4450(92.1)	350만6578(92.8)	388만1601
밀	3만8705(1.8)	3만7425(1.7)	2만5788(1.2)	1만5024(0.7)	1만6985(0.8%)	없음
콩	7만5448(24.6)	8만5644(22)	8만9410(25.5)	10만5340(26.7)	8만926(30.4)	없음

식량안보 정책 방향 (자료: 농림축산식품부 등)

- 2027년 밀(7%) · 콩(37.9%) 식량 자급률 목표 상향 조정
- 저장시설 부족한 밀 등 곡물 전용 비축 시설 신규 설치
- 쌀 · 밀 · 콩 등 기초 식량의 비축 물량 확대
- 적정농지 확보 계획 수립 및 우량농지 보전 · 지원 강화
- 민간 기업 지원 통한 안정적 해외 곡물 공급망 확보
- 식량안보 강화 중장기 계획 연내 수립

국산밀 가공 중소기업체중 사회적 기업에 해당하는 위캔 우리밀 과자(고양), 올리 버거(청주), 콩새미(강진) 등 10여개소가 조사되었는데, 콩새미의 경우 소규모 제분 시설 구비, 지역생산 밀 수매하고 있었는데, 사회적 기업의 문제점으로는 대기업의 진출로 우리밀 원료 수급 문제의 발생과 더불어 경영, 제조, 제품 기술력, 유통 등에서 영향을 받는 것으로 나타났다.

우리밀 가공 중소기업에서는 밀을 공급 받아 가공 제품을 제조하여 우리밀 제품 공급업체에 납품하거나 또는 직접 판매하고

있었는데, 이중 새롬식품(인천/완주), 연화식품(구미), 풍년제과(전주), 전주주조(전주) 등은 수매와 제분을 겸하고 있었고, 형제

제면(남해), 토종 식품(우리밀빵, 남원) 등은 밀을 수매하여 제분은 밀맥스나 동아원 등에 임가공을 한 후 가공제품을 생산하고 있었다.

우리밀가공공장(김제), iCOOP 생협연대 (순천), 호두과자, 우리밀 칼국수, 우리밀 피자(헬로파파) 등은 체인점 형태로 운영 되었다. 전국에 걸쳐 다양한 업종으로 소규모 중소기업들이 있었는데, OEM형식 으로 납품 위주의 소규모 사업장이 대부분이었고, 이들 업체에서는 생산한 가공 제품을 우리밀 전문 기업, 생협, 친환경/유기농 매장에 납품하고 있었다.

우리밀 가공 중소기업 문제점으로는 우리밀 및 우리밀 밀가루 원료의 안정적인 공급 보장, 우리밀 제품과 수입밀 제품이 같은 공장에서 생산되는 문제, 제분 및 가공시설의 낙후, 식품 위생 및 안전성, 우리밀 밀가루 원료 가격의 불안정과 납품단가 인하 압력, 생산 시설의 개선 및 다양한 전략에 따른 상품 개발 능력의 부족 등을 들 수 있었고, 대부분 수작업에 의존하면서 상품 전략에 따른 신상품개발 능력 부족(유기농, 친환경, 국산 등의 전략 부재)하다는 것도 약점으로 작용하였다.

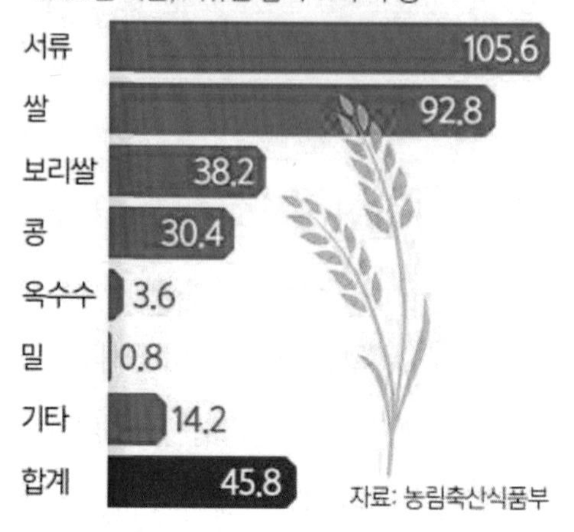

▣ 농식품부, 밀산업 중장기 발전대책 마련

밀 수매제도 실시 · 밀산업육성법 제정 · 국산밀음식점 인증제 도입

우리 국민 1인당 연간 밀가루 소비량은 32.4㎏이지만, 98% 이상이 수입밀에 의존하고 있는 실정이다. 이에 정부가 밀 자급률을 2017년 기준 1.7%에서 2022년 9.9%로 크게 높이기 위한 계획을 내놨다. 수입 자유화에 따라 1984년 폐지됐던 밀 정부수매제를 35년 만에 다시 시행하고, 국산밀 수요 기반을 확대하기 위해 국산밀 음식점 인증제를 도입하는 등 다각적인 대책을 마련했다.

농림축산식품부는 국산밀 품질 제고와 수요 확대로 국산밀 자급 기반을 확충하기 위해 '밀산업 중장기 발전대책'을 마련했다고 밝혔다.

농식품부는 밀 재배면적을 2017년 9000ha에서 2022년 5만 3000ha로 확대해 생산량을 3만7000톤에서 21만톤으로 늘이고,

밀 자급률을 높여나갈 계획이다.

〈생산단계 품질 제고〉

민간이 주도하는 '국산밀 R&D 프로젝트'를 추진해 2022년까지 빵·중화면 등에 적합한 국내 환경 적응 경질밀 유전자원을 5개 이상 개발할 계획이다. 이 프로젝트에는 22억5000만원이 투입되며, 3개 권역에 시험포를 운영하고, 해외 우수품종 도입·활용 및 국내 토종밀 중점 연구 등을 추진한다.

밀 품질의 균일성을 높이기 위해 정부 보급종 공급을 2017년 680톤에서 2022년 2000톤으로 단계적으로 확대하고, 보급종 선정 및 공급방식을 기존 생산자(농가) 중심에서 수요자(가공업체) 참여 방식으로 개선해 국산밀의 가공·이용성을 높인다. 기존에 농가를 중심으로 공급되는 정부 보급종 공급 외에 생산자단체를 통한 보급종 공급방식을 지속 확대해 생산자단체를 통한 계약재배 및 품질관리도 강화해나간다.

기존에 쌀 생산농가를 중심으로 지원하던 '들녘경영체 육성사업'은 밀, 콩, 감자 등 밭 식량작물까지 확대·개편한다. 밀을 포함해 밭 식량작물을 생산·유통하는 공동경영체에 교육·컨설팅, 농기계·장비, 저장·건조·정선·가공 시설 등을 종합 지원할 계획이다. 이를 통해 밀 생산자단체 등이 품종 통일, 파종·시비·수확, 수매·저장 등에 대해 일관되고 구분된 고품질 관리체계를 확립할 수 있도록 할 계획이다.

밀-콩, 밀-감자 등 벼 이외 소득작물과 연계된 밀 작부체계 보급을 확대하고, 타작물 재배 단지화를 중점 추진한다. 또한 지자체·생산자단체·가공 및 유통업체 간 MOU 체결로 학교급식, 지역 음식점 등으로 국산밀 판로를 확대하고 있는 충청남도의 사례를 벤치마킹해 전남·전북 등 밀 주산지를 중심으로 '지역단위 밀 생산-가공·유통-소비 모델'을 확산시켜 나간다.

〈유통단계 품질 제고〉

2019년부터 기존 외관상 품위 규격 외에 가공용도별 단백질 수준과 품종 순도 등이 포함된 밀 품질등급 규격을 신설하고, 품종 및 품질 등급별 10~20% 이상 차등된 가격에 정부수매하여 국산밀 품질 제고를 유도할 계획이다. 밀 전문단지와 생산자단체를 중심으로 품질분석기 등 보급을 확대해 민간 차원에서도 품질별 구분 수매·저장·유통 체계가 마련될 수 있도록 지원한다.

출처 : 식품저널 foodnews(http://www.foodnews.co.kr)

밀 품질등급제

	기존 농산물 검사 규격	품질등급제 신설(안)
밀 품질등급 규격	외관상 품위 위주	기존 검사규격에 단백질 함량 및 특성, 품종 순도 등 기준 추가
수매가격	품종 및 품질별 수매가격 동일	품종 및 품질별 수매가격 차등화

수확 후 건조 · 저장 · 제분 · 유통단계에서 품질관리를 철저히 할 수 있도록 밀 전문단지를 중심으로 관련 시설을 지원(매년 3~4 개소)하고, 한국식품연구원이 개발한 '국산밀 수확후 관리시설 표준모델' 보급도 확대한다.

〈수요기반 확대〉

밀 의무자조금 전환과 국산밀 이용 음식점 인증제를 추진, 국산밀 제품의 우수성을 알리고, 하나로마트 내 국산밀 PB제품 생산 · 판매를 확대한다. 한국농수산식품유통공사 사이버거래소와도 연계해 국산밀 제품의 소비자 접근성을 높일 계획이다.

청밀 · 발아밀 등 고부가가치 건강기능성 국산밀 제품 R&D, 제품 다양화 등도 추진한다. 국산밀의 안전성에 대한 객관적 연구와 분석 강화 등을 통해 기존 수입밀 시장과 차별화된 시장을 확보해 나갈 예정이다.

2019년부터 밀쌀 군납을 신규 추진하고, 밀쌀 학교 시범급식은 기존 서울 · 경기 지역에서 타 지자체로 확대한다. 군 · 학교급식에 국산밀 제품 사용을 확대하기 위해 관계부처와 협의도 강화한다.

지방 이전 공공기관 중심의 로컬푸드 이용 확대 등을 통해 국산밀 대량 수요처를 확대한다.

〈제도 개선〉

밀 수입 자유화에 따라 1984년 폐지된 밀 수매비축제를 35년 만에 새롭게 개편, 도입한다. 내년에 100억원, 1만톤 수준(2017년 생산량 3만7000톤의 27%)으로 수매할 계획으로, 생산자단체를 중심으로 용도별 고품질 밀을 수매하되, 수매 품종 제한 및 품질 등급별 차등가격 매입을 통해 고품질 밀 생산을 유도할 계획이다. 수매한 밀은 군 · 학교급식 · 수입밀 가공업체 등 신규 대량 수요처에 할인 공급해 국산밀 수요 기반을 확충해 나간다.

농협-주류협회 간 주정용 계약물량을 현행 보리 위주에서 밀 품목을 추가하는 방안도 협의해 밀 사용을 확대할 계획이다.

국내 밀산업의 지속가능한 발전을 위한 제도 기반 마련 등을 법적으로 뒷받침하기 위해 밀산업육성법도 제정한다. 밀산업육성법에는 밀 생산 · 유통단지 지정, 계약재배 장려, 밀 품질등급제 시행, 비축사업 운영, 집단급식소에 우수밀가공품 우선구매 요청, 유통센터 지원 등을 포함한다.

관계기관 · 전문가 · 생산자단체 · 가공 및 유통업체 등을 포함한 밀산업발전협의회를 구성해 중장기 국산밀 생산 · 수요 기반 확대, 통합적 관점에서 밀 · 보리 적정 생산방안 등을 지속적으로 논의해 나갈 예정이다.

■ 수량성 높은 가공용 벼'한아름 4호' 제빵적성

활수준 향상, 식생활 서구화, 1인 가구 증가 등으로 간편식을 추구하는 소비자들이 늘어나고 있다. 빵류는 조직감이 부드럽고 섭취가 간편하며 이동성이 좋아 아침밥 대용으로 소비하는 비율이 높아지고 있다. 이에 따라 베이커리 업계에서는 빵에 건강기능성 성분을 첨가한 간편식 웰빙 제품들을 선보이고 있다.

쌀가루는 글루텐을 함유하고 있지 않아, 글루텐에 민감하거나 밀가루 음식을 잘 소화시키지 못하는 사람들에게 인기 있는 식재료 이다. 뿐만 아니라, 밀의 대부분을 수입에 의존하고 있는 상황에서 수입밀의 일부를 대체할 수 있다면 식량자급률 향상에도 기여할 수 있으므로 일석이조의 효과를 낼 수 있다.

식품 가공산업에서 쌀 소비량은 국내 쌀 생산량의 10% 수준이다. 그중 쌀가루 산업에 소비되는 쌀은 쌀 가공산업의 12% 수준인 7만1000톤으로 연 매출액은 774억 원 정도이다. 쌀가루 원료 조달처로는 시중구매가 1만2000톤(17%), 정부양곡 5만9000톤(83%)이며, 시중구매 1만2000톤 중에서는 일반 쌀이 6300톤을 차지한다. 이를 바탕으로 6300톤 쌀가루 시장의 유망품목인 빵류의 소비 창출 및 증대 가능성을 검토하고자 수량성이 높아 생산단가를 낮출 수 있는 '한아름4호'를 시험재료로 사용해 제빵적성을 평가했다.

'한아름4호'는 아밀로스 함량 18.5%, 단백질 함량 6.9% 수준 으로, 육성 당시 쌀 수량성은 10a당 797㎏으로 보고됐다. 여러 가지 베이커리 제품 중에서 가정에서도 쉽게 만들 수 있는 모닝빵을 대상 품목으로 하여 강력분(밀가루) 70%, '한아름4호' 30% 비율로 배합해 제빵시험을 했다. 시험은 모닝빵의 부피, 텍스쳐, 수분함량, 색, 관능검사 등으로 이뤄졌으며, 밀가루의 일부를 쌀가루로 대체한 모닝빵으로 적용 가능성을 검토했다.

스트레이트 법으로 반죽기를 사용해 재료를 배합하고 반죽한 후 38도에서 1차 발효시킨 다음 바람을 빼고 성형해 다시 2차 발효·숙성시켰다. 그리고 오븐에서 구워 1시간 식힌 후 품질 특성을 검정했다. 모닝빵의 물성을 측정한 결과, 강력분(밀가루) 100% 빵은 경도 166.63g, 응집성 0.48, 검성 81.76g, 씹힘성 66.1g, '한아름4호' 30% 첨가 빵은 경도 210.25g, 응집성 0.58, 검성 120.98g, 씹힘성 92.18g을 나타냈다. 즉, 쌀 첨가량이 많아질수록 쌀가루 첨가 모닝빵의 경도, 검성, 씹힘성 등이 증가했고, 품종에 따라 차이는 있었지만 반죽을 위한 가수량도 증가했다.

각각 수분 함량은 39.01%, 38.35%, 빵의 부피는 190, 140㎖을 나타냈다. 색도(L 백색도, a 적색도, b 황색도)는 각각 56.05, 14.57, 21.97와 70.09, 12.54, 30.13을 나타냈는데, 쌀가루 첨가량이 많아질수록 백색도가 증가했으며, 적색도는 감소하고 황색도는 증가했다. 이 같은 차이는 쌀과 밀의 단백질 함량과 아미노산 구성

차이에 의한 Maillard 반응, 즉 갈변반응의 차이에서 기인하는 것으로 판단된다.

빵 단면의 육안 관찰에서는 '한아름4호' 30% 처리구의 오븐스프링이 크게 일어났으나, 100% 밀빵에 비해 구조력이 약해 빵의 윗부분이 내려앉는 모양을 보였다. 그러나 기공은 비교적 일정했다. 관능평가에서는 밀가루 모닝빵이 좀 더 쫄깃한 질감을 나타냈다면, 쌀가루 첨가 모닝빵은 밀가루 모닝빵보다 찐득한 질감을 보였다.

이번 연구를 통해 쌀가루 첨가 모닝빵이 기존 밀가루 모닝빵을 대체할 수 있는 아이템으로서 가능성을 확인할 수 있었다. 지금까지 막걸리용 가공적성이 확인된 '한아름4호'는 빵으로도 가능성이 확인되면서 앞으로 다양한 쌀 가공식품으로의 변화가 기대된다.

19장 우리밀 인식 그리고 소비자 건강

우리밀의 인식 중 가장 중요한 것은 바로 소비자의 건강이다. 지금 소비자들은 무엇을 원하고 있는가 하면 소비자는 소비자의 첫째 권리란 안전할 권리 그 중에서도 먹거리의 안전할 권리를 원하고 있다는 것이다. 밀을 수입밀과 우리밀로 구분해 보면 우리밀은 수입밀과 아주 다르다. 이유는 경작하는 과정부터 다르기 때문이다. 우리는 외국에서 주로 미국에서 밀을 수입해 오는데 미국에서는 밀을 재배할 때 봄에 뿌려서 가을에 수확은 한다.

하지만 우리나라는 가을에 파종을 해서 겨울을 거쳐서 봄에 자라기 때문에 재배 과정이 다르다고 할 수 있는 것이다. 여기서 중요한 점은 이 재배과정이 다르기 때문에 거기에서 사용하는 농약, 우리나라에서는 거의 농약 사용을 안해도 되지만 미국에서는 농약을 매우 많이 사용하고 있다.

물론 요즘에는 그 나라에서 수출하는 농산물에 어떠한 농약을 사용했다. 라고 표시를 하고 수입해 온다. 그러면 미국에서 사용하고 있는 농약들을 보면 DDT 라든지 EPN이라든지 디블노복스, 말라티온, 카바, 메틸브로마이드. 카보프람페놀, 클로론피리포스 메칠렌, 스파메틸 이러한 것들을 15가지 이상을 사용하고 있는데 우리나라에서도 밀 재배할 때 이러한 약을 그대로 사용하는 것을 보았는가?

미국에서는 이미 환경독성으로 사용하지 않는 약도 수출하는 밀에 대해서는 사용하고 있고 또 우리나라에서는 이것들은 살충제로 유기인제 약들이 과수의 살충제로나 뿌려지고 있는 것들이 아주 흔하게 쓰여지고 있다는 것이다. 그 뿐만 아니라 수확 후에 저장하는 과정에서 Post Harvest라고 수확 후에 뿌려지는 약을 썩지 말라고 뿌려대는 농약들이 많이 있다. 그렇기 때문에 소비자가 이 내용을 안다면 원하지도 구매하지도 않았을 것이라고 생각하지만 소비자의 선택은 폭은 질도 있지만 경쟁력부분에도 영향을 미치기 때문에 이러한 사실을 안다 하여도 크게 변화가 없다.

■ 미국농약의 위험성

- 메틸브로마이드(우리나라에서는 '검역훈증제'로 많이 사용됨)

고독성 농약 '메틸브로마이드(MeBr)'의 위해성은 익히 잘 알려져 있다. 하지만 우리나라에서는 '검역훈증제'로 가장 많은 사용량을 자랑하고 있다. 이에 대해 'MeBr(Methyl Bromide, CH3Br)'의 관리기관이나 사용자들은 나름의 이유를 제시하고 있지만, 퇴출이 시급하다는 목소리도 강해지고 있다.

우선 메틸브로마이드는 지난 1989년 몬트리올 의정서에서 강력한 오존층 파괴 물질로 규정했다. 메틸브로마이드가 성층권(오존층이 존재하는 곳)에서 분해되면 '브롬'이 생성되며, 이 '브롬'이 오존을 파괴해 자외선이 대기권을 보다 쉽게 통과하게 만든다. 오존층 파괴의 주범으로 꼽히는 프레온가스(CFC)의 오존층 파괴지수를 1이라고 할 때 메틸브로마이드의 지수는 0.6에 이를 정도로 위해성이 심각한 물질이다.

1) 몬트리올 의정서에 강력한 오존층 파괴 물질 규정

이에 따라 선진국들은 2005년부터 메틸브로마이드의 사용을 전면 금지했고, 개발도상국에서도 2015년부터 사용이 금지됐다. 또한 유럽연합(EU)은 이미 2010년부터 검역과정에서도 메틸브로마이드를 쓰지 않고 있다. EU의 검역용 MeBr 사용량은 과거 2000년 2855톤에서 2008년에는 195톤으로 줄었고, 2010년 이후 사실상 퇴출했다.

[표1] 메틸브로마이드 특성과 독성

구분	특성
화학식	CH_3Br
명 칭	Methyl Bromide(일반명), Bromomethane(IUPAC)
분자량	95
끓는점	3.6℃
녹는점	-93℃
비중	1.732(0℃)
냄새	낮은 농도에서 없으나, 높은 농도에서는 강한 곰팡이 냄새
반응성	황함유물과 반응, Al, Mg, Fe 등의 금속물 부식
사용 가능한 경우	- 훈증처리를 4일 이내에 실시해야 하는 경우 - 대부분의 검역처리 - 발아가 목적이 아닌 식물
작용기작	세포내 호흡작용에서 해당 및 TCA 회로의 SH계 효소 및 아미노산 활성 저해
잔류허용 기준	(Br- 기준) 한국 쌀, 보리 : 50ppm / 감자, 오렌지 : 30ppm
작업허용기준	5ppm
작업한계기준	15ppm

※출처: 농림축산검역본부

일본도 빠르게 대응하고 있다. 새로운 약제와 소독기법의 개발로 지난 2003년에 1991년 대비 사용량을 75% 가까이 줄였다.
전세계 사용량이 가장 많은 미국도 예외는 아니다.
미국 농무부(USDA)는 '연방 살충제, 살균제 및 살서제법(Federal Insecticide·Fugicide and Rodenticide Act, FIFRA, 2019)'에 따라 2020년부터 검역용 MeBr의 퇴출을 사실상 확정했다.
국제식물보호기구(IPPC)도 2018년 식물검역용 메틸브로마이드의 대체·감축을 위한 권고문을 채택한 바 있다.

주지의 사실이지만, 성층권에 위치한 오존층은 태양광선 중 지상 생물에게 해로운 자외선을 흡수해 지구상의 인간과 동식물 등 생태계를 보호한다. 오존층이 감소하면 지표에 도달하는 자외선이 늘어나 피부암, 백내장 등의 발병률이 높아진다.

다시 말해 성층권의 오존이 1% 감소하면 자외선은 2% 증가하는 것으로 알려져 있다. 더욱이 자외선이 1% 증가하면 피부암은 5% 정도, 백내장은 1% 정도 증가하는 것으로 추정되고 있다.

만약 오존이 10% 감소할 경우 자외선은 20%가 증가해 삼림이 고사하거나 대두·쌀 등에 병이 나타나고 영양가가 저하되는 등 식물에 심각한 악영향을 끼치는 결과를 초래할 수 있다.

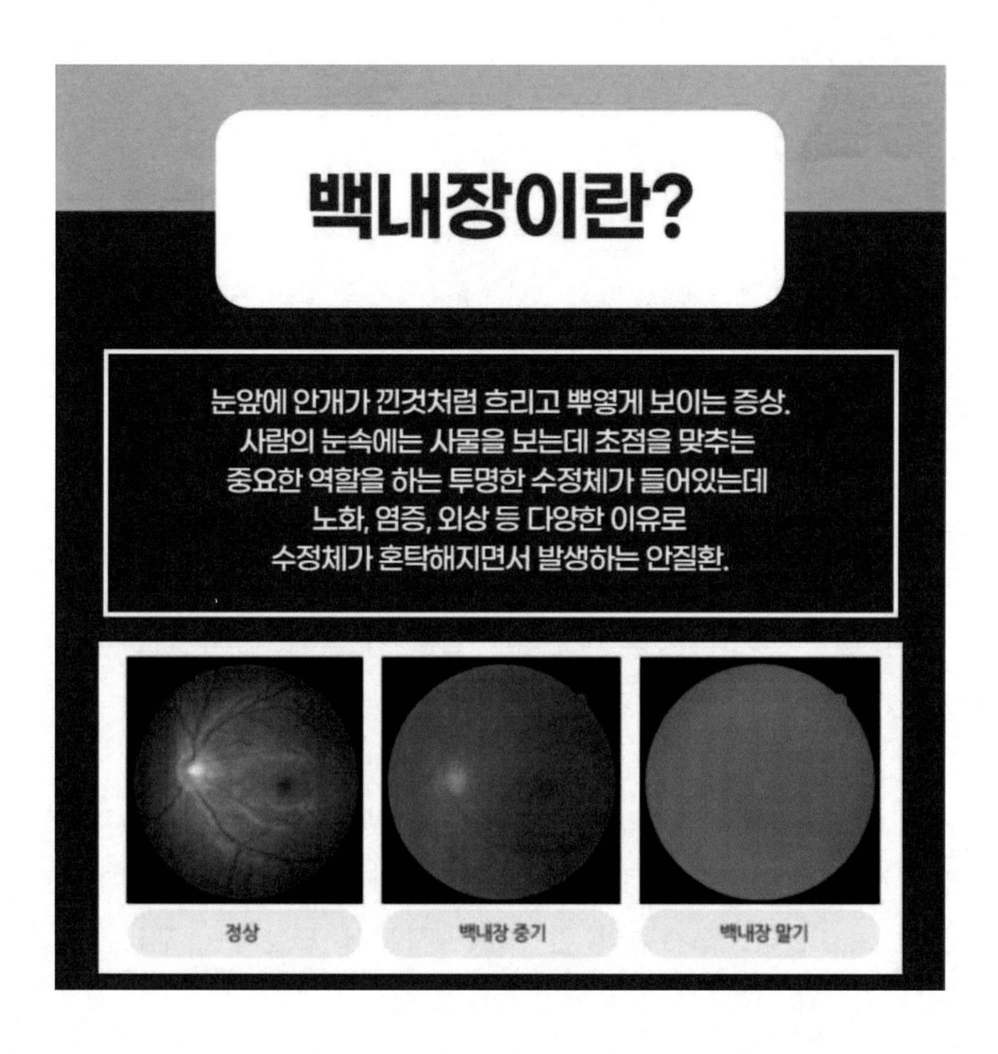

2) 작업자 중독 위험성 심각…국내 발생사례 다수

메틸브로마이드는 환경파괴 이외에도 인체에 치명적인 독성을 지니고 있다. 실제로 우리나라에서 메틸브로마이드 중독사례는 1996년 이후 지속적으로 보고되고 있다. 그동안 보고된 사례들을 종합하면, 지난 1996년 군산항에서 수입원목을 실은 선박을 메틸브로마이드로 방역하다가 밀폐를 제대로 하지 않아 선실에 있던 러시아 선원 4명이 중독돼 숨졌다. 또 2000년 5월엔 부산항에서 방역업체 아르바이트생 2명이 일한 지 3주 만에 급성 뇌병증 진단을 받았다.

과거 2001년에는 인천항에서 10년 동안 방역작업을 했던 한 작업자가 국내 최초로 소독약 중독 직업병 환자로 판명되기도 했다. 2008년에는 두세 달 정도 메틸브로마이드에 직업적으로 노출된 건강한 20대 남자 2명이 대칭적 수평주시마비, 실조증, 언어이해 장애 등의 증상과 의식혼동, 보행장애, 심부건반사 항진 등의 증상들을 보였으며, 2011년에도 반도체 제조 공정에서 발생한 메틸브로마이드 중독 사고로 20대 남자 2명이 2개월 만에 의식저하, 현훈(Vertigo, 어지럼증을 대표하는 증상), 이명, 구음장애, 보행장애를 보인 사례가 있었다. 또한 2016년에는 수입과일 지게차 운전자가 메틸브로마이드 중독으로 구음장애, 시력저하, 보행장애를 겪었다.

이처럼 메틸브로마이드는 호흡과 피부를 통해 독성이 인체에 축적되며 중독될 경우 두통, 구토, 복통, 호흡과 시력 장애 등을 유발시키는 치명적인 신경독성 물질로 규정하고 있다. 더구나 메틸브로마이드는 무색·무취의 독성 가스이기 때문에 가스에 노출되었는지 알기 어렵고, 공기보다 무거워 환기가 잘되지 않는 곳에 쌓일 우려가 있어 작업자 외에도 인근 지역 주민들에게 악영향을 미칠 수 있는 것으로 알려져 있다.

3) 검역본부, 무증상 작업자 건강에도 부정적 영향

특히 메틸브로마이드는 검역 작업자가 중독증상을 보이지 않더라도 중추신경계에 부정적 영향을 끼치는 것으로 확인됐다.
농림축산검역본부는 2020년 8월에 메틸브로마이드 훈증작업이 무증상 작업자의 건강에 부정적인 영향을 끼친다는 사실을 세계 최초로 규명했다.

당시 검역본부의 연구결과(국외 유명 과학저널인 'PLOS ONE'에 발표)에 의하면, 메틸브로마이드 작업자의 훈증작업 후 소변 내 브로마이드 평균 농도가 작업 전보다 2.5배(7.39→18.31 ㎍/㎎ CRE)가 증가했다. 이는 중추신경계에 부정적인 영향을 끼쳐 뇌파의 중간 주파수(MDF)가 느려질 뿐만 아니라 알파-세타비(ATR)도 감소했다. 검역본부는 따라서 메틸브로마이드 훈증 작업자의 위험성과 전세계적 사용규제에 대응하는 대체 소독처리기술을 개발해 소독현장에서 사용해야 한다고 권고했다.

~~농림축산식품부도 지난해 10월 환경오염 문제와 농산물 농약~~ 잔류의 심각성을 고려해 수입 과실류(바나나, 파인애플, 오렌지등) 검역과정에서 메틸브로마이드의 사용을 제한하는 조치를 취했다.

그러나 과실류 검역 소독에 사용되는 메틸브로마이드는 2020년 기준 49톤으로 전체 사용량 415톤의 12%에 불과한 실정이다. 반면 국내 메틸브로마이드 연간 사용량의 72%에 해당하는 301톤이 여전히 목재류 소독에 사용되고 있다. 메틸브로마이드가 환경과 작업자 안전 및 건강에 미치는 영향 등을 고려할 때 적극적인 감축 및 퇴출 노력이 필요한 상황이지만, 사실상 대응이 미흡한 수준에 머무르고 있다.

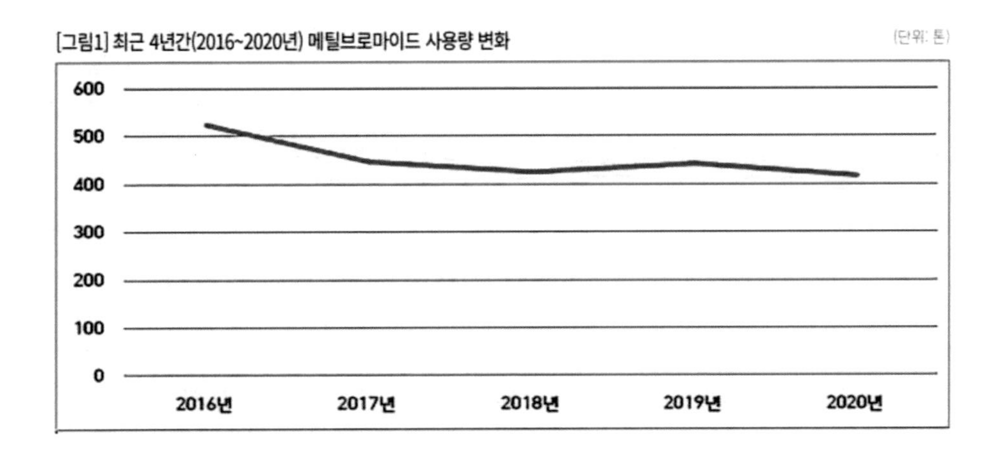

[그림1] 최근 4년간(2016~2020년) 메틸브로마이드 사용량 변화

4) 국내 메틸브로마이드 사용 과다…규제조차 없다

최근 4년간(2016~2020년) 국내에서 사용된 메틸브로마이드는 △2016년 522톤 △2017년 445톤 △2018년 423톤 △2019년 440톤 △2020년 415톤으로 연평균 400톤을 훌쩍 넘기고 있다.] 용도별 사용량(2020년 기준)은 △목재류 300.7톤(72.3%) △과실류 49.4톤(11.9%) △사료류 25.5톤(6.1%) △화훼류 3톤(0.7%) △채소류 2톤(0.6%) △곡류 0.8톤(0.2%) △특작류 0.3톤(0.1%) △기타 33톤(8.1%)로 나타났다.

[표2] 최근 4년간(2016~2020년) 메틸브로마이드 사용량 (단위: 톤)

구분	2016년	2017년	2018년	2019년	2020년
목재류	362	330	304	299	301
곡류	0.3	0.4	2	0.2	0.8
기타	159.7	114.6	117	140.8	113.2
합계	522	445	423	440	415

반면 우리나라가 가장 많은 원목을 수입하는 뉴질랜드의 경우 올해 1월부터 메틸브로마이드 훈증 소독 후 공기 중에 배출할 때 50% 이상 회수, 2033년까지 99% 이상을 회수해야 하는 규정을 시행하고 있다. 현지언론(Stuff)에 의하면, 뉴질랜드 정부는 자국의 최대 목재 수출항인 타우랑가 항과 넬슨항을 중심으로 현장작업자와 인근 지역 주민의 건강을 우선시해 이 같은 결정을 내렸다.

5) 국내 환경·인체에 안전한 물질(제품) 등록·생산

그렇다면 우리나라는 왜 메틸브로마이드에 대해 한없이 '관대' 할까. 지금은 과거와 달리 메틸브로마이드를 대체할 수 있는 인체에 안전하고 환경 친화적인 약제가 등록·판매되고 있는데도 발 빠른 대응을 하지 못하고 있다. 물론 메틸브로마이드의 사용 비중이 절대적인 목재류의 훈증 비용이 상대적으로 저렴하고 한정된 작업장에서만 사용하기 때문이라는 등의 이유를 모르진 않지만, 그렇다고 환경파괴나 인체 위해성 등을 무시할 만큼 절대적인지 공감하기 힘들다는 지적이 설득력을 얻고 있다.

특히 메틸브로마이드는 지난해 12월 재등록돼 특별한 조치가 있기 전에는 향후 10년 동안 계속 사용이 가능하다. 그동안 우리나라의 농약관리(등록취소) 행태는 국내 실정보다 EU 등의 규제조치에 민감하게 반응했다. 아이러니하게도 메틸브로마이드에 대해서만 규제가 이뤄지지 않고 있다.

서삼석(더불어민주당, 영암·무안·신안) 의원은 이에 대해 지난해 농촌진흥청 국정감사에서 "국민의 안전과 건강을 위협하는 고독성 농약 메틸브로마이드 재등록을 취소해야 한다"며 "위험성이 경고된 고독성 농약을 사용한 훈증작업자가 사고를 당할 경우 '중대재해처벌법'에 따라 사업주는 형사처벌을 받을 수도 있다"고 경고했다.

[표3] 국내 용도별 메틸브로마이드 사용 현황

(단위: 톤, %)

구분	합계	목재류	과실류	사료류	화훼류	채소류	곡류	특작류	기타
사용량(톤)	416	300.7	49.4	25.5	3	2	0.8	0.3	33
사용비율(%)	100	72.3	11.9	6.1	0.7	0.6	0.2	0.1	8.1

6) '중대재해처벌법'의 '직업성 질병' 유발 해당 물질

한편 '메틸브로마이드'는 올해 1월부터 시행된 중대재해처벌법에 '트리클로로메탄'과 함께 '직업성 질병을 일으키는 물질에 포함된 위험물질'로 규정됐다. 실례로 지난 2월 경남 창원과 김해에서 '트리클로로메탄'을 세척제로 사용한 사업장에서 총 29명이 급성 중독되는 사건이 발생해 고용노동부가 중대재해처벌법 위반 여부를 조사하고 있는 것으로 알려졌다. 특히 중대재해처벌법 시행 이후 처음으로 확인된 직업성 질병에 의한 중대 재해 위반 사례로 관심을 모으고 있다.

중대재해처벌법은 상시 근로자가 50명 이상인 사업장에서 노동자 사망 등의 중대재해가 발생했을 때 사고를 예방하기 위한 책임을 다하지 않은 사업주, 경영책임자를 처벌할 수 있도록 하고 있다. 중대산업재해 유형은 △사망자 1명 이상 발생 △동일한 사고로 6개월 이상 치료가 필요한 부상자 2명 이상 발생 △동일한 유해 요인으로 급성중독 등 직업성 질병자가 1년 이내에 3명 이상 발생 등이다.

또한 중대재해처벌법 시행령은 '직업성 질병'으로 24개를 명시하고 있다. 일례로 △메틸브로마이드를 비롯해 염화비닐·유기주석· 일산화탄소에 노출돼 발생한 중추신경계장해 등의 급성중독 △ 납이나 그 화합물(유기납은 제외)에 노출돼 발생한 납 창백, 복부 산통, 관절통 등 급성 중독 △수은이나 그 화합물에 노출돼 발생한 급성중독 △디이소시아네이트·염소·염화수소·염산에 노출돼 발생한 반응성 기도 과민증후군 등이 여기에 해당한다.

- 클로로피리포스 (2021년 해당 성분이 들어간 농약제품 등록취소)

국립농업과학원은 '클로로피리포스'에 대한 안전성을 재평가한 결과, 발달신경독성과 유전독성 등의 인체 유해성이 있다고 판정했다. '클로로피리포스'는 가격이 저렴하고, 병해충 방제 효과가 우수해 농업현장에서 많이 사용됐다. 또한 가지, 고추, 사과, 벚나무 등 37종류의 농작물에 나방류, 진딧물류, 멸구류 등 47종의 병해충이 등록돼 있었다. 하지만 사람과 가축에 해를 줄 수 있다고 판단해 농촌진흥청 농약안전성심의위원회 심의를 거쳐 최종 등록이 취소가 됐다.

사용금지 농약

품목명	규격	상표명
클로르피리포스 수화제	25	그로포, 노모스, 더스반, 아리그로포, 인바이오그로포, 충쓰리, 경농그로포, 그로터스, 명사수, 스타그로포, 충모리
클로르피리포스 유제	20	그로포, 명사수, 충멸이(애니업), 충타자, 게시판, 경농그로포, 노모스, 스타그로포, 영일그로포, 충모리
클로르피리포스 입제	2	더스반, 킬토충(충기신, 강토충, 충키퍼), 토사충(충멸이, 만땅골드), 강숏, 경농그로포
클로르피리포스·알파사이퍼메트린 유제	11(10+1)	강타자, 울버린, 태사자골드
클로르피리포스·이미다클로프리드 수화제	17.5(15+2.5)	이미포스, 강탄
클로르피리포스·디플루벤주론 수화제	27(20+7)	야생마
클로르피리포스메틸 유제	25	렐단
클로르피리포스 미탁제	21	거포
클로르피리포스 입상수화제	72.9	깍지탄, 선발대
클로르피리포스·비펜트린 수화제	16.2(15+1.2)	질풍
클로르피리포스·사이퍼메트린 유제	12.5(10+2.5)	호위대
테부코나졸·클로르피리포스 입제	4(2+2)	킹왕짱
클로르피리포스메틸 수면전개제	20	애니원

20장 우리밀 이용실태 조사

현재 우리밀을 사용하고 있는 제과점에서는 여러번의 시행착오를 거쳐 제각기 독특한 제법과 배합표를 만들어 사용하고 있다.
그 유형을 보면 100% 우리밀만 을 사용하고 있는 곳과 우리밀 수입밀을 일정비율로 혼합하여 사용하는 곳으로 나눌 수 있다. 또 100% 우리밀만을 사용하는 방법에도 인공 글루텐을 넣는 곳과 넣지 않고 특유의 제법을 사용, 세분화하여 나눌 수 있으며 혼합

~~밀 을 사용하는 곳 또한 그 혼합비율의 차이에 따라 분류 할 수~~ 있다. 참고로 우리밀 50%를 혼합했을 때까지는 품질의 영향은 없으나, 전체적인 빵의 부피를 고려한 적정 배합비율은 30%정도라고 전문가들은 말하고 있다.

1) 우리밀을 이용한 식빵의 예

100% 우리밀		100%우리밀+인공 글루텐		50 : 50 혼합밀	
우리밀	1,000g	우리밀	1,000g	우리밀	500g
설탕	100g	설탕	100g	수입밀	500g
이스트	30g	이스트	30g	설탕	100g
소금	18g	소금	15g	이스트	40g
버터	100g	버터	100g	소금	15g
계란	200g	계란	140g	버터	150g
개량제	20g	개량제	20g	계란	210g
탈지분유	30g	글루텐	30g	개량제	10g
물	350g	우유	450g	우유	350g

2) 우리밀과 수입밀의 원가비교

일반적으로 수입밀에 비해 높은 우리밀의 가격은 부담을 준다. 그러나 밀가루 가격이 높다고 하여 제품 값이 그만큼 높아지는 것은 아니기 때문이다. 빵은 밀가루 외에도 여러 가지 부재료가 포함되어 있기 때문이다. 따라서 한 제품에 들어가는 밀가루의 비율이 적어질수록 그 가격 차이는 적어진다고 할 수 있다.
현재 각 제과제빵사들이 각자의 매장에서 나름 원가계산을 토대로 우리밀 사용을 확산시키려고 노력을 하고 있다. 물론 수입밀을 사용하는 경우보다 원료 단가가 높아지는 것은 사실이다. 그러나 원가비율에서 보았을 때 약 1.5배 정도의 차이 만이 있음을 볼 수 있다.

3) 우리밀의 성분과 특성

	수분	회분	단백질	반죽 시간	안정도	약화도	흡수율
강력분	13.8%	0.41%	12~13%	3분	20분	30B.U	65%
박력분	13.2%	0.41%	7~8%	1.5분	3분	120B.U	53%
우리밀	13%	0.5%	11.8%	2분	3분	150B.U	64%

위 표에서처럼 우리밀은 강력분에 비교해 단백질의 함량과 흡수율면에서 강력분에 조금 못 미치며, 반죽 생성시간이 짧고 안정도도 3분으로, 강력분과 비교해 많은 차이가 난다. 오히려 박력분과 유사한 특성을 갖고 있다고 말할 수 있다.

이런 특성 때문에 제빵시 실패하는 경우가 많아진다. 반죽이 쉽게 지치므로 특히 믹싱에 유의해야 하며 작업공정을 잘 지켜야 한다. 그리고 소성시 오븐 스프링이 적기 때문에 식빵의 경우 90~100%

~~까지 발효시켜 소성해야 한다. 그러나 국산밀은 박력분과 비슷한~~ 특성으로 스펀지 케이크 적성이 대단히 우수한 것으로 확인이 된다. 실제로 스펀지 케이크의 중앙부와 가장자리를 측정한 높이에서 제품의 부피와 비례하는 경향을 보여 이사실을 뒷받침해주고 있다.

우리밀이 수입밀에 비해 비싸고 글루텐 함량이 적은 것은 사실이다. 그러나 수입밀보다 적성이 뛰어난 것으로 알려진 스펀지 케이크, 쿠키류 등 다양한 제품에 우리밀을 활용해 보는 것도 좋을 것이다. 무엇보다도 가격의 측면을 떠나 더 넓은 안목을 가지고 우리밀의 활용 비율을 높여 식량자립도가 높아진다면 우리세대가 다음 세대를 위해 물려주기 위한 과업은 달성한 것이 아닌가 생각이 된다.

최근 제과·제빵 산업은 소비자의 건강을 위해 자연 친화적이고 건강 지향적인 천연발효(Naturalfermentation)빵에 대한 고객의 관심이 증대되고 있으며, 천연발효 빵에 대한 다양한 연구와 신제품 개발 등이 진행되고 있다. 천연발효 빵 전문점 선택속성과 천연발효 빵의 전반적인 관점에서의 연구는 상당히 미흡하고, IPA분석기법을 이용한 연구 또한 많이 부족한 것이 사실이다. 새롭게 태동한 천연발효 빵 전문점에 대한 조기 정착과 고객창출을 위한 속성을 찾기 위해 본 연구에서는 천연발효 빵 전문점 선택속성의 충성도와 재방문에 미치는 영향을 분석하고 요인에 대한 분석 결과를 토대로 천연발효 빵 전문점 제품의 메뉴개발과 마케팅전략 및 소비자들의 이용향상을 위해 기초적인 자료를 제시하고자 한다.

본 조사는 천연발효 빵 전문점을 이용해본 경험이 있는 고객을 대상으로 자료를 수집하였고, 설문지 총350부중 336부를 실증분석에 사용한 연구결과를 참고하였다. 빈도분석, 요인분석, 신뢰도 분석, 기술 통계분석, IPA분석, 대응표본 t검정, 다중회귀분석 등을 사용한 연구결과를 참고문헌으로 사용했다.

참고문헌의 분석결과를 요약하면 다음과 같다.
첫째, 천연발효 빵 전문점 선택속성이 충성도에 정(+)의 영향을 미치는것으로 나타났으며,제품은 충성도에 유의한 영향을 미치지 않는 것으로 나타났다.
둘째, 천연발효 빵 전문점 선택속성은 재방문의도에 정(+)의 영향을 미치는 것으로 나타났으며, 제품은 재방문의도에 유의한 영향을 미치지 않는 것으로 나타났다.
셋째, 천연발효 빵 전문점 충성도는 재방문의도에 정(+)의 영향을 미치는 것으로 나타났다.
참고문헌의 결과는 다음과 같은 시사점을 제공한다고 볼 수가 있는데, ①천연발효 빵 전문점의 시장경쟁을 높이기 위해서는 마케팅전략이나 건강/영양과 같은 실용적인 측면을 강조하고, 활발한 홍보와 함께 다양한 종류의 천연발효 빵이 소비자에게 제공되어 소비자가 쉽게 구매할 수 있는 환경이 제공 되어야 할 것이다.

②천연발효 빵 전문점 제품의 신뢰성을 보안하고 건강/영양을 위한 좀 더 구체적이고 검증된 제품을 소비 트렌드에 맞게 합리적인 가격으로 출시하여 소비자들이 천연발효 빵 제품을 믿고 구매 할 수 있는 여건을 조성 하는데 노력해야 할 것 이다.

③천연발효 빵 전문점에 대한 소비 가치를 높이기 위해서는 다양한 정보원으로부터 홍보 및 꾸준한 정보의 제공이 필요하다.

위 연구의 한계점 및 향후 연구 방향을 제시하면 다음과 같다.
1) 표본추출방법과 표본의 특성이 가지는 한계점을 들 수 있다. 천연발효 빵을 구매한 경험이 있는 소비자들을 모집단으로 임의 선정하여 편의 표본 추출을 하였기에 본 연구의 결과를 모든 천연발효 빵 전문점에 일반화시키기에는 한계가 있다. 따라서 연구의 결과의 일반화 및 다양한 연구방법의 적용을 위해서는 보다 많은 지역과 다양한 수준의 천연발효 빵 소비자를 대상으로 표본을 확보하여야 할 것이다.

2) 천연발효 빵 전문점과 전반적인 베이커리 시장은 매우 다양한형태로 다각화되고 있으므로, 고객의 니즈를 파악한 구체적인 마케팅전략 방향 및 함의를 도출할 수 있는 내용의 연구가 더욱

필요 하다. 경제발전과 소득수준의 향상,교통수단의 발달,생활의식의 변화 등으로 고객의 식생활이 변화하면서 식음료 상품에 대한 욕구가 다양하게 나타나고 있으며, 최근에는 건강하고 질 높은 생활을 추구로 많은 양의 지방 성분과 단맛이 강하게 함유된 베이커리 제품은 건강을 지향하는 소비자들로 부터 외면 당하는 추세로서 건강, 기능성에 대한 요구에 맞추어 베이커리 이미지를 개선하고자 차별화된 마케팅전략을 도입하여 천연발효 액종을 이용한 천연발효 빵 전문점 중심으로 전문적이고 차별화된 베이커리 전문점이 나타나고 있다.

2010년 이후 국내 베이커리를 소재로 한 TV 드라마와 더불어 천연발효 빵 전문점 및 천연발효 액 종에 대한 관심과 인식이 높아지게 되었으며, 이는 베이커리 산업의 새로운 트렌드로 형성되기 시작 하였다. 국내 천연발효 빵 전문점은 기존 빵만을 전문으로 취급하던 것에서 벗어나 카페식의 산뜻한 인테리어와 천연발효 빵제품과 친환경 커피, 음료수 등을 제공 하는 새로운 형태의 업종으로서 소비자들 사이에 각광을 받고 있다.

그 동 안 많 이 연

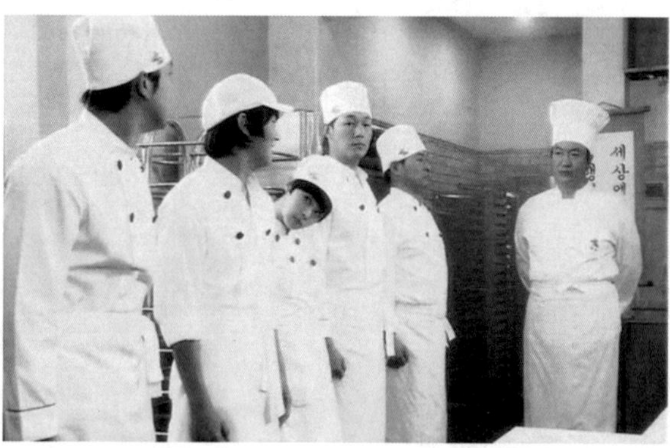

구 되어 왔던 기존 베이커리 선택속성에 관한 연구들이 많이 있었으나, 천연발효 빵 전문점 선택속성에서 단순히 제품이 아닌 천연발효 빵 전문점 전반적인 관점에서의 연구는 상당히 미흡하고, 특히 IPA분석기법을 이용한 연구 또한 많이 부족한 것이 사실이다.

새롭게 태동한 천연발효 빵 전문점에 대한 조기 정착과 고객 창출을 위한 속성을 찾기 위해 본 연구에서는 천연발효 빵 전문점 선택속성의 충성도와 재방문에 미치는 영향을 분석하고 요인에 대한 분석 결과를 토대로 천연발효 빵 전문점 메뉴개발과 천연발효 빵 전문점 마케팅전략 및 소비자들의 이용향상을 위해 기초적인 자료를 제시하고자 한다.

빵의 제조는 BC7000년부터 제조되기 시작 하였으며 BC3550년경의 빵 화석을 보면 사워도우(sourdough)를 이용하여 발효시킨 후 오븐에서 구운 것으로 추정된다. 천연발효 액 종은 곡류를 갈아 물을 첨가한 죽 상태로 만든 것으로 보여진다. 그 당시 우연히 따뜻하고 습한 곳에 놓아두고 공기 중에 자연히 존재하는 야생효모와 함께 부푼 것으로 예측된다. 그 후로 수많은 우연과 경험을 거치면서 오늘날의 발효 빵이 탄생되었다.

가. 천연효모

효(酵)는 술밑을 뜻하는 한자이다. 모든 문화권의 고대 시기부터

술을 만들때 효모를 이용해 왔음이 알려져 있다. 효모를 뜻하는 영어 yeast는 고대 영어 gyst로부터 유래되었으며 '끓는다'는 뜻이 담겨 있다. 술을 만들 때 생기는 거품 때문에 붙은 이름이다. 효모는 '출아'에 의해 '생식'한다. 즉,개체의 일부가 싹이 나오듯 떨어져 나와 번식하는 것이다.

천연효모는 자연 어디에서나 얻을 수 있는 발효균의 산물로 '효모'는 '발효의씨'라는 의미를 가지며 발효공업에서 아주 중요한 미생물 군을 뜻한다. 제과·제빵에 주로 사용되고 있는 천연효모균은 대부분 맥아나 과실·당밀·곡류 등의 표피에서 많이 얻을 수 있는데, 당을 발효시켜 에탄올과 이산화탄소를 생산하는 능력을 가진 것이 많다.

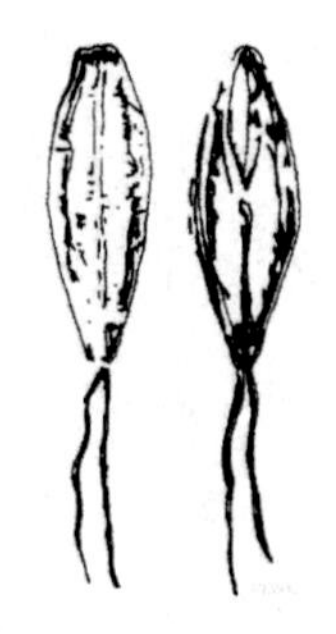

[맥아]

천연발효 빵 발효 도중에는 트레할로오스(trehalose,천연 이당류로 당도는 설탕의45%정도 되며 자연계중 식물,동물,미생물에 널리 존재 한다.

대사 물질도 형성되는데 이 물질은 빵의 보습 효과와 전분의 노화방지, 단백질 및 지방 변화 방지, 제품에 대한 내구성, 맛 증진 등을 돕고 자연스런 단맛을 띄는 것이 특징이다. 반죽의 저온 숙성을 통해 깊숙하고 진한 단맛을 이끌어낸다.

나. 천연효모균의 구분

르방(levain)은 프랑스에서 빵을 부풀릴 때 전통적으로 사용해온 '자연에서 얻은 천연효모'를 가리키는 말이다. '가벼움을 들어 올리다'의미를 지닌 라틴어 'levare'에서 유래한 르방(levain)은 빵을 부풀게 하는 발효의 오랜 근원지이다.

1680년 네델란드의 레벤후크가 현미경으로 효모균을 발견하고, 1857년 파스퇴르가 효모균이 발효를 일으키는 발효원이라는 것을 발견하기 전부터 사람들은 자연에서 효모를 얻어 빵을 만들었다. 천연효모균을 사용하는 목적은 빵의 풍미를 개선하고, 빵의 신선함을 오래 보존할 수 있다는데 있다.

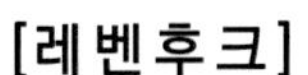

[레벤후크]

[파스퇴르]

천연효모균(LevainNaturel:르방 나튜렐)의 종류와 천연발효액 종 사용 방식 및 특징은 다음 표와 같다.

천연효모균 구분		특징
천연효모균 (Levain Naturel : 르방 나튜렐)	단단한 르방 (Levain Dur : 르방뒤흐)	· 수분이 50% 정도 포함 세상에서 가장 오래된 형태의 천연효모균으로 가장 널리 사용되고 있는 방식이다. · 맛이 강한 편이며 그중 신맛이 강한 초산균 발효에 속한다.(미쉬빵, 깜빠뉴, 바게트 등)
	묽은 르방 (Levain Liquide : 르방 리퀴드)	· 수분이 100% 포함 묽은 상태로 존재하며 항상 진 반죽의 형태가 남는다. · 유산균 발효에 속하며 신맛이 약한 점이 특징이다. · 발효력이 안정적이고 빵의 보존성이 뛰어나며, 한 종류의 반죽에만 사용되는 것이 아닌 여러 형태의 반죽에 고루 사용할 수 있다는 면이 장점이다.
풀리쉬(Poolish)		· 풀리쉬는 폴란드에서 처음 만들어진 효모로 물과 밀가루를 1:1로 섞은 후 소량의 이스트를 넣고 6~18시간 정도 발효시킨 것이다 · 최근 다시 인기를 얻고 있는 추세이다
발효반죽(Pate Fermente) (묵은 반죽이라 불림)		· 이스트가 사용된 반죽에서 전날 사용 후 남은 반죽의 일부를 냉장고에 보관해두었다가 이튿날 본 반죽에 섞어서 사용한다. · 발효반죽을 사용하면 빵의 속결과 볼륨감이 한결 좋아지는 효과가 있다.

~~액종은 건조과일이나 생과일을 이용해 얻는 천연효모 엑기스로~~ 일본에서 사용되기 시작 하였다. 액 종은 그 자체로는 천연효모균이 아니라 묽거나 단단한 르방(LevainDur:르방뒤흐)에 섞였을 때 비로소 천연효모균이 된다.

천연효모 엑기스를 만들 때는 생과일보다 당도가 높아진 건조과일이 효모가 생육하기 좋은 조건이 되므로 일반적으로 건조 과일을 이용하는 것이 천연발효빵에 사용하는 효모를 증식시키기에 좋다.

천연발효 액 종의 종류	특징
곡물가루를 이용한 발효액 종	· 천연발효 빵을 만들 때 가장 많이 쓰이는 발효 종으로 호밀 사워 종, 밀가루 종, 전립분 종 등이 있다. · 곡물을 이용한 재료는 안정적이라 모든 발효 빵에 쓰며, 리프레시를 거쳐 발효력을 높여 쓸 수 있는 편리함을 지니고 있다.
당화를 이용한 발효액 종	· 탄수화물을 이용한 발효액 종인 쌀 종, 현미 종, 누룩 종, 막걸리 종, 맥주 종 등이 있다. · 당화는 전분 분해효소가 없는 천연효모에 누룩, 맥아, 코지 같은 효소를 넣어 전분을 분해하고 당을 공급 하며, 이때 효소가 효모에게 필요한 당분을 직접 공급하기 때문에 발효가 더욱 왕성하게 일어난다.
생과일을 이용한 발효액 종	· 대부분의 과일로 발효액 종을 만들 수 있고, 잘 익은 제철과일이 발효력이 좋다. · 미생물은 과일 껍질에 많이 있어 그대로 사용 하며, 당도가 14brix 이하여서 효모의 먹이가 되는 당을 넣어 줘야 발효력이 좋고 산도가 없는(배, 감) 과일은 레몬 즙이나 구연산을 넣어준다.
건조 과일을 이용한 발효액 종	· 사계절 다루기 좋아 널리 이용되는 방법이다 . · 생과일 발효액 종에 비해 초기 발효는 더디지만 일단 발효가 시작되면 발효력이 좋아 진다.
채소를 이용한 발효액 종	· 채소는 뿌리채소를 이용 하면 좋다. · 줄기채소는 비타민이 풍부하지만 당분이 적어 발효력이 약하며, 발효력이 풍부해 지면 채소의 특유한 냄새가 나와 현재 발효액 종으로 사용 하지 않는다.

샌프란시스코의 상징인 사워도우 빵은 1849년,'골드 러쉬어'들이 밀려 들어오고 빵집이 크게 늘어나면서 유명해지기 시작했다.
제빵용 효모(Yeast)가 발명되기 전인 이 시대에 빵을 부풀려 구우려면 '첫 반죽(starter)'이 필요했다. 샌프란시스코 빵집에서는 100년이 넘게 이어온 사워 종을 아직도 사용 하고 있다.
천연발효 빵으로 가장 유명한 곳 중 하나는 바로 프랑스 '푸왈란(Poilane)'을 꼽을 수 있다. 3대째 천연효모균을 이용해 만들어 화덕오븐에서 구워낸 커다란 덩어리의 빵(보통 '미쉬빵(Miche)'이라 칭함)을 판매한다.

다. 천연발효 빵의 가치

기원전 6000년부터 효모를 맥주 제조에 사용했던 인류는 곰팡이를 이용해 치즈를 만들고 초산균을 이용해 식초를 만드는 등 발효라는 단어가 생기기 전부터 곰팡이와 유산균을 발효에 이용해 왔다. 발효의 맛은 단맛,쓴맛,신맛,짠맛,매운맛,떫은맛,구수한 맛이 함께 어우러질 때 느낄 수 있는 총체적인 맛이다.

천연발효 빵을 발효시키는 목적은 맛과 향,저장성을 증진시키기 위한 것이며, 이러한 발효식품의 기능을 과학적으로 해석해내는 시도가 지속적으로 이루어지고 있다. 천연발효 빵은 다양한 장점을 갖고 있으며 효소활성 못지않은 중요한 가치로 평가하기에 충분하다.

구분	천연발효 빵의 가치
첫째	겉은 바삭하면서도 속은 부드럽고 쫄깃한 식감을 자랑 한다. 미생물의 작용으로 보습성이 뛰어나 빵이 부드럽고 쫄깃한 식감을 낸다.
둘째	풍부하고 깊은 맛과 향이 뛰어나다. 미생물이 발효되는 과정에서 다양한 발효물질이 생성되어 맛과 향이 깊고 특별해 진다.
셋째	보관성이 좋다. 각종 미생물이 pH를 낮춰 곰팡이나 유해세균이 자라는 것을 막아준다.
넷째	영양소가 많고 소화가 잘된다. 각종 미생물의 작용으로 항산화효소 같은 몸에 좋은 효소들이 생성되고, 다양한 미생물이 분자를 소화하기 쉽게 바꿔 주기 때문에 소화가 잘된다.

천연발효 빵을 구웠을 때 껍질이 조금 두꺼운 편이기 때문에 딱딱해 보일수 있으나 이것은 빵 내부의 수분이 날아가는 것을 방지해 주기 때문에 천연발효 빵의 촉촉함을 오래 유지할 수 있는 이점으로 작용한다. 장시간 발효시킨 천연효모에서 나오는 좋은 균들이 소화를 돕는다.

라. 중요도·만족도 IPA 분석기법

1) IPA 개념

IPA(Importance-PerformanceAnalysis)는 1970년 말에 등장한 다속성 모델(Multi-attributeModel)을 기초로 하고 있는 분석방법으로 기본 가정은 만족도 속성에 대한 고객의 수준은 상품이나 서비스 성취도의 기대의 판단에 의해 주로 파생되고 있다는 것이다. IPA는 상품과 서비스에 대한 이용자 만족도를 측정하기 위하여 우선 이용 전에는 각 속성의 중요도,이용 후에는 성취도를 이용자가 스스로 평가함으로써 각 속성의 상대적인 중요도와 성취도를 동시에 비교·분석하는 평가기법이다.

IPA는 1970년대 경영분야에서 최초로 소개되어 건강·마케팅·은행·교육·스포츠 심리학 등 여러 분야에서 활용되었으며 외식산업분야에서는 서비스를 평가 하고 개선점을 찾아내기 위한 방법으로 응용되었다. IPA 모형의 특성은 중요도와 만족도의 속성별 비교 평가 값에 의하여 4가지 다면적 의사 결정을 내리는 분석방법으로 평가요소의 중요도와 만족도를 측정하여 2차원 도면상에 표시하고 그 위치에 따라 의미를 부여 하는 방법이다.

IPA(Importance-Performance Analysis)의 분석 절차는 크게 4단계로 나누어지는데 제1단계의 이용자 중심의 분석기법인 IPA (Importance-Performance Analysis)는 모든 속성들이 분석에 사용될 수 없기 때문에 이용자에게 특정제품 또는 서비스와 관련

~~된 속성을 연구결과 자료,이용자 대상의 그룹면접, 실무자의 면담~~ 을 통하여 중요속성을 추출한다.제2단계는 설문조사 단계로 설정된 항목을 이용자에게 배포하여 각 항목에 대한 중요도와 성취도의 판단정도를 설문하는 단계이며 제3단계는 실행격자(ActionGrid)를 작성하여 각각의 선택속성에 대한 평균 값 또는 중앙 값 을 토대로 각 속성의 위치를 실행격자 표면에 표기하는 단계이다.

제4단계는 실행격자 4분면 상에 나타난 결과를 토대로 속서에 대한 결과를 분석하는 것으로 각4분면에 해당하는 속성의 위치화에 대한 평가를 보면 다음과 같이 나타난다.

중요도 ▲		
	제2사분면 **적극적인 관리 요망** **(Concentrate Here)**	**제1사분면** **좋은 성과의 지속적 관리 요망** **(Keep up the Good Work)**
	제3사분면 **낮은 우선순위** **(Low Priority)**	**제4사분면** **과잉 노력 지양** **(Possible Overkill)**
		▶ 만족도

- 제1사분면 [좋은 성과의 지속유지]

이용자들도 중요하게 생각하고,만족하는 속성으로 중요도와 성취도가 높은 항목들이 치하여 계속 좋은 성과를 내도록 유지.

- 제2사분면 [노력 집중화의 지향]

이용자들이 중요하게 여기고 있지만,실제로 만족스럽게 반영되지 않는 속성으로 중요도는 높으나 성취도는 낮은 편으로 낮은 항목에 집중적인 노력이필요.

- 제3사분면 [낮은 우선순위]

이용자들의 평가속성에 대해 낮게 평가하고 있고,성취도 또한 낮은 상태로 현재 이상의 노력이 불필요한 상태의 속성들이 위치.

- 제4사분면 [과잉노력 지양]

이용자들이 중요하게 생각하고 있지 않은 속성이 성취도는 높은 항목들이 위치하여 현재의 동이 과잉 판단되므로 투입되는 노력을 다른 평가속성에 투입.

2) 고객 충성도의 정의

고객 충성도(CustomerLoyalty)란 전환이나 교체행동을 유발하는 잠재적인 상황과 마케팅의 노략에도 불구하고 향후 미래도 자신의 선호하는 제품과 서비스를 다시 구매하거나 다시 후원을 하겠다는 깊은 형태의 행동이며, 고객이 어떤 기업이나 기업의 제품, 상표에 나타나는 지속적이고 일관된 선호 상태일 수도 있고, 애호상태라고 할 수 있다.

이러한 고객 충성도에 대한 연구는 행동론적, 태도론적, 통합론적 관점에서 이루어져 왔다. 행동론적 관점에서의 고객 충성도는 고객의 상품 및 서비스에 대한 반복구매 빈도,구매 비율등을 다루었던 것에 반해 태도론적 관점에서는 고객선호 또는 심리적 몰입의 측면에서 특정 서비스 제공자에 대해 갖게 되는 호의적인 태도와 구매가능성을 다루었다.

고객이 특별한 점포나 상점에 대해 시종일관 같은 후원을 하는 것으로서 일관된 충성도를 보이는 것을 뜻한다고 한다. 고객 충성도 관리를 위한 기업의 효과적이고 유용한 시사점을 제시하였는데, 그 결과 이상적인 가치 브랜드는 신뢰(brandtrust)를 형성시키고 형성된 신뢰는 제품 및 서비스의 직접적인 구매나 제품에 대해 주변이나 지인에게 긍정적인 구전활동을 유발 한다고 한다.
선행연구를 따라 충성도의 개념을 정리해 보면 다음과 같다.

측정변수		조작적 정의
천연발효 빵 선택속성	제품	제품의 기능적, 실용적, 물리적 성과를 나타내는 것을 의미한다.
	가격	가격의 개념은 교환을 떠나 존재할 수 없으며, 넓은 의미로 상품간의 교환 비율을 나타내는 것을 말한다.
	입지	경제 활동을 하기 위해 선택한 장소, 위치 등을 나타내는 것을 의미한다.
	마케팅전략	광고전략, 제품전략, 판매촉진전략 등 각 부문별 전략과 그 밖의 환경조건의 변동에 대응하여 마케팅 믹스의 구성을 결정하는 것을 말 한다.
	위생 및 청결	건강에 유의 하도록 조건을 갖추어나 대책을 세우고 주변과 환경이 맑고 깨끗하게 하는 것을 의미한다.
	서비스	서비스의 대가를 받을 만큼 제공하는 한정된 서비스가 아닌 인간미가 담긴 인적 서비스가 물적 서비스에 부가된 서비스를 뜻 한다.
	이미지	이미지는 원래 외부의 자극에 의해 의식에 나타나는 대상의 직관적 표상을 말한다. 때에 따라서는 시각적 요소에만 한정하지만, 오늘날에는 제품, 음식, 브랜드 등의 모두 조건에 포함시키고 있다.
	건강/영양	심리적인 건강, 즉 개인적이고 사회적이며 문화적인 측면의 요인을 고려해야 하는 건강을 말하는 것으로, 영양이 강화된 제품 등을 나타내는 것을 의미한다.
충성도		선호하는 제품이나 서비스를 지속적으로 구매하게 만드는 브랜드에 대한 깊은 몰입을 의미한다.
재방문의도		점포이용고객이 특정 점포를 이용 후 현재 이용 중인 점포를 다시 이용 할 것인가에 대한 의사 정도를 나타내는 것을 말한다.

자연에서 구한 건강한 재료로 만든 친환경 건강빵에 대한 소비자의 요구는 꾸준하다. 모양이 투박하고 식감은 거칠지만 건강빵으로 알려진 '천연발효빵(Sourdough bread)'에 대한 정보와 빵 발효 미생물이 생성하는 다양하고 건강에 유익한 발효산물을 설명하고, 천연발효빵의 산업화 방안을 제안하는 자료와 문헌 또한 많은 칼럼을 통해 제안되어 왔다.

유럽에서 이미 대다수의 빵은 발효종(Sourdough, Levain, 이하 사워도우)을 첨가해 만들고 있다. 효모와 유산균으로 만든 발효종빵(Sourdough Bread, Pain au Levain)의 건강기능성과 독특한 풍미 증진효과를 많이 연구하고 있지만, 여전히 우리에겐 익숙하지 않다.

최근 파리바게트에서 출시한 상미종 생(生)식빵은 2019년 SPC 식품생명공학연구소가 개발한 '상미종(上味種)'이 사용된 SPC '시그니처브레드'이다. 이 제품은 15년간 토종효모와 유산균을 연구해 만든 사워도우를 사용해 만든 빵이라고 한다. 이처럼 산업적으로 활용하는 사워도우는 효모와 유산균주의 선별 및 조합, 원료의 적절한 선택과 배합, 최적의 온도와 시간 등 발효조건을 갖춰야만 독특하고 균일한 품질로 생산할 수 있다.

3) 전통방식 자가 제조와 전문업체 제조 비교

전통방식으로 좋은 사워도우를 제조하기 위해서는 6일 이상의 시간과 숙련된 기술자의 노하우가 필요하다. 하지만 전통방식으로 제조할 때는 여러 문제가 발생한다.

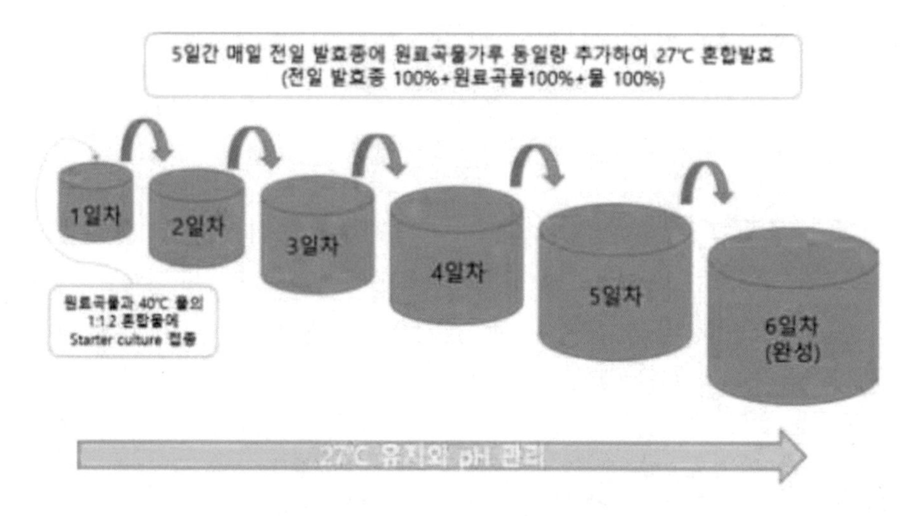

[전통적인 사워도우 제조방법]

■ 전통방식으로 제조할 때 문제점

- 품질관리 어려움(발효종의 품질이 균일하지 않음)
- 유해균주의 오염 가능성 높음
- 다양한 제품 적용의 한계
- 발효설비, 관리, 인력 등 비용 발생

따라서 독일의 뵈커(Böcker)社를 비롯한 전문 사워도우 제조업체에서는 전통방식으로 제조하는 사워도우의 문제점을 해결해 균일하고 안정적인 품질을 보장하는 다양한 제품을 만들고 있다.

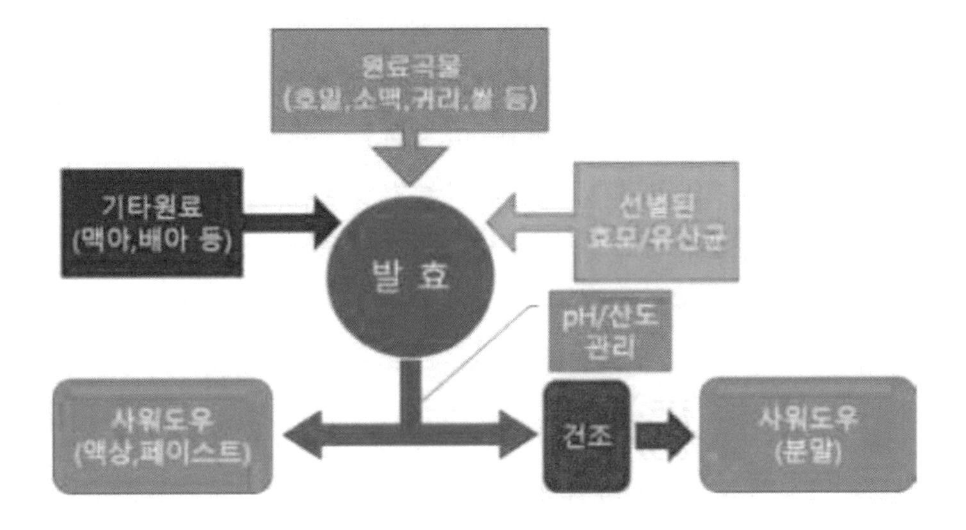

[산업용 사워도우 생산과정]

4) 사워도우 산업적 이용

산업용으로 사용되는 사워도우는 2가지 방식으로 구분한다. **첫째,** 사워도우 전용 스타터(선별된 활성효모 및 유산균 조합물)를 사용해 원하는 발효종을 직접 생산해 최종제품에 적용하는 방식, **둘째,** 유통 중 과발효로 인한 변질을 막기 위해 효모와 유산균의 발효 활성을 억제시킨 액상·분말·페이스트 상태의 사워도우를 최종 제품에 직접 적용한다.

첫번째 방식은 사워도우를 제조할 수 있는 발효설비가 갖춰진 업체에서 주로 사용하고, 조건에 따라 추가로 효모를 넣지 않는 베이커리 제품을 생산한다. 두번째 방식은 사워도우 제조발효설비가 없어도 발효시간에 구애를 받지 않고 다양한 발효종을 베이커리 제품에 적용하며, 첫번째 방식과는 달리 효모와 유산균의 활성이 없거나 미미하므로 효모를 추가로 넣어야 빵이 팽창할 수 있는 반죽 및 풍미 개선제 형태로 사용한다.

사워도우 전문업체인 뵈커社 제품은 이러한 다양한 수요(타입)에 맞춘 제품으로 구성돼 있다. 목표하는 베이커리가 정해졌다면 다음 사항을 고려해 적합한 사워도우를 선택해 사용한다.

사워도우의 성상 및 특징(독일 뵈커社 기준)

1) 분말(Dried)제품 곡물 특성이 담겨있는 독특한 발효 풍미 손실을 최소화시킨 드럼건조된 불활성 제품으로, 폭넓은 산도(40~200TTA)와 다양한 맛 프로파일 제품이 생산되며, 수분이 낮고 배합할 때 잘 분산되며, 직접공정에 적용돼 별도의 발효시간이 필요하지 않다. 유통기한은 9~12개월이다.

2) 페이스트(Paste)제품 밀가루, 곡물씨앗, 새싹, 허브 등으로 만들어진 사워도우에 소금과 식초가 포함돼 있어 곡물을 불리지 않고 첨가하는 효과를 볼 수 있다. 또 미생물이 컨트롤된 제품으로 위생적으로 사용할 수 있으며, 직접공정에 적용되고 별도의 발효시간이 필요하지 않다.

3) 액상(Liquid)제품 소금과 식초를 보존제로 사용해 만든 흐름성이 있는 다양한 맛 프로파일을 지닌 활성 사워도우 제품으로, 신선함을 지속시키고 좋은 조직감을 부여한다. 액상 제품 역시 직접공정에 적용해 별도의 발효시간은 필요하지 않다. 유통기한은 6~9개월이다.

4) 스타터(Starter Culture) 다양한 곡물소재(Rice, Wheat, Spelt, Rice)의 사워도우 스타터(액상, 분말)가 있는데, 1단계법(28℃,15~18시간 발효) 혹은 3단계법(25~28℃에서 8시간마다 2번에 걸쳐 Refresh를 하고 3번째 3시간 발효) 총 15~20시간이면 사워도우를 만들 수 있으며, 12℃ 정도에서 보관하면 1주일 정도 사용할 수 있다.

■ 사워도우를 선택할 때 고려할 점

1. 생산 베이커리(빵, 과자) 종류
2. 보유 시설, 설비 및 적용 제빵(법) 공정: 직접·간접공정
3. 사워도우의 생성(액상, 분말, 페이스트): 생산 설비와 제조방법 및 제품의 특성에 따라 분말, 액상, 페이스트, 스타터를 이용해 발효종 베이커리를 만들 수 있다.
4. 유기농·비건·글루텐프리 등 특수용도 여부: 제품의 콘셉트 및 표기사항에 따라 곡물의 종류를 선택한다.

구분	자가제조	전문업체(산업용) 제조
제품형태	액상, 페이스트	액상, 페이스트, 분말
미생물(스타터)	균주 관리불가 (자연 발생)	원료별 특화된 우수균주 선별 사용
품질관리	불가 롯트별 풍미와 산도 편차 발생	과학적이고 균일한 관리 제품별 균일한 풍미와 산도
제품의 다양성	다품종 생산 어려움	밀, 밀싹, 호밀, 귀리, 보리, 쌀 등 다양한 제품 보유
보관성 · 편의성	장기보관 불가 수요변화에 대응 생산 불가능 (과다 생산 혹은 부족 현상 발생)	장기보관 가능 수요변화에 대응 가능
용도	특정 제품(바게트, 건강빵 등)에만 사용 가능	다양한 베이커리 제품에 적용 가능

[자가 제조와 전문업체 사워도우 비교]

표 2. 곡물 종류별 사워도우 용도 및 특징

구분	용도	특징	사용량(%)
소맥(Wheat)	범용적인 사용 가능 (치아바타, 피자, 바게트, 식빵 등)	부드러운 Sour 풍미	1~5
밀배아(Wheat Germe)	하드롤, 바게트 등	바삭한 식감, 고소한 풍미	2~5
보리(Barley)	비스킷	강한 보리풍미	1~5
호밀(Rye)	건강빵류, 호밀빵	강한 Sour 풍미, 진한 색상	0.5~10
쌀(Rice)	쌀 · 글루텐프리 베이커리	이미 · 이취 마스킹, 은은한 Sour 풍미	~30
스펠트밀(Spelt)	스펠트 베이커리	견과(Nutty)맛	1~4
퀴노아(Quinoa)	글루텐프리 베이커리	은은한 Sour 풍미	~20

■ 사워도우 응용 분야(사례)

사워도우는 발효산물인 젖산, 초산 등의 유기산에 의한 높은 산도(Acidity), 알코올 및 독특한 풍미(아로마)성분이 특징으로 천연발효빵 뿐만 아니라 다양한 베이커리, 비스킷, 스낵, 떡, 면 등 다양한 식품산업에서 활용되고 있다.

◎ 베이커리

직접 사용(빵, 피자 등) 사워도우를 사용한 제품은 기존 제품보다 풍미가 좋고, 이미나 이취를 마스킹해 제품의 맛이 깔끔하다. 특히 유럽은 대다수 빵에 사워도우를 사용하고 있으며, 최근 일본에서도 많은 업체에서 사워도우를 사용하고 있다. 천연발효종을 자가제조해 사용하는 많은 개인 베이커리에서 전문회사 사워도우를 접목시키면 자가 천연발효종 제조에 걸리는 시간과 보관의 불편함을 해소시킬 수 있다. 피자와 햄버거번에 분말 사워도우가 사용된 사례는 쉽게 찾아볼 수 있다.

~~천연개량제의 주요 소재 제과, 제빵, 면 분야에 다양하게 사용되고~~ 있는 개량제(유화제 등 화학적 합성품이 주요 성분)를 효소와 사워도우를 이용해 천연소재로 사용하도록 개발할 수 있다.

◎ 비스킷, 스낵

천연발효종(사워도우)을 사용한 비스킷이나 스낵 콘셉트로 사용. 귀리 사워도우는 풍미는 좋으나 산패가 빨라 이취가 발생하기 쉬워 제품에 접목하기에 어려웠으나, 사워도우를 사용함으로써 문제없이 사용할 수 있게 한다.

◎ 면

사워도우 고유의 산도에 따라 면에 적용하면 탄성을 부여할 수 있으며, 낮은 pH(약 3)에 따라 보존성이 높아질 수 있다.

◎ 프리믹스, 밀가루

분말 형태로 첨가돼 건강빵믹스와 피자믹스에 사용하면 반죽의 물성을 개선하고, 천연발효 풍미를 제공한다. 사워도우를 밀가루에 미리 혼합하면 곡물 비중이 높은 제품에 사용할 수 있고, 이미와 이취를 마스킹하고 발효풍미를 더해준다.

사워도우는 미생물이 만들어낸 발효산물을 이용하는 것으로, 제빵 과정에서 효모와 유산균은 사멸하고 대사산물의 신맛과 독특한 풍미 물질이 빵과 과자에 그대로 남는다. 따라서 산업적으로는 오랜 시간과 복잡한 설비와 공간을 갖추지 않고도 전문회사가 만든 사워도우를 이용하면 균일하면서 다양한 종류의 천연발효 풍미의 제품을 만들 수 있다.

마. 빵의 역사와 천연발효빵

빵의 기원은 BC4000년경 이집트 나일강 유역에서 대기 중에 존재하는 박테리아와 효모(이스트)가 자연 발효해 출현한 것으로 추정된다. 하지만 160년 전 파스퇴르가 효모의 작용을 발견하고, 순수배양이 가능한 이스트가 상품으로 나오면서 비로소 오늘날의 발효빵이 시작됐다.

인류는 빵을 부풀려 먹기 위해 어떻게 했을까? 기원전 3550년 스위스에서 발굴된 빵은 사워도우(Sourdough, 천연발효종)를 이용해 부풀린 빵으로 추정되는데, 비옥한 곡창지대인 메소포타미아와 이집트 나일강 지역에서 시작된 돔(Dome) 형태 직화 오븐의 발달과 함께 오늘날과 같이 먹기 좋은 빵이 시작되어 전 세계로 전파되었다.

천연 발효빵은 고대 이집트 빵굼터에서 사용했던 발효방법으로 빵을 부풀렸던 원리를 사용하는데, 상업적인 효모(이스트)를 첨가하지 않고, 호밀과 밀 등 곡물가루에 물을 일정량을 넣고, 며칠간 곡물가루와 물을 보충하면서 반죽을 숙성시킨 사워도우를 반죽에 넣어 발효에 사용하거나, 건포도 · 사과 등 과일이나, 요거트와 같은 유제품 또는 누룩·맥주·막걸리 등을 이용해 빵의 발효에 필요한 효모를 거두는 발효액종(천연효모, Levain, 르방)으로 만든다.

21장 천연발효 빵이 좋은 이유

빵을 만드는 재료인 밀가루와 설탕, 우유, 버터, 소금 등을 선택할 때도 순수한 천연 재료 사용이 보편화되었다. 여기에 더해서 사워도우를 이용한 천연발효빵이 유행하고 있는데, 일반적인 제빵법으로 만든 빵보다 발효와 숙성을 충분히 하면서 소화율이 높아져 먹고 난 후 속이 거북하지 않다고 한다.

천연발효빵은 장시간 발효, 숙성과정에서 전분 분해 작용이 충분히 일어나고, 다양한 발효산물(유기산)이 생성되어 일반 발효빵보다 ①소화가 잘되고 ②부드러운 맛이 오랫동안 유지되며 ③깊은 맛과 향이 나면서 ④보존제 없이도 오래 두고 먹을 수 있다.

천연발효빵을 만드는데 이용되는 사워도우와 르방은 비슷해 보이지만 만드는 과정이 다르고, 사용방법과 효과도 다르다. 폐당밀을 원료로 빵을 대량생산하기 위해 단일 순수 배양된 효모와는 달리, 사워도우와 르방이 만들어 낸 효모는 각각의 곡물과 과일 본연의 맛과 향이 배어있으며, 특히 하드계열의 빵을 만들 때 노화 지연 효과를 비롯해 빵의 볼륨감과 내부 기공이 커지고, 식감도 부드러워지는 효과를 기대할 수 있다. 특히 우유, 설탕, 버터 등을 넣지 않고도 기호도가 높은 빵을 만들 수 있다.

1. 천연발효빵 만드는 방법

전통적인 천연발효빵을 만들기 위해서는 시간과 노력이 많이 필요하므로 바쁜 현대인들에게 식사를 대체하기 위해 제빵법이 발달되어 체계를 갖추게 되었다. 두툼한 크러스트(껍질)에 은은한 신맛을 지닌 하스브레드(Hearth bread)인 뱅오르방(Pain au levain)은 대표적인 천연효모를 이용한 빵이다. 전통적으로는 밀가루나 호밀가루에 물을 넣어 48~72시간 발효해 만든 셰프(Chef)라 불리는 초종(Starter)을 만든 후, 여기에 물과 밀가루(호밀)를 6~12시간 간격으로 여러 번 추가(Refreshing, 종계, 계대)하면서 르방

(Levain)을 만들어 효모를 대신해서 반죽하지만, 요즈음에는 상업적으로 만든 초종은 셰프를 생략하고, 곧바로 르방을 만들어 사용할 수 있다.

표. 천연발효종과 발효액종 비교

구분	천연발효종	발효액종	상업용 이스트
명칭	사워도우, Sourdough	천연효모, 르방, Levain	생이스트, Active Yeast, 드라이이스트
만드는 방법	주로 호밀가루(밀가루 일정비율 첨가가능)를 일정비율의 물과 혼합해 본종을 일부 남기고 며칠간 호밀가루와 물을 추가하여 만든다. *곡물가루에 존재하는 야생효모를 증식해 발효에 이용	과일(주로 건포도, 사과), 맥주, 요거트에 정제수와 꿀을 넣어서 골고루 잘 섞은 뒤, 25~28℃에서 72~96시간 동안 발효시킨 것을 액종이라고 하는데, 액종에 밀가루와 호밀가루를 넣고 만든 다음 며칠 간 종계해서 만든다.	빵의 대량생산하기 위해 발효력이 강한 효모를 골라 폐당밀(당밀액)에 질소영양(암모니아나 요소)을 가하면서 접종하고, 강렬하게 공기를 불어넣으며 25℃에서 증식시킨다.
용도 및 효과	주로, 무가당 반죽(하드계열 빵)에 사용 반죽에 탄력 부여 신맛과 풍부한 향미 부여 신선도 유지 및 부패 방지	주로, 가당 반죽에 사용 독특한 풍미와 식감 부여 (기존 효모의 부족한 발효 효과를 보충한다.)	반죽의 특성(설탕 함량 등)에 따라 저당용과 고당용으로 구분해 사용하며, 냉동생지 제조에 특화된 제품을 사용하기도 한다. 발효와 풍미가 일정하다.

빵오르방의 배합비를 보면, 효모가 소량 사용되는데, 안정된 발효로 빵이 잘 팽창토록 보조역할로 사용되지만, 2% 미만 사용되면 천연발효빵으로 불리우고 있다.

일반적인 하스브레드 제빵공정은 〈반죽→휴지(중간발효)→성형(분할, 둥글리기, 휴지, 몰딩)→2차발효→칼집내기(Scoring)-소성〉인데, 2차 발효 온도가 우리에게 익숙한 단과자빵과 달리 29~32℃로 낮으며, 습도가 없는 상태로 2~4시간 정도 건발효한다. 전체적인 제빵 완성 시간이 르방 제조시간을 제외하고도 6시간이 넘게 소요된다.

표. 뺑오르방(Pain Au Levain)의 배합비

르방(Levain, Pre-Ferment)	
밀가루	100%
물	55%
르방 (혹은) 스타터	15~25% (혹은) 0.05~0.17%
본반죽(Dough)	
밀가루	100%
물	65%
소금	2.5%
르방(Levain)	25~50%
효모(Yeast)	0~0.24%

천연효모의 재료로 제일 안정적인 것이 건포도인데, 과당 함량이 높아 효모의 영양원이 충분하기 때문이다. 건포도 발효액종은 건포도와 물을 1:1 비율로 섞은 다음 꿀을 섞어 25~28℃에서 72~96시간 정도 발효시켜 만든 건포도종과 0.65로 나눈 양만큼의 밀가루를 넣어 다시 반죽하여 15~20시간 추가 발효(28℃)시켜 만든다.

이렇게 만든 건포도 발효액종을 이용해 뺑드캄빠뉴나 뺑오르방과 같은 하스브레드, 레이즌로프(Raisin loaf, 건포도식빵)를 만드는 것이 르방법과 다른 천연발효빵이다. 자연에서 구한 건강한 재료로 만든 친환경 건강빵에 대한 소비자의 요구는 꾸준하다.

모양이 투박하고 식감은 거칠지만 건강빵으로 알려진 '천연발효빵(Sourdough bread)'에 대한 정보와 빵 발효미생물이 생성하는 다양하고 건강에 유익한 발효산물을 설명하고, 천연발효빵의 산업화 방안을 제안한 많은 자료 중 몇가지를 설명하고자 한다.

유기물을 분해하고 변화시켜 유용한 물질을 생산하는 발효과정에 다양한 미생물이 관여하고 있다. 제빵과정에서도 효모 및 유산균 등에 의한 발효가 조직, 풍미, 색상 및 유통기한 연장에 큰 영향을 미치고 있다. 그렇다면, 천연발효종(Sourdough)을 이용해 만든 빵은 일반적인 제빵용 효모로 만든 빵과 어떤 차이가 있는 것일까? 빵반죽의 천연발효에 관여하는 다양한 미생물과 발효산물을 알아보고, 어떠한 원리로 건강하고 기호성과 보존성을 갖춘 빵을 만들 수 있는 지 알아본다.

2. 효모와 박테리아는 공생관계

각종 곡물(가루)에 물을 넣고 일정시간이 지나면, 자연에 존재하는 유산균과 천연효모(Saccharomyces exiguus, Saccharomyces cerevisiae 등)의 공생관계로 발효가 일어난 천연발효종이 만들어지는데, 이것은 빵을 부풀리고 기호성이 좋은 풍미를 만드는데 사용된다. 밀가루에 자연적으로 존재하는 아밀라아제는 전분을 주로 맥아당으로 분해하고, 유산균은 맥아당과 공생하는 효모의 대사작용의 산물인 아미노산을 이용해 유기산(젖산등), 이산화탄소, 에틸알코올을 생성한다. 효모와 유산균의 배양물은 반복적인 먹이 공급과 배양을 통해 균형을 이뤄가면서 공생관계를 형성해간다.

효모는 유산균이 만든 포도당을 이용해 이산화탄소를 발생시키고 빵을 부풀리는 역할을 하며, 젖산은 반죽의 pH, 산도를 낮춰 구워진 빵속의 전분을 팽윤시키고 보습력을 높여주는 노화 지연 효과를 주고, 곰팡이 발생을 방지한다. 최근의 천연발효빵에서는 발효시간 단축을 위해 설탕과 활성맥아분말(Diastatic malt flour)을 첨가하거나, 제빵용 효모(Saccharomyces cerevisiae)를 추가하기도 한다.

3. 천연발효 미생물의 구성

국내에서 천연발효빵에는 사워도우(호밀, 밀, 듀럼밀 등), 누룩, 발효액종(사과, 건포도, 포도, 블루베리 등 과일), 막걸리, 맥주 등이 사용되는데, 사워도우(천연발효종)에는 자연상태에서 존재하는 효모(Saccharomyces exiguus, Sacchromyces cerevisiae 등)와 수많은 유산균(Streptococcus속, Pediococcus속, Lactbacillus속, Leuconostoc속, Lactobacillus delbrueckil, Streptococcus lactic 등)이 존재한다.

상업적으로 사용하는 제빵용 효모가 Sacchromyces cerevisiae의 단일효모만을 배양한 고농도 순수효모인 것과 달리, 사워도우에는 여러가지 복잡한 미생물이 발효에 관여한다.

그림 2. 사워도우(천연발효종) 발효미생물(공생), 발효산물과 역할

천연발효 과정을 거쳐 완성된 빵의 풍미에 영향을 주는 유기산 발효를 중심으로 해당 미생물과 그 발효산물에 대해 설명하면, 상업적으로 생산하는 효모는 제빵과정에서 알코올과 CO2를 위주로 생성하지만, 사워도우는 존재하는 여러 미생물에 의해 다양한 유기산 발효가 함께 일어난다.

사워도우(천연발효종)에서 주로 발견되는 유산균 중에서 호모(Homo)발효성 유산균은 젖산만을 만들어 내지만, 헤테로(Hetero)발효성 유산균은 반죽 속 산소를 이용하면 젖산 외에 초산과 물, 이산화탄소를 생성하고, 혐기조건에서는 효모와 같이 에틸알코올과 이산화탄소를 만들어 낸다.

표 1. 천연발효종 미생물(Microorganisms in Sourdough)

Yeast	Lactic acid bacteria
Saccharomyces cerevisiae	*Lactobacillus sanfrancisco*
Saccharomyces exiguus	*Lactobacillus mindensis*
Candida humulis	*Lactobacillus brevis*
Candida milleri	*Lactobacillus plantarum*
Saccharomyces rosei	*Lactobacillus helveticus*
Saccharomyces rouxxi	*Lactobacillus delbrueckii*
Kluyveromyces fragilis	*Leuconostoc mesenteroides*
Torulopsis celluculosa	*Propionibacterium freundenreichii*
Torulopsis candida	
Pichia saitoi	
Candida krusei	

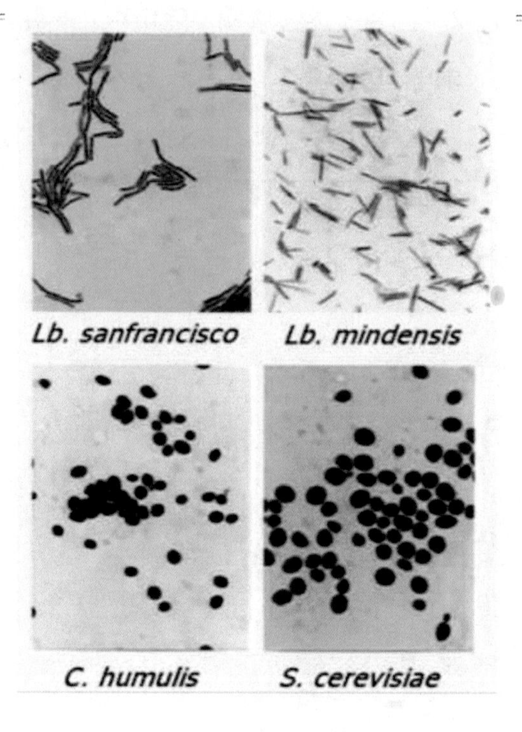

[시판 천연발효종 대표 미생물]

4. 천연발효와 제빵

제빵을 단순하게 '반죽을 부풀려 굽고 풍미를 만드는 과정'이라고 정의한다면, 천연발효종을 첨가한 반죽은 80% 정도는 헤테로 발효성 유산균이, 나머지 20%는 자연효모(Wild yeast)가 반죽을 팽창시키는 이산화탄소 생성에 기여한다. 그리고 발효과정에서 생성되는 알코올과 유기산이 풍미에 기여하게 된다.

~~그런데 제빵사가 반죽을 어떻게 하느냐에 따라 생성되는~~ 유기산 종류와 양에서 큰 차이가 발생한다. 젖산은 진 반죽에서 온도가 35~40℃일 때 많이 만들어지고, 초산은 된 반죽에서 온도가 20℃ 정도일 때 만들어진다. 효모의 증식은 질고 산이 많은 반죽에서 온도가 24~26℃에서 가장 활발하고 알코올 생성에 관여한다. 따라서 빵 맛을 결정하는 가장 맛있다고 하는 신맛의 비율인 젖산 75~80%, 초산 20~25%를 맞추기 위해서는 숙성된 천연발효종의 pH가 3.4~4.2가 되도록 관리되어야 한다.

하지만 pH는 사워도우 숙성의 판단기준일 뿐, 무엇보다도 생산된 산의 품질이 중요하다. 빵이 구워졌어도 풍미가 떨어지고 신맛이 강하면 천연발효종의 미숙이 주된 원인이며, 천연발효종의 첨가량, 숙성 정도에 따라 빵 속(Crumb)의 특성과 품질, 외관, 풍미가 달라지므로 온도와 시간 등의 숙련된 관리가 필요하다.

표 2. 천연발효 미생물과 발효산물

발효형식	주요 발효산물	효과	관여 미생물
알코올발효	알코올, CO_2	팽창, 풍미	효모
Homo 젖산발효	젖산	산미, 보습, 항곰팡이	*Streptococcus*속, *Lactobacillus*속
Hetero 젖산발효	젖산, 초산, 알코올, CO_2	산미, 풍미	젖산균 *Leuconastoc*속
Propionic acid발효	Propionic acid, Acetic acid, CO_2	천연방부	*Propionibacterium*속

천연발효종이 만들어 내는 풍미

천연발효종은 그림 4와 같이 각종 미생물이 만들어낸 대사물질인 알코올류, 카르보닐류, 에스테르류로 인해 다양한 풍미를 내고 있다.

따라서 곡물소재의 풍미를 유지하면서 자연적인 독특한 풍미를 담고 있어 각종 식품의 풍미개선과 이미와 이취를 마스킹하는 용도로 활용한다.

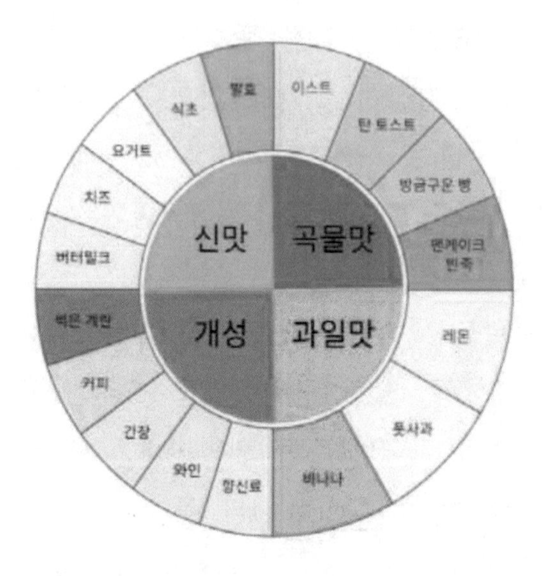

[천연발효종의 풍미 프로파일]

5. 천연발효빵의 장점

사워도우(천연발효종)로 만든 빵은 일반 빵과 차별화되는 장점이 있다. 산화제, 환원제, 유화제, 향료 등을 넣지 않고도 발효과정 중 발생한 유익한 산물들이 전반적인 빵 품질을 높인다.

1) 노화현상이 늦다.

젖산이 빵 전분입자를 팽윤시켜 보습력을 높여 수분 손실률을 낮춘다.(S.S.L(스테아릴젖산나트륨) 같은 유화작용)

2) 글루텐 형성구조가 균일하다.

젖산 및 유기산이 반죽 pH를 낮춰 글루텐 형성과 숙성을 좋게 한다.

3) 다량의 유기산이 함유된 빵을 제조할 수 있다.

유산균과 효모가 알코올류, 카르보닐류, 에스테르류 등을 생성한다. 따라서 천연의 신맛과 독특한 향을 느낄 수 있다.

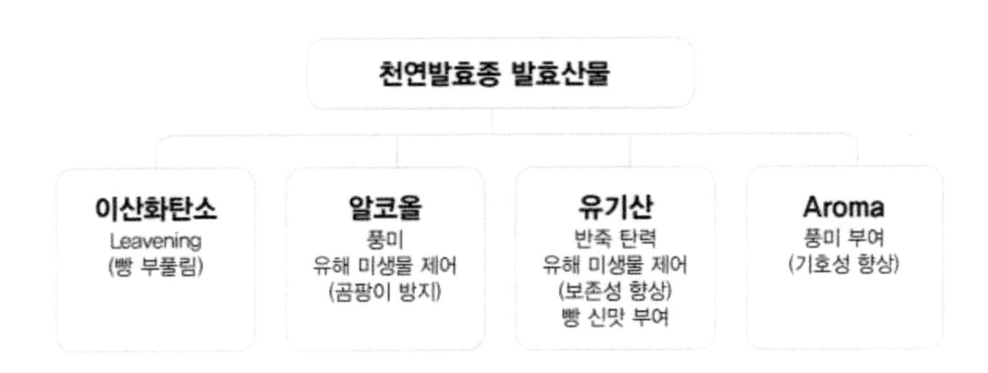

[천연발효종 산물의 기능]

최근에는 빵 이외에도 비스킷, 스낵, 떡, 면 등 다양한 식품에 사워도우를 사용한 제품을 볼 수 있다. 밀, 호밀, 귀리, 듀럼밀 등 다양한 곡물을 이용해 액상, 분말 및 페이스트 형태로 만들어진 제품을 배합시 일정비율로 직접 넣어 만드는데, 기존 제품보다 맛품질 개선에 많은 효과가 있다고 한다.

22장 쌀 천연 발효액종을 첨가한 우리밀식빵의 품질특성 참고자료

식생활의 변화로 쌀 소비량은 점차 감소하고 밀가루의 섭취 증가로 빵의 소비도 지속적으로 증가하고 있으며 여러 기능성 성분을 추가한 건강빵이 출시되고 있다. 이러한 웰빙(well-being) 열풍을 타고 농약을 처리하지 않고 일체의 화학첨가물을 함유하지 않는 우리밀을 사용한 빵제품에 대한 관심이 증가하여 여러가지 기능성 혼합 재료를 첨가한 밀 혼합분에 관한 연구가 활발히 이루어지고 있다. 최근 제빵 산업은 소비자의 건강을 위해 자연 친화적이고 건강지향적인 사워도우(Sourdough) 빵에 대한 다양한 연구와 상품화가 진행되고 있다. 이러한 사워도우는 제빵에서 효모와 같은 팽창제의 역할, 풍미, 소화성, 영양생리, 신선도 및 저장성 기능을 향상시키기 위해서 사용되고 있다.

사워도우 빵은 북유럽에서 곡류를 갈아 거친 상태의 분말에 물을 첨가하여 만들어졌던 오랜역사를 가진 빵의 종류로 밀가루와 호밀가루 등의 탄수화물이 야생효모와 젖산균에 의해 분해 및 발효되어 젖산, 초산, 알코올과 이산화탄소가 형성되어 부풀어 오른 반죽을 구운 것이다. 호밀가루과 보리가루 등의 첨가로 인하여 사워도우 빵은 건강빵으로 인식되고 있으며 풍부한 향, 독특한 맛과 발효시 생성되는 유기산에 의해 반죽의 물성이 개량되고, 유해한 곰팡이의 생육을 억제하며 제품의 노화 억제에 의한 저장 기간을 연장할 수 있다는 장점이 있다.

그러나 starter는 각 나라의 기후와 풍토에 따라서 변화될 수 있으며 사용하는 물의 온도, starter의 관리방법과 발효기간 등에 따라 달라지므로 starter를 만들기 위한 배합이 동일 하더라도 똑같은 starter를 만들기는 어렵기 때문에 그 나라의 환경에 맞는 starter를 제조하여 사용할 필요가 있다. 그러므로 소비자의 다양한 기호와 제품의 고급화를 위해 sourdough starter를 수입하여 사용하기 보다는 우리 땅에서 재배되는 우리 농작물을 이용하여 우리의 제빵 현실에 적합한 starter를 개발할 필요가 있다. 이에 관한 연구로는 sourdough 첨가 보리식빵에 관한 연구(Ryu CH·Kim SY 2005 ;Hong JH et al 2000), sourdough 대체 가능빵의 품질특성(Kim MY·Chun SS 2008a) 및 물리적 특성에 미치는 영향에 관한 연구(Kim SY·Hwang SY2004), 유산균 발효액를 이용한 seed mash의 특성에 관한 연구(Lee MK et al 2009 ; Lee MK et al2006), Koji를 이용한 seed mash의 이화학적 특성(Lee MK et al 2005), 유산균과 비피더스균을 사용한 sourdough의 발효특성(Chae DJ et al 2010), Probio tics-효모 비율을 달리하여 제조한 sourdough 제빵특성(Chae DS et al 2011), 홍국 발효액종을 첨가 식빵에 관한 연구(Kim YE et al 2011; Lee JH et al 2008 ; Lee JH et al 2007) 및 우리밀을 이용한 sourdough stater 특성 및 식빵의 품질특성에 관한 연구(An HL et al 2009, An HL·Lee KS 2009)등이 있다. 천연발효액과 sourdough를 이용한 연구로는 건포도 천연 발효액을 이용한 연구가 있다.

쌀은 도정상태에 따라 영양성분에 차이가 있으나 백미의 경우 탄수화물 75.5%, 단백질 6.8%, 지질 1.3%, 회분 0.3%, 조섬유 0.3% 등으로 구성되며 그 외에 인, 칼슘, 철분 등의 무기질과 비타민 B1, B2, E, 나이아신 등이 포함되어 있다. 또한 필수아미노산인 라이신이 220 mg/100 g 으로 밀가루 140 mg/100g,

~~옥수수 110 mg/100 g, 조 120mg/100 g에 비해 1.5배 이상~~ 함량이 많고 아미노산가는 61로 밀가루 39, 옥수수 31, 조 33 등과 비교해 양질의 단백질을 함유하고 있다. 이러한 영양학적 우수성이 최근에 알려지면서 쌀의 혈압조절기능, 혈당량의 급격한 증가나 인슐린 분비 억제, 돌연변이억제 활성 등 쌀의 기능적 우수성에 대한 연구가 활발히 진행되고 있다.

따라서 본 연구에서는 급수량을 달리하여 쌀 천연 발효액을 제조하고 그 품질 특성을 비교하여 최적의 물 첨가량을 살펴보았다. 또한 제조된 쌀 천연 발효액을 이용하여 천연 발효종을 만들고 이스트(yeast) 대신 첨가하여 우리 밀 식빵을 제조한 다음 이화학적 특성 및 저장성을 살펴보았다.

1. 실험재료

천연발효액 제조에는 쌀(국내산, 전북 김제), 종국(Aspergilus oryzae, 충무발효, 한국), 건포도(캘리포니아산), 물(제주 삼다수, 농심)을 사용하였으며, 우리밀 식빵 제조에 사용된 우리밀가루(한국제분), 버터(서울우유), 설탕(정백당, (주)제일제당), 식염(한주염업), 탈지분유(서울우유), 압착이스트(제니코)는 대형 마트에서 구입하여 사용하였음을 확인하였다.

2. 실험방법

1) 쌀 천연발효액 제조 및 이화학적 특성

가. 입국제조 및 쌀 천연발효액 제조

입국(koji)은 쌀을 수세하여 3시간동안 실온에서 침지한 다음 1시간동안 물을 빼고, 찜기에서 50분 증자한 고두밥을 35℃정도로 식힌 후 종국(Aspergilus oryzae)을 고두밥 대비 0.02% 접종하여 30℃ Incubator에서 50시간 배양한 것을 사용하였다.

쌀 천연발효액 제조는 먼저 수세한 쌀을 3시간동안 침지 후 탈수하여 찜기에서 50분간 찐 고두밥을 실온에서 냉각하였다. 그리고 121℃에서 15분간 멸균처리한 병에 배합비에 따라, 고두밥, 입국, 물을 고두밥의 120%,140%, 160%, 180%를 각각 부어 교반 후 건포도를 첨가하여 27℃ Incubator에서 5일간 배양한 발효액을 60 mesh 체로 여과하여 사용하였다.

나. pH, 적정 산도 및 당도 측정

pH는 pH meter(Metrohn AG CH-91, Hanna,Mauritius)를 사용하여 측정하였고 적정 산도는시료 10 g을 취하여 증류수로 10배 희석시킨 후 0.1 N NaOH로 pH 8.2까지 적정하여 소모된 양을 lactic acid(%, w/w) 함량으로 환산하여 적정산도(%, w/v)로 표시하였다. 당도는 Abbe 굴절당도계 (Hand refractometer, ATAGO, Japan)를 사용하여 측정하다. 모든 실험은 3회 반복하여 그 평균값으로 나타내었다.

다. 에탄올 측정

에탄올은 시료 100mL를 증류한 다음 0.1도 단위의 주정계를 사용하여 3회 반복 측정하여 그 평균값으로 나타내었다. 젖산균 및 효모 균수 측정 쌀 천연발효액의 젖산균은 Lactobicillus MRS agar (Difco, USA) 배지, 효모는 Potato Dextrose Agar (Difco, USA)를 각각 사용하였다. 먼저 시료1g을 취한 후 멸균한 9mL saline 용액으로 10배 희석한 다음 homogenizer를 이용하여 균질화 시킨 후 평판주가법에 의해 무균적으로 각 배지에서 도말하여 30℃에서 48시간 배양한 다음 나타난 각각 젖산균과 효모의 고유 colony 수가 30~300개 나타내는 평판배지를 선택하여 계측하였다.

라. 발효율 측정

발효율은 반죽 직후의 원종을 100 g씩 채취한 후 반죽을 둥글게 만들어 500 mL mess cylinder에 넣어 매 시간마다 발효(30℃, 상대습도 80%)가 끝난 직후에 팽창된 반죽의 높이를 측정하여 부피(mL)로 나타내었다. 모든 실험은 3회 반복하여 그 평균값으로 나타내었다.

3. 쌀 천연발효액종을 이용한 우리밀 식빵 제조 및 특성

1) 쌀 천연발효액종 제조

쌀 천연발효액종은 Freund W(2006)의 multiple-stage법을 변형하여 제조하였다. 0일은 우리밀 300g과 쌀 천연발효액 300g을 혼합한 직후, 1일은 27℃에서 24시간 배양하였고 2일은 1차 배양된 쌀 천연 발효종 600g 중 300g을 취하여 우리밀 600g과 물 600g을 혼합하여 다시 27℃에서 24시간 배양하였다. 3일차는 2차 배양된 우리밀 천연 발효종 1500g 중 600g을 취하여 우리밀 1200g과 물 1200g을 혼합하여 27℃에서 24시간 동안 정치 배양하여 사용하였다.

2) 쌀 천연발효액종 첨가 우리밀 식빵 제조

식빵제조를 위한 배합비율은 밀가루를 100%로 기준하여 각 재료들을 Baker's percent로 나타내었고 대조구를 기준으로 쌀종을 각각 0%, 10%, 30%, 50% 및 70%로 첨가하여 제조하였다.
먼저 반죽기(Model HZ,Hobart Co. Ltd., USA)에 모든 재료를 한꺼번에 넣고 저속에서 2분, 고속에서 9분 동안 혼합하였다.
이때 반죽온도는 27℃로 하였고 1차 발효는 27℃, 상대습도 80%에서 3시간 동안 발효시킨 다음 500g 씩 분할 후 둥글리기를 하여 실온에서 20분간 중간발효 시켰다. 반죽은 one-loaf로 성형하여 틀(21.5 × 9.7 × 9.5 cm)에 팬닝한 후 38℃, 상대습도 85%의 발효기에서 2시간동안 2차 발효를 한 후 윗불 온도 180℃, 아랫불 온도 190℃로 맞춘 오븐에 넣어 25분간 구웠다.

구워진 빵은 실온에서 완전히 방냉 후 polyethylene vinyl bag에 넣어 25℃에서 5일간 저장하면서 실험에 사용하였다.

3) 반죽의 pH 측정

반죽의 pH는 직접 탑침봉을 꽂아서 측정하는 surface electrode method를 사용하였다. 즉 반죽에 pH 탐침봉을 5cm깊이로 꼽고 정확히 5초 후에 pH meter(Model PB-10,Sartorias, Germany)로 3회 반복 측정하여 평균값으로 나타내었다.

4) Farinograph 측정

Farinogram 특성 측정은 AACC법(2000)에 따라 Farinogram-E (M81044, Brabender Co., Ltd.,Germany)를 사용하여 측정하였다. Mixing bowl의 온도를 30±0.2℃로 조정하고 밀가루 280g(수분 14% 기준)과 25℃에서 4시간 발효한 액종 10, 30, 50, 70%를 첨가하여 혼합하는 동안 curve의 중앙이 500±20 B.U.에 도달할 때까지 흡수량을 조절하였다.
이 과정에서 수분흡수율(water absorption), 반죽형성시간(dough development time), 반죽안정도(stability), 반죽탄력도(elasticity) 등을 3회 반복 측정하여 평균값으로 나타내었다.

5) 반죽의 호화도 측정

점도측정은 Rapid Visco Analyser(RVA, Model 3D, Newport Scentific, Australia)를 이용하여 측정하였다. 시료 3.5g에 증류수 25.0 mL를 첨가하여 현탁액을 만든 후, 1분당 5℃의 속도로 25℃에서 95℃까지 가열한 다음 다시 1분당 5℃로 95℃에서 50℃까지 냉각하였다. 호화개시온도, 최고점도, 최고점도 후에 나타나는 최저점도, 최고점도에서 최저 점도를 뺀 값인 break down과 최종점도, 최종점도에서 최저점도를 뺀 값인 setback을 3회 반복 측정하여 평균값으로 나타내었다.

6) 식빵의 영상(Crumb Scan) 분석

각 시료를 3개씩 형태가 양호한 식빵을 선택하여 식빵절단기를 사용하여 12.5 mm 두께로 절단한 다음, 식빵의 가장 중앙부분인 8번째의 단면을 CrumbScan을 사용하여 분석하였다. 최종결과의 객관성과 정확성을 높이기 위해서 한 구역에서 10% 이상 어둡거나 (intensity=0.1) 크기가 500 pixels (size=500) 이상으로 나타난 기공들은 성형실수로 설정하였으며, 1구역간의 중복율은 10% (over lap=0.1)로 하였다. CrumbScan에 의한 부피측정은 식빵의 길이를 19.5 cm로 하여 가장 양호한 8번째의 식빵의 단면을 각각 3개씩 분석하여 그 평균값으로 결과를 얻었다.

7) 식빵의 무게, 부피 및 비용적 측정

쌀 천연발효종을 이용한 우리밀 식빵을 실온에서 1시간 방냉 후 전자저울을 사용하여 무게(g)를 측정하였고, 부피(mL)는 종자치환법으로 측정하였다. 2,940 mL 용기에 좁쌀을 가득 채운 후 식빵을 완전히 잠기게 하였을 때 흘러나온 좁쌀의 양을 측정하여 식빵의 부피를 구하였다. 비용적(specific volume. mL/g)은 부피(mL)를 식빵의 무게(g)로 나누어 구하였으며 모든 실험은 3회 반복 측정하여 평균값으로 나타내었다.

8) 식빵의 저장기간 중 품질변화(25℃, 5일)

① 수분함량 및 pH 측정

수분함량은 식빵의 crumb 부분 1g을 취한 다음 적외선 수분측정기를 이용하였다. pH는 식빵의 crumb 부분 10g을 증류수 50mL에 넣고 5분간 균질화 한 후 5분간 방치한 다음 상층액을 pH meter(Model PB-10, Sartorias, Germany)로 3회 반복 측정하여 평균값으로 나타내었다.

② 곰팡이 발생 측정

식빵의 저장 중 곰팡이의 번식정도를 육안으로 관찰하기 위하여 식빵의 crumb 부분을 일정한 크기(5×5×5 cm)로 절단한 식빵을 3개씩 폴리에틸렌 백에 넣어 25℃에서 보관하면서 생성된 곰팡이를 5일간 24시간 간격으로 계수하여 저장가능 기간을 비교하였다.

③ 색도 측정

색도는 식빵의 crumb 부분을 색도계를 사용하여 측정하였고, 각 시료의 L(명도), a(적색도), b(황색도)값을 3회 측정하여 평균값으로 나타내었으며, 이때 사용된 calibration plate는 L: 94.50, a: .3032, b:.3193 이다.

④ Texture 측정

식빵의 texture 측정은 texture analyzer를 사용하여 식빵을 실온에서 1시간 냉각 후 폴리에틸렌 백에 넣고 5일 동안 상온(25℃)에서 보관하며 측정하였다. 식빵의 crumb 부분을 경도(hard ness), 탄력성(springiness), 응집성(cohesiveness),씹힘성(chewiness), 검성(gumminess)을 3회 반복 측정하여 평균값으로 나타내었다.

4. 쌀 천연발효액의 이화학적 특성

1) pH, 적정산도 및 당도 변화

급수량을 달리한 쌀 발효액을 27℃에서 5일간 배양하면서 pH, 총 산도 및 당도 변화를 살펴본 결과는 담금 직후 pH는 5.13~5.51로 나타났으며 물 160% 첨가군의 pH가 가장 높았고 물 180% 첨가구의 pH가 가장 낮았다($p<0.001$). 배양시간이 경과할수록 pH는 지속적으로 감소하였으며 물 120% 첨가구를 제외한 다른 첨가구들은 배양 4일째 pH가 가장 낮았으나 물 120% 첨가구는 배양 3일째 pH가 가장 낮게 나타나 차이를 보였다($p<0.001$).

쌀 천연발효액의 산도는 제조직후 0.22~0.24였으나 배양 1일 0.42~0.48로 2배 가까이 증가하였다. 물 120% 첨가구는 배양 시간이 경과할수록 총산도는 지속적으로 증가하였으나 물 140, 160, 180% 첨가구들의 총산도는 배양 3일까지 증가하였다가 4일째 감소한 후 다시 증가하였다. 배양기간 동안 pH 변화가 가장 작았던 물 140% 첨가구의 산도가 가장 낮았으며 물 120% 첨가구가 가장 높게 나타나 차이를 보였다($p<0.001$).

물 첨가량이 적거나(120%) 많을수록(180%) pH가 낮고 산도는 높았으며 중간 정도의 물 첨가량(140-160%)일 때 pH가 높고 총산도가 낮게 나타나 물 첨가량에 따른 pH와 총산도의 차이를 보였다. Sourdough starter에 의하여 발효 중 생성되는 물질은 ethanol, acetic acid, lactic acid, ethyl acetate등으로 이중에서 acetic acid, lactic acid 등은 산도를 증가시키고 pH를 낮춘다. 그러므로 쌀 발효액의 pH와 적정산도의 변화는 배양하는 동안 미생물에 의해 발효되면서 생성된 lactic acid와 acetic acid 등의 여러 가지 산의 생성과 관계가 있으리라 사료된다.

쌀 천연발효액의 당도는 담금 직후 8~8.6brix%로 물 첨가량이 많을수록 높았다($p<0.05$). 그러나 배양기간이 경과할수록 물 120% 첨가구의 당도가 가장 높았고 180% 첨가구의 당도가 가장 낮게 나타나 물 첨가량이 증가할수록 당도는 감소하는 경향을 보였다($p<0.001$). 배양기간동안 당도는 3일까지는 모든 첨가구에서 당도가 증가하였으나 배양 4일부터 감소하는 경향을 보였다.

건포도 발효액의 당도는 배양 2일째까지 크게 증가하다가 3일부터 점차 감소하여 본 연구에서와 유사한 결과를 나타내었는데 이러한 당도 변화는 발효액내에 존재하는 효모가 증식되면서 당분을 먹이로 하여 발효작용이 활발해지기 때문이라 보고하였다.

2) 에탄올 함량

쌀 천연발효액을 5일간 발효시킨 후 에탄올 함량을 측정한 결과는 쌀 천연발효액(RS120~RS180)의 에탄올 함량은 4.1~6.4%였으며 물 140% 첨가구가 가장 높았고 물 180% 첨가구가 가장 낮았다($p<0.001$). 이러한 에탄올 함량은 효모의 생육과 관계가 있는데 효모수가 가장 많이 계측된 물 140% 첨가구의 에탄올 함량이

가장 많았고 상대적으로 효모수가 가장 적었던 물 180% 첨가구의 에탄올 함량이 가장 적게 나타났다.

3) 젖산균 및 효모수 변화

쌀 천연발효액을 27℃에서 5일간 배양하면서 젖산균의 변화를 측정한 결과 젖산균은 배양 1일째 물 140% 첨가구가 2.74×106 CFU/g으로 가장 낮았고 물 120% 첨가구가 5.70×106 CFU/g으로 가장 높았다(p〈0.001). 배양기간이 경과할수록 젖산균은 꾸준히 증가하여 배양 4일째 모든 시료에서 108CFU/g 이상 계측되어 가장 높은 균수를 보였으나 4일이 지나면서 다시 감소하는 경향을 보였다(p〈0.001).

특히 배양 초기 3.01×106CFU/g였던 물 180% 첨가구가 가장 많은 젖산균수의 변화를 보였으며 배양기간 동안 다른 시료들보다 더 많은 젖산균을 가진 것으로 나타났다. 쌀 천연발효액의 효모균수 측정 결과와 같이 물 140% 첨가구가 5.81×105CFU/g으로 가장 높았고 물 180% 첨가구가 2.30×104CFU/g으로 가장 낮게 나타났다(p〈0.001).

모든 시료에서 배양기간이 경과할수록 효모수는 지속적으로 증가하였다(p〈0.001). 특히 물 140% 첨가구가 다른 시료들보다 더 많은 효모수가 계측되었으며 배양 5일에는 1.21×108CFU/g으로 가장 높게 나타났다(p〈0.001).

젖산균수가 가장 높았던 물 180% 첨가구가 가장 낮은 효모수를 보였고 반면 젖산균수가 가장 낮았던 물 140% 첨가구가 가장 높은 효모수를 가진 것으로 나타났다. 건포도 천연발효액 연구에서 건포도액의 효모수는 배양 5일까지 크게 증가하다가 6일째부터 점차 감소하는 경향을 보였는데 이러한 효모수의 변화는 효모를 제외한 기타 미생물의 생장이 촉진되어 효모에 대한 영양원이 고갈되고, pH가 증가함에 따라 효모의 생장이 억제되기 때문이라고 하였다.

참고문헌에서는 배양 5일까지만 측정하여 6일째 변화를 살펴볼 순 없었으나 배양 5일까지 효모수가 지속적으로 증가하여 건포도 천연발효액과 유사한 결과를 보였다.

4) 쌀 천연발효액의 발효율(%)

쌀 천연발효액의 발효율을 측정한 결과는 발효율은 발효시 생성되는 CO2 가스와 밀접한 관계가 있으므로 효모의 활성이 반영된다고 할 수 있다. 발효율은 발효 3~4시간까지 증가하였고 그 이후 별다른 변화를 보이지 않다가 8시간이 경과하자 다소 감소하는 경향을 보였다($p<0.001$). 물 160% 첨가구의 발효율이 가장 낮았으며 물 140% 첨가구의 발효율이 가장 높게 나타났다($p<0.001$). 이는 물 140% 첨가구의 효모수가 가장 많이 계측되었으므로 효모의 작용으로 발효율이 높게 나타난 것으로 사료된다. 발효율이 급격하게 증가하였으나 일정시간 경과 후 오히려 감소하였다.

~~이는 발효시간 길어질수록 연속적으로 발효율이 증가하는 것이~~ 아니라 반죽이 산성화가 되면서 오히려 감소하는 것으로 생각된다.

5. 쌀 천연발효액종을 이용한 우리밀 식빵의 품질특성

급수량을 달리한 쌀 천연발효액 중 pH, 당도가 높고 효모균수, 발효율이 높아 제빵적성이 가장 우수하다고 판단된 물 140% 첨가구를 이용하여 천연발효액종을 만든 다음 이스트 대체 0, 10, 30, 50, 70%를 첨가하여 우리밀 식빵을 제조한 후 그 품질특성을 살펴본 참고문헌을 통해 과학적 사실에 근거한 체계적인 제품개발에 도움이 되고자 한다.

1) 반죽의 pH

천연발효종인 쌀종을 첨가하여 제조한 식빵 반죽을 27℃에서 1차 발효동안 pH변화를 살펴본 결과이다. 제조직후 반죽의 pH는 쌀종 10% 첨가구만 대조구보다 낮았고 나머지 쌀종 첨가구들은 첨가량이 증가할수록 높았다. 발효시간이 길어질수록 대조구의 pH는 점차 감소하여 150분 경과시의 pH가 5.50으로 가장 낮았다.
쌀종 10% 첨가구를 제외한 다른 첨가구들의 pH는 발효 90분까지는 증가하다가 90분이 지나면서 감소하는 경향을 보여 대조구와 차이가 있었다($p<0.001$).

2) Farinograph(파리노그래프)

쌀종 첨가 반죽과 첨가하지 않은 반죽의 farinograph 특성을 분석한 결과는 대조구의 수분흡수율은 63.0%였으며 쌀종 첨가군은 57.2~24.0%로 쌀종 첨가량이 증가할수록 수분흡수율은 감소하였다. Sourdough를 이용한 제빵 특성에서 sourdough 첨가량 증가시 수분흡수율이 감소하였는데 이는 sourdough의 양에 비례하여 흡수율이 낮게 나타난 결과라고 보고하였다. 본 연구에서도 쌀종을 첨가할수록 수분흡수율이 감소하여 같은 결과를 보였다.

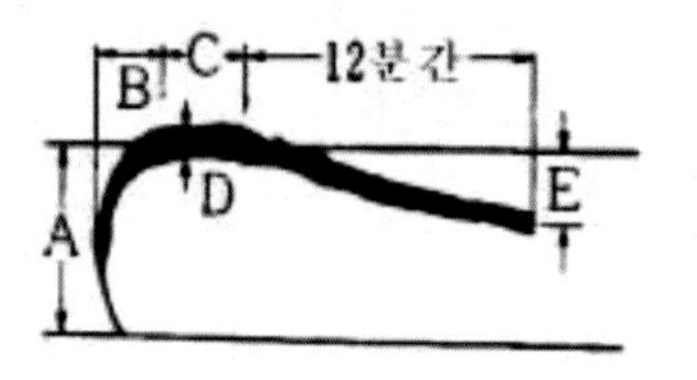

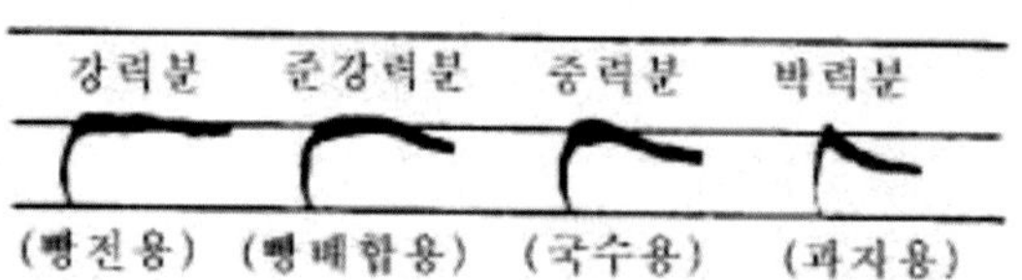

A : 바탕의 견고도
B : 반죽 시간
C : 바탕의 안정도
D : 탄성
E : 바탕의 약화도

반죽생성시간은 대조구가 8.15분으로 가장 길었고 쌀종을 첨가할수록 시간은 짧아서 70% 첨가구가 1.45분으로 가장 짧았다($p<0.001$). 반죽 안정도는 대조구가 23.3분이었고 쌀종 첨가군이 18.3~ 5.15분으로 나타나 대조구가 쌀종 첨가군보다 5~18.15분 정도 더 길어 유의적인 차이가 있었다($p<0.001$). sourdough의 양이 많을수록 수화속도나 반죽 도달시간이 빨라진다는 것을 알수가 있다.

또한 보리 sourdough를 만들어 제빵성 연구를 한 결과 젖산균을 처리한 실험구에서 수분흡수율이나 안정도가 감소하는 것으로 나타나 본 연구와 유사한 결과를 나타내었다. 반죽의 강도는 대조구가 74.0 FU로 가장 컸고 쌀종 첨가량이 증가할수록 감소하여 70% 첨가구의 강도가 37.0 FU로 가장 낮았다($p<0.001$).

탄력도는 대조구와 쌀종 10%, 30% 첨가구 사이에서는 유의적인 차이가 없었으나 쌀종 50%, 70% 첨가구들은 대조구보다 더 높게 나타났다. 반죽의 약화도는 대조구와 쌀종 10% 첨가구가 가장 낮았고 쌀종 첨가량이 증가할수록 값이 커져 70% 첨가구의 약화도가 가장 높았다($p<0.001$). 유청 발효물을 첨가한 반죽의 경우 긴 반죽생성시간, 짧은 안정도, 긴 약화도 등으로 반죽의 안전성은 떨어진다고 하였는데 짧은 반죽생성시간과 안정도, 긴 약화도를 보여 다소 다른 결과를 보였다.

3) 호화(RVA) 특성

쌀종 첨가 반죽의 RVA에 의한 호화특성은 호화개시온도 대조구가 68.25℃, 쌀종 첨가구들은 89.75~91.25℃ 범위로 나타나 쌀종 첨가량이 증가함에 따라 호화개시온도가 유의적으로 증가하였다($p<0.001$). 최고점도는 대조구의 경우 1498.0 RVU이었으며 쌀종 첨가량이 증가할수록 유의적으로 감소하여 쌀종 70% 첨가구의 경우 1194.0 RVU이었다($p<0.001$). 최저점도는 대조구(967.0 RVU)가 가장 높았고 쌀종 첨가량이 증가할수록 감소하는 경향을

보였다($p<0.001$). 최종점도는 대조구에서 1998.0 RVU를 나타냈으며 대조구와 비교하였을 때 쌀종 첨가량에 따라 1812.0~1567.0 RVU로 나타났고 쌀종 첨가량이 증가할수록 최종 점도는 감소하였다($p<0.001$). 전분입자의 파괴정도는 대조구가531.0 RVU이였으며 쌀종 10% 첨가구는 대조군과 유의적인 차이가 없었으나 쌀종 첨가량이 증가할수록 유의적으로 감소하여 쌀종 70% 첨가구가 435.0 RVU로 가장 낮았다. 노화정도(setback)는 대조구에서 1031.0 RVU를 나타냈고 쌀종 첨가구들은 917.0~808.0 RVU로 나타나 쌀종 첨가량이 증가함에 따라 유의적으로 감소하였다($p<0.001$).

노화정도(setback) 값이 클수록 노화정도가 빠르게 진행됨을 추정할 수 있는데 쌀종 첨가량이 증가할수록 노화도가 감소하여 쌀종 첨가가 노화지연효과가 있음을 알 수 있었다. Sourdough 분말 첨가구가 setback값이 낮게 나타났으며 국발효액종 첨가량이 증가할수록 setback값이 낮아져 노화현상을 지연시킨다고 보고한 참고문헌의 연구 결과가 있다.

4) CrumbScan 분석

천연발효종인 쌀종 첨가 우리밀 식빵의 특성을 분석하기 위해서 CrumbScan을 이용하여 영상분석을 하였으며 기공의 조밀도는 시료간의 유의적인 차이는 없었다. 쌀종 첨가량이 많을수록 조밀도는 높아지는 것으로 나타났다. 기공의 찌그러짐은 쌀종 70% 첨가구가 1.43으로 가장 컸고 쌀종 50% 첨가구 및 대조구와는 유의적인 차이가 없었으나 쌀종 10% 첨가구가 1.23으로 기공의 찌그러짐이 가장 작아 대조구와 차이를 보였다(p〈0.001).

껍질의 두께는 쌀종 10% 첨가구가 가장 얇았으며 쌀종 첨가량이 증가할수록 껍질이 두꺼워지는 경향을 보였다. 즉 쌀종 첨가량이 증가할수록 기공이 조밀해지고 잘 찌그러지며 껍질 두께는 두꺼워지는 것을 알 수 있었다.

5) 식빵의 무게, 부피, 비용적 측정

쌀종 첨가 식빵의 무게, 부피, 비용적을 측정한 식빵의 무게는 대조구가 442.0 g이었고 쌀종 첨가군이 448.0~459.0g으로 나타나 대조구보다 쌀종 첨가군의 무게가 더 높았다(p〈0.001). 특히 쌀종 50% 첨가군의 무게가 가장 컸으며 쌀종 첨가량이 증가할수록 무게도 증가하는 경향을 보였다. 식빵의 부피는 대조구보다 쌀종 70% 첨가구, 50% 첨가구의 부피가 더 컸으며 쌀종 첨가량이 증가할수록 부피도 증가하였다(p〈0.001). 비용적은 부피가 가장 컸었던 쌀종 70% 첨가구가 4.37, 대조구 3.90, 쌀종 50% 첨가구가 3.86으로 나타났으며 부피가 가장 작았던 쌀종 10% 첨가구가 비용적도 가장 작게 나타났다($p<0.001$).

6) 쌀종 첨가 우리밀 식빵의 저장기간 중 품질변화

(1) 수분함량 변화

쌀종 첨가 식빵을 25℃에서 5일간 저장하면서 수분함량 변화를 살펴본 결과 저장 1일 대조구의 수분함량이 40.8%였고 쌀종 첨가군은 38.3~39.2%로 나타나 대조구보다 쌀종 첨가구들의 수분함량이 더 낮았고 70% 첨가구가 가장 낮은 수분함량을 보였다($p<0.001$). 대조구는 저장기간이 경과할수록 수분함량이 지속적으로 감소하였으며 저장 3일이 지나면서 급격하게 감소하였다.

쌀종 첨가구들 역시 저장기간이 길어질수록 지속적으로 수분함량이 감소하였으며 저장 5일의 수분함량이 가장 낮았다($p<0.001$). 저장 5일 쌀종 10%와 30% 첨가구는 대조구보다 낮은 수분함량을 보였으나 쌀종 50%첨가구는 대조구와 유의적인 차이가 없었다($p<0.001$). 곰팡이 발생 측정은 천연발효액종을 이용하여 제조한 식빵을 28℃에서 7일간 저장하면서 빵 외부표면의 곰팡이 형성을 육안으로 관찰한 결과이다.

쌀종 첨가 식빵의 경우 대조구는 저장 3일째 빵의 외부표면에 곰팡이가 발생하였고 쌀종 10% 첨가구(R10)도 마찬가지로 3일째 외부표면에 곰팡이가 발생하였다. 쌀종 30% 첨가구는 저장 5일째 곰팡이가 발생하였으며 쌀종 50% 첨가구와 70%첨가구는 저장 6일째 곰팡이가 발생하여 쌀종 첨가량이 증가할수록 곰팡이 발생이 지연되는 결과를 보였다. 이는 젖산균이 생성한 젖산이나 초산 등의 유기산 등에 의해 미생물의 생육이 저해되어 보존기간이 연장되었다는 연구결과와 유사하였다.

Sourdough를 이용한 제빵적성연구에서 대조구는 3일만에 곰팡이가 발생하였으나 sourdough 첨가구는 6일 후에 곰팡이가 발생하여 대조구에 비해 약 3일의 보존기간이 늘어났으며 Sourdough 첨가 보리식빵에서는 대조군은 96시간 경과시 곰팡이가 발견되었으나 sourdough가 첨가된 빵에서는 144시간이 지난 후에도 곰팡이가 생기지 않아 starter 첨가군의 곰팡이 발생속도가 지연되어 저장성 개선 효과가 있다고 밝혀 본 연구 결과와 같았다. 이러한 결과는 쌀 천연발효액종을 첨가함으로써 빵의 저장성을 향상시킬 수 있을 것으로 생각된다.

(2) 색도변화

쌀종 첨가 식빵을 25℃에서 5일간 저장하면서 색도변화를 측정한 결과, 명도 L값은 대조구가 66.87이었고 쌀종 첨가군이 67.22~68.36으로 나타나 대조구보다 더 높았다($p<0.05$). 저장기간이 경과할수록 대조구의 명도 L값은 증가하다가 저장 3일이 지나면서 다소 감소하는 경향을 보였으나 저장기간에 따른 유의적인 차이는 없었다. 쌀종 10% 첨가구도 저장기간동안 다소 증감이 있었으나

저장기간에 따른 유의적인 차이는 없었다. 쌀종 30% 첨가구는 저장 3일이 지나면서 명도 L값이 감소하는 경향을 보였다(p〈0.01) 쌀종 50% 첨가구는 저장 3일까지는 명도 L값이 증가하였다가 다시 감소하였으며(p〈0.001), 쌀종 70% 첨가구는 저장 3일째 명도 L값이 가장 높았다가 다시 감소하였다(p〈0.01). 적색도 a값은 대조구가 -1.47, 쌀종 첨가군이 -1.78~-1.51로 나타나 대조구의 적색도 값이 더 높았다(p〈0.001). 저장기간이 경과할수록 대조구와 쌀종 첨가군간에 유의적인 차이는 없었다.

저장기간별로 살펴보면 대조구, 쌀종 50% 첨가구, 쌀종 70% 첨가구는 저장기간 동안 적색도값의 변화가 없었으나 쌀종 30% 첨가구는 저장기간이 길어질수록 감소하는 경향을 보였다(p〈0.001). 황색도 b값은 대조구가 9.43이었고 쌀종 첨가군이 10.25~11.75로 나타나 대조구보다 쌀종 첨가구의 황색도 b값이 더 높게 나타났다(p〈0.001). 저장기간 동안 모든 시료에서 황색도 값의 변화는 크게 나타나지 않았으며 쌀종 10% 첨가구가 대조구와 다른 쌀종 첨가구에 비해서 황색도 값이 가장 높게 나타나 차이를 보였다.

(3) Texture 변화

쌀종 첨가 식빵을 25℃에서 5일간 저장하면서 texture 변화를 측정한 결과, 경도(hardness)는 대조구가 285.0으로 가장 낮았고 쌀종 10% 첨가구가 1902.6으로 가장 높았으며 쌀종 첨가량이 증가할수록 경도는 감소하였다(p〈0.001).

대조구는 저장기간이 경과할수록 경도가 높아져 저장 5일에 552.4로 가장 높은 값을 보였다($p<0.001$). 쌀종 10%, 50%, 70% 첨가구는 저장기간이 길어질수록 경도가 증가하였으나 쌀종 30% 첨가구는 경도가 감소하여 시료간의 유의적인 차이가 있었다($p<0.001$) 전반적으로 대조구보다 쌀종 첨가구의 경도가 더 높아 질감이 단단한 것으로 나타났다. 호밀-밀 혼합빵의 저장 중 경도의 변화에서 대조군과 호밀사워도우 대체군들 모두 저장기간이 길어질수록 유의적으로 증가하였다.

응집성(cohesiveness)은 대조구가 0.447이었고 쌀종 첨가구가 0.274~0.414로 나타나 대조구가 쌀종 첨가구보다 더 높았으며($p<0.05$), 쌀종 첨가량이 증가할수록 응집성이 증가하였으며 대조구와 쌀종 첨가구 모두 저장기간이 길어질수록 응집성은 낮아졌다($p<0.001$). 탄력성(Springiness)은 대조구(0.804)가 쌀종 첨가구(0.699~0.783)보다 더 높았고 쌀종 첨가량이 많을수록 탄력성도 증가하였다($p<0.05$). 저장기간이 경과할수록 대조구를 포함한 모든 시료의 탄력성은 감소하였으며 쌀종 첨가구 중 쌀종 50% 첨가구의 탄력성이 높게 나타났다.

식빵의 검성(Gumminess)은 대조구가 0.127로 가장 낮았고 쌀종 10% 첨가구가 0.518로 가장 높았으며 쌀종 첨가량이 많을수록 검성은 낮아지는 경향을 보였다($p<0.001$). 대조구와 쌀종 10% 첨가구의 검성은 저장기간동안 다소 감소하긴 했으나 저장 4일

부터 다시 증가하여 저장 5일의 검성이 가장 높았다(p〈0.01, p〈0.001). 그러나 쌀종 30%, 50%, 70% 첨가구는 저장기간이 길어질수록 감소하여 시료간의 유의적인 차이가 있었다(p〈0.001). 씹힘성(Chewiness)은 대조구(1.114)가 쌀종 첨가구(2.083~4.009)보다 더 낮았으며 쌀종 첨가량이 증가할수록 씹힘성은 감소하여 쌀종 70% 첨가구가 낮게 나타났다(p〈0.001).

대조구와 쌀종 10% 첨가구의 씸힘성은 저장기간 동안 다소 감소하긴 했으나 저장 4일부터 다시 증가하여 저장 5일의 씸힘성이 가장 높았다(p〈0.01,p〈0.001). 그러나 쌀종 30%와 50% 첨가구는 저장기간이 길어질수록 감소하여 시료간의 유의적인 차이가 있었다(p〈0.001).

(4) 관능검사

쌀종 첨가 식빵의 관능검사 결과 입안에서의 느낌은 대조구보다 쌀종 50%와 70% 첨가구가 더 좋다고 평가하였으며 시료간의 유의적인 차이를 보였다(p〈0.001). 외관의 기호도는 대조구가 6.40으로 가장 좋다고 평가하였으나 쌀종 50%와 70% 첨가구도 대조구와 유의적인 차이는 없었다(p〈0.01). 향미의 기호도는 대조구, 쌀종 50%와 70% 첨가구는 유의적인 차이가 없었으나 쌀종 10%와 30% 첨가구는 대조구보다 유의적 으로 낮았다(p〈0.001). 질감의 기호도는 대조구가 7.20으로 가장 높았고 쌀종 첨가구가 상대적으로 낮았으며 쌀종 첨가량이 증가함에 따라 질감의 기호도도 증가하였다(p〈0.001). 맛의 기호도는 대조구와 쌀종 10% 첨가구를 제외하고는 유의적인 차이가 없었다(p〈0.01). 전반적인 기호도에서 대조구와 쌀종 50% 첨가구가 6.20으로 가장 높게 평가되어 시료간의 유의적인 차이가 있었다(p〈0.001).

■ 결론도출

참고문헌의 공통점은 급수량을 달리하여 제조한 쌀 천연발효액을 이용하여 제조한 발효액종을 yeast 대체 10%, 30%, 50%, 70%를 첨가하여 우리밀 식빵을 만든 다음 그 품질특성을 살펴보았다. 급수량을 달리하여 27℃에서 5일간 배양한 쌀 천연발효액의 pH는 배양기간이 경과할수록 감소하였으나 적정 산도는 증가하였다. 쌀 발효액의 당도는 배양 3일이 지나면서 감소하는 경향을 보였으며 에탄올 함량은 물 140% 첨가구가 6.4%로 가장 높았다.

젖산균은 배양기간이 경과할수록 꾸준히 증가하여 배양 4일째 모든 시료에서 108CFU/g 이상 계측되어 가장 높은 균수를 보였으나 4일이 지나면서 다시 감소하는 경향을 보였다. 특히 물 180% 첨가구가 가장 많은 젖산균수의 변화를 보였으며 배양기간 동안 다른 시료들보다 더 많은 젖산균을 가진 것으로 나타났다. 효모수는 모든 시료에서 배양기간이 지날수록 지속적으로 증가하였으며 배양 4일이 지나면서 급속하게 증가하는 경향을 보였다.

특히 물 140% 첨가구가 다른 시료들보다 더 많은 효모수가 계측되었으며 배양 5일에 1.21×108CFU/g으로 가장 높게 나타났다. 젖산균수가 가장 높았던 물 180% 첨가구가 가장 낮은 효모수를 보였고 반면 젖산균수가 가장 낮았던 물 140% 첨가구가 가장 높은 효모수를 가진 것으로 나타났다. 쌀 천연발효액의 발효율은 효모수가 가장 많았던 물 140% 첨가구가 가장 높았다.

쌀종을 첨가하여 제조한 우리밀 식빵 반죽의 pH는 쌀종 10% 첨가구만 대조구보다 낮았고 나머지 쌀종 첨가구들은 첨가량이 증가할수록 높았다. 쌀종 첨가구들의 pH는 발효 90분까지는 서서히 증가다가 90분이 지나면서 감소하는 경향을 보여 대조구와 차이가 있었다(p〈0.001). Farinograph 특성을 분석한 결과 쌀종을 첨가할수록 수분흡수율, 반죽생성시간과 반죽 안정도는 감소하였으며 탄력도 및 반죽의 약화도는 높게 나타났다. RVA의 호화특성에서 호화개시온도는 대조구보다 쌀종을 첨가할수록 증가하였으나 최고점도, 최저점도, 최종점도, 전분입자의 파괴정도 및 노화정도는 감소하여 대조구와 유의적인 차이가 있었다(p〈0.001).

CrumbScan 분석결과 쌀종 첨가량이 증가할수록 기공의 조밀도, 기공의 찌그러짐, 껍질의 두께 모두 증가하는 경향을 보였다. 쌀종 첨가 식빵의 무게는 대조구보다 쌀종 첨가구가 더 높았으며 부피는 쌀종 첨가 50% 이상에서 대조구보다 더 높게 나타났다. 저장기간(25℃, 5일) 중 품질변화를 살펴본 결과 수분함량은 저장기간

동안 감소하였으며 쌀종 50%와 70% 첨가구는 대조구보다 높거나 유의적인 차이가 없었다. 빵 외부표면의 곰팡이 형성을 육안으로 관찰한 결과 쌀종 첨가량이 많을수록 곰팡이 발생이 지연되어 저장성 개선효과가 있었다. 색도측정에서 저장초기 명도 L값과 황색도 b값은 대조구보다 쌀종 첨가구가 더 높았으며 적색도 a값은 쌀종 첨가구보다 대조구가 더 높게 나타났다.

쌀종 첨가 식빵의 경도는 쌀종 첨가군이 대조구보다 더 높았으나 응집성과 탄력성은 대조구가 더 높았다. 검성과 씹힘성은 쌀종을 첨가할수록 감소하였고 저장기간동안 다소 감소하는 경향을 보였다. 관능검사에서 입안에서의 느낌은 쌀종 50%와 70% 첨가구가 가장 높게 평가되었으며 질감의 기호도는 대조구가 가장 높았다.

외관, 향미, 맛과 전반적인 기호도는 대조구와 쌀종 50%, 70% 첨가구가 유의적인 차이가 없었다. 이상의 결과로 볼 때 쌀 천연발효액 제조시 적정 물 첨가량은 140% 정도가 적합하며 쌀 발효액종 50% 첨가구가 이화학적 및 관능적 특성에서 대조구보다 더 높거나 유의적인 차이를 보이지 않아 제빵시 yeast 대체 쌀발효액종 첨가량은 50% 정도가 가장 적절한 것으로 판단되었다.

급수량을 달리하여 배양한 쌀 천연발효액의 pH는 배양기간이 경과할수록 감소하였으나 적정산도는 증가하였다. 쌀 발효액의 당도는 배양 3일이 지나면서 감소하는 경향을 보였으며 에탄올 함량은 물 140% 첨가구가 가장 높았다. 젖산균수가 가장 높았던 물 180% 첨가구가 가장 낮은 효모수를 보인 반면 젖산균수가 가장 낮았던 물 140% 첨가구가 가장 높은 효모수를 가진 것으로 나타났다. 쌀 천연발효액의 발효율은 효모수가 가장 많았던 물 140% 첨가구가 가장 높았다. 쌀종을 yeast 대체 0, 10, 30, 50, 70% 첨가하여 제조한 우리밀 식빵 반죽의 pH는 쌀종 10% 첨가구만 대조구보다 낮았고 나머지 쌀종 첨가구들은 첨가량이 증가할수록 높았다.

Farinograph 특성을 분석한 결과 쌀종을 첨가할수록 수분흡수율, 반죽 생성시간과 반죽 안정도는 감소하였으며 탄력도 및 반죽의 약화도는 높게 나타났다. RVA의 호화특성에서 호화개시온도는 대조구보다 쌀종을 첨가할수록 증가하였으나 최고점도, 최저점도, 최종점도, 전분입자의 파괴정도 및 노화정도는 감소하여 대조구와 유의적인 차이가 있었다($p<0.001$).

CrumbScan 분석에서 쌀종 첨가량이 증가할수록 기공의 조밀도, 기공의 찌그러짐, 껍질의 두께 모두 증가하는 경향을 보였다. 쌀종 첨가 식빵의 무게는 대조구보다 쌀종 첨가구가 더 높았으며 부피는 쌀종 첨가 50% 이상에서 대조구보다 더 높게 나타났다. 저장기간(25℃, 5일) 중 품질변화를 살펴본 결과 수분함량은 저장기간 동안 감소하였으며 쌀종 50%와 70% 첨가구는 대조구보다 높거나 유의적인 차이가 없었다. 빵 외부표면의 곰팡이 형성을 육안으로 관찰한 결과 쌀종 첨가량이 많을수록 곰팡이 발생이 지연되어 저장성 개선효과가 있었다. 색도측정에서 저장초기 명도 L값과 황색도 b값은 대조구보다 쌀종 첨가구가 더 높았으며 적색도 a값은 쌀종 첨가구보다 대조구가 더 높게 나타났다. 쌀종 첨가 식빵의 경도는 쌀종 첨가군이 대조구보다 더 높았으나 응집성과 탄력성은 대조구가 더 높았다. 관능검사에서 맛과 전반적인 기호도는 대조구와 쌀종 50% 첨가구가 높게 평가되었다.

6. 아마란스 분말을 첨가한 천연과일액종 식빵의 품질특성

1) 식빵 반죽의 pH 및 적정산도

아마란스 분말의 첨가량에 따른 천연과일액종 식빵 반죽의 pH 및 적정산도를 측정한 결과, 가장 우수한 제빵 적성을 나타낸 조건을 기초로 아마란스 분말을 첨가하여 식빵을 제조하였다. 즉, 건포도액을 제조한 후 발효 2일째에 과일주스를 첨가하여 다시 2일간 발효한 천연과일액종을 30% 첨가하여 제조한 무첨가구와 아마란스 분말을 5~20% 첨가하여 제조한 첨가구를 분석한 결과는 다음과 같다.

식빵 반죽의 pH를 측정한 결과, 아마란스 분말 20% 첨가구 식빵 반죽의 pH가 5.59로 가장 높았고, 무첨가구에서 5.43으로 가장 낮게 나타났다. 아마란스 분말의 첨가량이 증가할수록 식빵 반죽의 pH는 증가하는 경향을 보였고, 시료 간에 유의한 차이가 있었다.

식빵 반죽의 적정산도를 측정한 결과, 무첨가구 식빵 반죽의 적정산도가 0.14%로 가장 높았고, 20% 첨가구에서 0.09%로 가장 낮게 나타났으며, 아마란스 분말의 첨가량이 증가할수록 적정산도는 감소하는 경향을 보였고, 시료간에 유의한 차이가 있었다.

국화분말을 이용한 빵의 저장 중 품질변화에 관한 연구에서 제빵에 적합한 반죽의 pH 범위를 5.0~6.0이라고 하여 문헌자료에서 아마란스 분말을 첨가한 천연과일액종 식빵의 pH는 5.43~5.59로 아마란스 분말 무첨가구와 첨가구 모두 제빵에 적합한 pH 범위에 속해 있는 것으로 나타났다. 식빵 반죽의 발효시간에 따른 부피 변화 아마란스 분말의 첨가량에 따른 천연과일액종 식빵 반죽의 발효시간에 따른 부피 변화를 측정한 결과, 반죽 직후인 발효 0시간째에는 무첨가구의 부피가 45.00 mL로 가장 높았고, 20% 첨가구에서 44.37 mL로 가장 낮았으나, 시료간에 유의한 차이는 없었다.

발효 1시간째부터 발효 종료 시점인 발효 9시간째까지 무첨가구의 부피가 50.43~122.43 mL로 가장 높게 나타났고, 20% 첨가구에서 48.43~115.27 mL로 가장 낮았으며, 시료간에 유의한 차이를 보였다. 아마란스 분말의 첨가량에 따른 천연과일액종 식빵 반죽의 발효시간에 따른 부피는 아마란스 첨가량이 증가할수록 발효 중 부피는 감소하는 경향을 보였다. 이러한 결과는 부재료 첨가량이 증가함에 따라 무첨가구에 비해 동일 발효시간 동안 발효력이 떨어지고, 더 긴 발효시간을 필요하였다고 보고한 연구자료들의 결과와도 동일한 경향을 보였다. 이와 같이 아마란스 분말의 첨가량이 증가할수록 발효력이 감소하는 것은 글루텐이 함유되지 않은 아마란스 분말의 첨가로 인하여 식빵 반죽의 글루텐 함량이 상대적으로 낮아져 가스보유력이 감소하기 때문으로 생각된다.

2) 식빵의 pH 및 적정산도

아마란스 분말 첨가량에 따른 천연과일액종 식빵의 pH 및 적정산도를 측정한 결과, 식빵의 pH를 측정한 결과, 20% 첨가구에서 5.61로 가장 높았고, 그 다음으로 15, 10 및 5% 순이었으며, 무첨가구에서 5.12로 가장 낮았고, 시료간에 유의한 차이가 있었다.

식빵의 적정산도를 측정한 결과, 무첨가구와 5% 첨가구에서 0.31%로 가장 높았고, 20% 첨가구에서 0.25%로 가장 낮았으며, 시료간에 유의한 차이가 있었다. 식빵의 pH 및 적정산도는 아마란스 분말의 첨가량이 많아질수록 pH는 증가하고, 적정산도는 감소하는 경향을 보여 Table 16의 아마란스 분말 첨가량에 따른 식빵 반죽의 pH 및 적정산도의 결과와도 동일한 결과를 보였다.

3) 식빵의 무게, 부피, 비용적 및 굽기손실율

아마란스 분말 첨가량에 따른 천연과일액종 식빵의 무게, 부피, 비용적 및 굽기손실율을 측정한 결과, 식빵의 무게는 20% 첨가구에서 495.31 g으로 가장 높았고, 무첨가구에서 491.75 g으로 가장 낮았으며, 시료간에 유의한 차이가 있었다. 식빵의 부피는 무첨가구에서 1593.33 mL로 가장 높았고, 20% 첨가구에서 1425.00 mL로 가장 낮았으며, 시료간에 유의한 차이가 있었다. 식빵의 비용적은 무첨가구에서 3.24 mL/g으로 가장 높았고, 20% 첨가구에서 2.88 mL/g으로 가장 낮았으며, 시료간에 유의한 차이가 있었다.

식빵의 굽기손실율은 무첨가구에서 8.93%로 가장 높았고, 20% 첨가구에서 8.27%로 가장 낮았으며, 시료간에 유의한 차이를 보였다. 아마란스 첨가량에 따른 식빵의 무게, 부피, 비용적 및 굽기손실율의 결과를 종합해 보면, 아마란스 첨가량이 증가할수록, 식빵의 부피는 감소하는 반면 무게는 증가하였고, 식빵의 부피가 클수록 비용적과 굽기손실율은 높게 나타났다.

이는 참죽분말의 첨가량이 증가함에 따라 글루텐 발달 및 가스 보유력이 낮아져 식빵 반죽의 발효팽창력이 작아지기 때문에 식빵의 부피가 감소하였다는 연구와 찰보리 분말의 첨가량이 증가할수록 비용적과 굽기손실율이 감소하였다는 연구와도 동일한 결과를 보였다.

4) 식빵의 외관 및 단면구조

아마란스 분말의 첨가량에 따른 천연과일액종 식빵의 외관 및 단면구조를 측정한 결과, 아마란스 분말의 첨가량에 따른 식빵의 외관을 관찰한 결과는 식빵의 부피 및 비용적의 결과와 마찬가지로 무첨가구의 부피가 가장 크게 나타났고, 20% 첨가구의 부피가 가장 작게 나타났다. 식빵의 단면구조를 살펴본 결과, 부피와 비용적이 높게 나타난 무첨가구에서 큰 기공과 일정한 조직의 결이 관찰되었으나, 식빵의 부피가 작아질수록 기공의 크기가 작고 잘 형성되지 않은 부분이 관찰되었다.

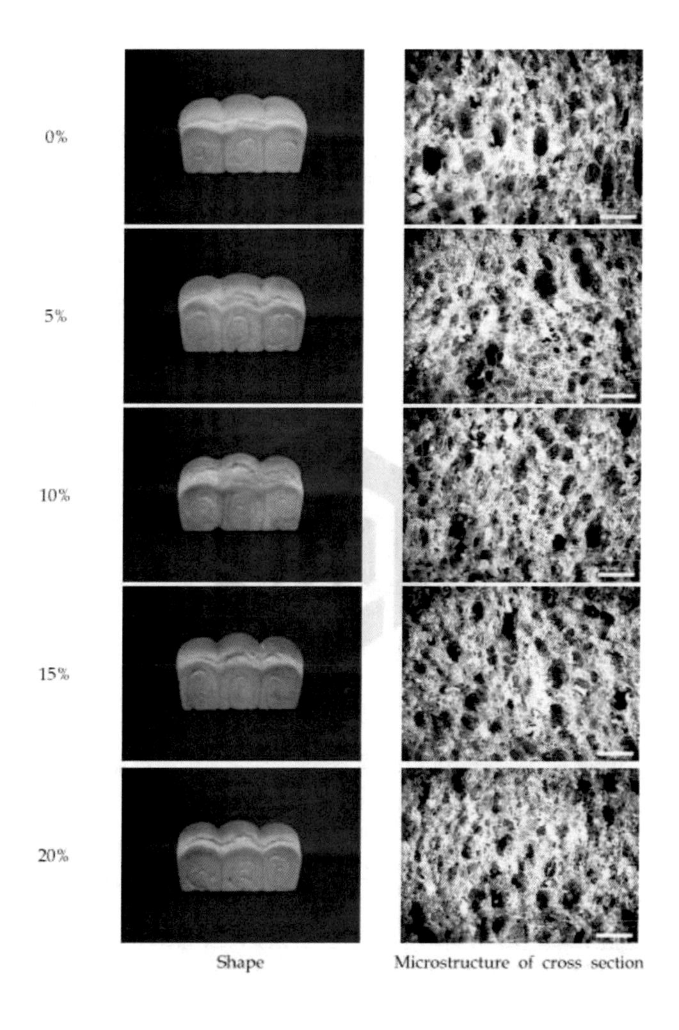

5) 식빵의 색도

아마란스 분말의 첨가량에 따른 천연과일액종 식빵의 색도를 측정한 결과, 아마란스 분말의 첨가량에 따른 천연과일액종 식빵의 L값은 무첨가구에서 68.35로 가장 높았고, 그 다음으로 5, 10 및 15% 첨가구 순이었으며, 20% 첨가구에서 64.40으로 가장 낮았고, 시료간에 유의한 차이가 있었다. 식빵의 a값은 20% 첨가구에서 2.64로 가장 높았고, 무첨가구에서 0.93으로 가장 낮았으며, 시료간에 유의한 차이를 보였다.

식빵의 b값은 a값과 마찬가지로 20% 첨가구에서 22.64로 가장 높았고, 무첨가구에서 18.52로 가장 낮았으며, 시료간에 유의한 차이가 나타났다. 아마란스 분말 첨가량에 따른 식빵의 색도 결과를 종합해 보면, 아마란스 분말의 첨가량이 많아질수록 L값은 감소하고 a값과 b값은 증가하는 경향을 보였다. Oh 등도 단감 과육을 첨가할수록 L값은 감소하고, a값과 b값은 증가하였다고 보고하였고 안토시아닌의 함량이 높은 크랜베리 분말의 첨가량이 많을수록 식빵의 L값과 b값은 감소하고, a값은 증가하였다고 보고하여 첨가재료 고유의 색이 식빵의 색도에 많은 영향을 미치는 것으로 생각된다.

6) 식빵의 물성

아마란스 분말 첨가량에 따른 천연과일액종 식빵의 물성을 측정한 결과, 식빵의 경도는 20% 첨가구에서 1.02 kg으로 가장 높았고,

~~무첨가구에서 0.64kg으로 가장 낮았으며, 시료간에 유의한 차이가~~ 있었다. 식빵의 탄력성은 무첨가구에서 0.85로 가장 높았고, 20% 첨가구에서 0.79로 가장 낮았으며, 시료간에 유의한 차이를 보였다. 식빵의 응집성은 탄력성과 마찬가지로 무첨가구에서 0.52로 가장 높았고, 20% 첨가구에서 0.46으로 가장 낮았으며, 시료간에 유의한 차이가 나타났다.

식빵의 점착성과 씹힘성은 20% 첨가구에서 각각 0.47 및 0.37로 가장 높았고, 무첨가구에서 각각 0.33 및 0.28로 가장 낮았으며, 시료간에 유의한 차이가 있었다. 아마란스 분말 첨가량에 따른 천연과일액종 식빵의 물성을 측정한 결과를 종합해 보면, 아마란스분말의 첨가량이 많아질수록 경도, 점착성, 및 씹힘성은 증가하고, 탄력성 및 응집성은 감소하는 경향을 보였다.

이는 식빵의 부피 및 비용적과 식빵의 단면구조의 결과에서와 같이 부피와 비용적이 클수록 식빵이 잘 팽창되어 기공이 크고, 결이 잘 형성되어 경도가 낮고 탄력성이 높은 식빵이 되는 것으로 생각된다. 색에 대한 선호도는 10% 첨가구에서 13.29로 가장 높았고, 20% 첨가구에서 10.01로 가장 낮았으며, 시료간에 유의한 차이가 있었다. 향미에 대한 선호도는 10% 첨가구에서 13.29로 가장 높았고, 20% 첨가구에서 9.06으로 가장 낮았으며, 시료간에 유의한 차이를 보였다. 10% 첨가구에서 향미에 대한 선호도가 가장 높았으나 15% 첨가구와 20% 첨가구에서 선호도가 급격히 감소한 것은, 아마란스 분말을 10% 첨가하였을 때, 천연과일액종의 첨가량과의 적정비율을 이루어 향미에 대한 긍정적인 효과를 나타내었으나, 10% 이상을 첨가하였을 때에는 아마란스 분말 특유의 곡물향이 강해져 향미에 대한 선호도에 부정적으로 작용한 것으로 생각된다.

맛에 대한 선호도는 5% 첨가구에서 13.65로 가장 높게 나타났고, 그 다음으로 10, 0, 15% 순으로 각각 13.50, 13.18, 10.01이었으며, 20% 첨가구에서 8.21로 가장 낮았고, 시료간에 유의한 차이가 있었으나 무첨가구, 5, 10% 첨가구 간에는 유의한 차이가 없었다. 외형 및 질감에 대한 선호도는 무첨가구에서 각각 13.78 및 13.82로 가장 높았고, 그 다음으로 5, 10 및 15% 순이었으며, 20% 첨가구에서 각각 9.60 및 10.09로 가장 낮게 나타나 시료 간에 유의한 차이가 있었으나, 0%와 5% 첨가구간에는 유의한 차이가 없었다.

아마란스 분말의 첨가량에 따른 식빵의 부피, 비용적 및 물성의 결과와 유사한 경향으로 부피와 비용적이 높게 나타난 0% 및 5% 첨가구에서 외관에 대한 높은 선호도가 높게 나타났고, 낮은 경도는 질감에 대한 선호도에 긍정적인 영향을 준 것으로 판단된다. 전체적인 선호도는 색, 맛 및 향미에 대한 선호도가 높게 나타난 10% 및 5% 첨가구에서 가장 높았으며, 무첨가구와는 유의한 차이가 없었다.

7. 아마란스 분말을 첨가한 천연과일액종 식빵의 저장 중 품질특성

1) 식빵의 저장 중 수분함량 변화

아마란스 분말을 첨가한 천연과일액종 식빵의 저장 중 수분함량 변화를 측정한 결, 제조 당일의 수분함량은 5% 첨가구에서 35.41%로 가장 높았고, 20% 첨가구에서 34.75%로 가장 낮았으며, 저장 1일째의 수분함량은 34.43~35.14%이었다. 저장 2일째에는 5% 첨가구에서 34.97로 가장 높았고, 무첨가구에서 34.23으로 가장 낮았으며, 저장 3일째에는 10% 및 5% 첨가구에서 각각 34.30% 및 34.27%로 가장 높게 나타났고, 무첨가구에서 33.57%로 가장 낮게 나타났다.

저장 4일째에는 5% 첨가구에서 34.17%로 가장 높게 나타났고, 무첨가구에서 33.40%로 가장 낮게 나타났으며, 5, 10, 15 및 20% 첨가구 간에는 유의한 차이가 없었다. 저장 1일째를 제외한 모든 저장일자에서 시료간에 유의한 차이를 보였고, 동일한 시료에서도 저장일자에 따라 유의한 차이를 보였다.

아마란스 분말 첨가량에 따른 천연과일액종 식빵의 저장 중 수분함량의 변화는 저장 기간이 길어질수록 아마란스 분말을 첨가하지 않은 무첨가구의 수분함량이 급격히 감소하는 경향을 보였고, 저장 2일 이후부터는 아마란스 분말 첨가구가 무첨가구보다 높은 수분함량을 보였다. 이러한 결과는 수분보유력이 높은 식이섬유를 함유한 아마란스 분말의 첨가로 인해 저장 중 식빵의 수분함량 감소가 천천히 일어난 때문으로 생각되며, 스피루리나 첨가 식빵의 저장 중 품질특성 변화 연구에서 스피루리나의 수분결합능력으로 인해 저장기간 내내 스피루리나 첨가구의 수분함량이 대조구보다 높았다는 보고와 유사한 경향을 보였다.

2) 식빵의 저장 중 pH 변화

아마란스 분말 첨가량에 따른 천연과일액종 식빵의 저장 중 pH 변화를 측정한 결과, 저장 1일째의 pH는 20% 첨가구에서 5.60으로 가장 높았고, 무첨가구에서 5.11로 가장 낮았으며, 시료간에 유의한 차이가 있었다. 저장 2일째부터 저장 4일째까지 20% 첨가구에서 5.57~5.55로 가장 높았고, 무첨가구에서 5.10~5.08로 가장 낮게 나타났으며, 모든 시료의 pH는 저장 기간이 경과함에 따라 감소하는 경향을 보였고, 각각의 저장일자에서 시료간에 유의한 차이가 있었으며, 동일한 시료에서도 저장일자에 따라서 유의한 차이를 보였다.

녹차 첨가가 빵의 저장 중 품질특성에 미치는 영향에 대한 연구에서 저장 기간 중 빵의 pH는 감소한다고 하여 본 연구와 같은 결과를 보였으나, 녹차 물추출액의 첨가량이 많을수록 변화의 폭이 적었다고 보고하여 아마란스 첨가량에 관계없이 비슷한 pH 감소를 보인 본 연구의 결과와는 다소 상이한 결과를 보였다. 이러한 결과는 녹차 물추출물의 경우, 첨가구에서 대조구에 비해 총세균수의 증가폭이 적게 나타났다고 하여 첨가재료인 녹차 물추출물의 항균성이 식빵의 pH와 저장성에 영향을 미쳤다고 보여진다.
따라서 식빵의 저장 중 pH는 동일한 온도와 저장 기간일 경우, 첨가재료에 따라 식빵의 pH 및 첨가재료의 미생물적 안정성에 영향을 받는 것으로 생각된다.

3) 식빵의 저장 중 적정산도 변화

아마란스 분말 첨가량에 따른 천연과일액종 식빵의 저장 중 적정산도변화를 측정한 결과, 저장 1일째의 적정산도는 무첨가구에서 0.35%로 가장 높았고, 20% 첨가구에서 0.27%로 가장 낮았다.
저장 2일째부터 저장 4일째까지에서도 무첨가구에서 0.37~0.39%로 가장 높았고, 20% 첨가구에서 0.28~0.31%로 가장 낮았다.

아마란스 분말 첨가량에 따른 천연과일액종 식빵의 저장 중 적정산도는 저장기간이 경과함에 따라 모든 시료에서 증가하는 경향을 보였고, 각각의 저장일자에서 시료간에 유의한 차이가 있었으며, 동일한 시료에서도 저장일자에 따라 유의한 차이를 보였다.

4) 식빵의 저장 중 물성 변화

아마란스 분말 첨가량에 따른 천연과일액종 식빵의 저장 중 물성변화를 측정한 결과, 저장 1일째부터 저장 3일째까지의 경도는 무첨가구에서 0.82~1.12kg으로 가장 낮았고, 20% 첨가구에서 1.43~1.67 kg으로 가장 높았으나, 저장 4일째의 경도가 5%, 10% 및 무첨가구 순으로 각각 1.26, 1.38 및 1.50kg으로 나타나 아마란스 분말 5% 및 10% 첨가구 식빵의 경도가 아마란스 분말을 첨가하지 않은 무첨가구 식빵의 경도보다 낮게 나타났데, 이러한 결과는 저장기간이 경과함에 따라 아마란스 분말 첨가구 식빵이 아마란스 분말 무첨가구 식빵보다 더 높은 수분함량을 보인 아마란스 분말을 첨가한 천연과일액종 식빵의 저장 중 수분함량 변화에서와 같이 아마란스 분말에 함유된 식이섬유의 수분보유력이 식빵의 노화지연에 영향을 미친 때문으로 생각된다.

그러나 저장 기간 동안 15% 및 20%첨가구의 수분함량이 대조구보다 대체적으로 높았음에도 불구하고 저장기간 동안의 경도가 높게 나타난 이유는, 아마란스 첨가량에 따른 식빵의 낮은 부피가 저장 중 경도에 영향을 미친 결과로 노화억제를 위한 아마란스 분말의 첨가량은 10% 이내가 적정할 것으로 생각된다.

저장 1일째의 탄력성을 측정한 결과, 무첨가구, 5%, 10% 및 15% 첨가구에서 0.84로 가장 높게 나타났고, 20% 첨가구에서 0.82로 가장 낮았다. 저장 2일째와 3일째에는 5% 첨가구에서 각각 0.86 및 0.87로 가장 높았고, 저장 4일째에는 10% 첨가구에서 0.86으로 가장 높게 나타났다. 아마란스 분말 첨가량에 따른 천연과일액종 식빵의 저장 중 탄력성은 아마란스 분말을 첨가하지 않은 무첨가구에서는 저장기간이 경과함에 따라 감소하는 경향을 보였으나, 아마란스 분말 첨가구에서는 대체적으로 증가하는 경향을 보였으며, 각각의 저장일자에서 시료간에 유의한 차이가 있었고,

~~무첨가구를 제외한 모든 시료에서 저장일자에 따라 유의한 차이가~~ 있었다. 저장 1일째와 2일째의 응집성은 5% 첨가구에서 0.45로 가장 높았고, 20% 첨가구에서 각각 0.40 및 0.39로 가장 낮았다. 저장 3일째에는 무첨가구와 5% 첨가구에서 0.42로 가장 높았고, 저장 4일째에는 무첨가구, 5% 및 10% 첨가구에서 0.41로 가장 높게 나타났다.

아마란스 분말 첨가량에 따른 천연과일액종 식빵의 저장 중 응집성은 저장기간이 경과함에따라 모든 시료에서 감소하는 경향을 보였으며, 저장 1일째를 제외한 모든 저장일자에서 시료간에 유의한 차이가 있었고, 동일한 시료에서도 저장일자에 따라서 유의한 차이가 있었다.

저장 1일째부터 3일째까지의 점착성은 무첨가구에서 0.36~0.47로 가장 낮았고, 20% 첨가구에서 0.58~0.66으로 가장 높았다. 저장 4일째에는 5% 첨가구에서 0.52로 가장 낮았고, 그 다음으로 10%, 15% 및 무첨가구 순으로 각각 0.57, 0.58 및 0.62이었고, 20% 첨가구에서 0.68로 가장 높게 나타났다.

아마란스 분말 첨가량에 따른 천연과일액종 식빵의 저장 중 점착성은 저장기간이 경과함에 따라 모든 시료에서 증가하는 경향을 보였으며, 각각의 저장일자에서 시료간에 유의한 차이가 있었고, 동일한 시료에서도 저장일자에 따라서 유의한 차이를 보였다.

저장 1일째부터 3일째까지의 씹힘성은 무첨가구에서 0.30~0.39로 가장 낮았고, 20% 첨가구에서 0.48~0.56으로 가장 높았다. 저장 4일째에는 5% 첨가구에서 0.44로 가장 낮았고, 그 다음으로 10%, 15% 첨가구에서 0.49, 무첨가구에서 0.50이었고, 20% 첨가구에서 0.57로 가장 높게 나타났다.

아마란스 분말 첨가량에 따른 천연과일액종 식빵의 저장 중 씹힘성은 저장기간이 경과함에 따라 모든 시료에서 증가하는 경향을 보였으며, 저장 4일째를 제외한 모든 저장일자에서 시료간에 유의한 차이가 있었고, 동일한 시료에서도 저장일자에 따라서 유의한 차이가 나타났다.

아마란스 분말 첨가량에 따른 천연과일액종 식빵의 저장 중 물성의 변화를 살펴 본 결과, 저장 기간이 길어짐에 따라 경도, 점착성 및 씹힘성이 증가하는 경향을 보였고, 아마란스 분말 5% 및 10% 첨가구에서는 저장기간에 따른 경도의 증가폭이 적은 것으로 나타나 저장 4일째에는 무첨가구보다 낮은 경도값을 나타내어 아마란스 분말의 10% 이내의 첨가는 노화지연에 효과가 있다는 것을 확인하였다.

이러한 결과는 솔잎발효액이 식빵의 품질특성에 미치는 영향에 대한 연구에서 솔잎발효액을 첨가한 식빵의 수분활성도 감소폭이 적었고, 솔잎발효액의 첨가량이 증가할수록 경도의 증가폭이 완만하게 나타나 솔잎발효액의 수분보유력이 저장에 긍정적인 영향을 미쳤다고 보고한 연구결과와 유사한 경향을 보였다. 수분함량의 증가폭이 가장 크게 나타난 블랜칭한 청보리를 첨가한 식빵의 경도가 대조구보다 더 서서히 증가하여 청보리의 첨가가 노화를 지연시켰다고 보고하여 첨가구의 수분함량의 감소폭이 낮았고, 5%와 10% 첨가구에서 경도의 감소폭이 낮게 나타난 참고문헌의 결과와도 유사한 경향을 보여 첨가재료의 특성과 빵의 노화가 밀접한 관계가 있음을 확인하였다.

NCS(국가직무능력표준)

■ 국가직무능력표준(NSC)기반 종목별 능력단위 선정표

NCS 세분류	능력단위	자격종목					
		제과사 L3			제과사 L5		
		필수	선택적 필수	선택	필수	선택적 필수	선택
제과	과자류 제품개발				○		
	과자류 재료혼합	○					○
	과주류 반죽성형	○					○
	과자류 반죽익힘	○					○
	과자류 제품포장	○					○
	과자류 제품 저장유통			○			○
	과자류 제품 품질관리			○	○		
	위생 안전관리	○					○
	과자류 재료 구매관리			○	○		
	과자류 매장관리				○		
	과자류 베이커리 경영						○

NCS 세분류	능력단위	자격종목					
		제과사 L3			제과사 L5		
		필수	선택적 필수	선택	필수	선택적 필수	선택
제방	빵류 제품개발				○		
	빵류 재료혼합	○					○
	빵류 반죽발효	○					○
	빵류 반죽성형	○					○
	빵류 반죽익힘	○					○
	빵류 제품마무리	○					○
	냉동빵 가공			○			○
	빵류 제품 품질관리			○	○		
	위생안전관리	○					○
	빵류 재료 구매관리			○	○		
	빵류 매장관리				○		
	빵류 베이커리 경영						○

■ 제과 평가방법

1. L3(레벨3)

일반목표: 제한된 권한 내에서 제과분야의 기초이론 및 일반지식을 사용하여 제시된 배합표의 재료를 계량하여 전처리하고 반죽하여 패닝하고 익히는 생산작업과 작업장 및 개인위생과 안전관리를 대부분 할 수 있다.

세부목표:

1) 작업지시서(배합표)에 따라 재료를 계량하고, 제품에 적합한 혼합을 할 수 있다.
2) 작업지시서에 따라 반죽을 패닝하거나 성형하여 굽기를 하고 마무리를 할 수 있다.
3) 제조공정 및 개인의 위생과 안전관리를 할 수 있다

◎ 평가방법

능력 단위명	평가방법	평가내용
과자류 재료 혼합	- 서술형 [지필] - 평가자체 체크리스트 [실무]	- 계량이나 반죽시 작업장 주위 정리정돈 및 개인, 환경 위생적인 작업준비 능력 - 작업지시서를 통한 제조공정을 숙지하고 작업하는 능력 - 작업지시서를 통한 혼합 시 각종 재료의 온도를 체크, 유지, 관리하는 능력 - 작업지시서를 통한 혼합순서를 준수하는 능력 - 작업지시서를 통한 작업장의 온도를 관리하는 능력 - 작업지시서를 통한 반죽순서를 숙지 후 작업하는 능력 - 작업지시서를 통한 반죽 시 전처리 반죽, 충전물반죽을 먼저 준비하는 능력

능력 단위명	평가방법	평가내용
과자류 재료 혼합	- 서술형 [지필] - 평가자체 체크리스트 [실무]	- 작업지시서를 통한 반죽순서를 준수하는 능력 - 작업지시서를 통한 반죽 시 반죽 온도, 재료 온도, 비중 등을 체크 하며 작업하는 능력 - 작업지시서를 통한 반죽 후 완성된 반죽 전처리, 충전물 등의 품질을 체크하는 능력
과자류 반죽 정형	- 서술형 [지필] - 평가자체 체크리스트 [실무]	- 성형 시 작업장 주위 정리 정돈 및 개인, 환경 위생적인 작업 준비능력 - 작업지시서를 통한 성형공정을 숙지하고 작업 하는 능력 - 작업지시서를 통한 성형 시 각종 재료의 상태를 점검, 유지, 관리등을 하는 능력
과자류 반죽 익힘	- 서술형 [지필] - 평가자체 체크리스트 [실무]	- 기기 작동 원리 및 조작능력 - 제과 제품별 적합한 온도, 시간, 습도, 압력 등 설정능력 - 익히는 과정의 관리능력 - 완제품의 색상 및 익힘 능력 - 청결한 위생상태 유지 능력
과자류 제품 포장	- 서술형[지필] - 평가자체 체크리스트 [실무]	- 제품의 가치, 안전성, 위생성을 고려한 포장능력 - 회사의 정책방향 추진과 부합하는 포장능력 - 작업자의 숙련도 및 자세 - 현 시장추세에 맞는 포장 능력 - 포장의 기대 효과 예측능력 - 효율적인 포장운용 방안 도출 능력

능력단위명	평가방법	평가내용
과자류 제품 위생안전 관리	- 서술형[지필] - 평가자체 체크리스트 [실무]	- 식품위생법에 대한 이해능력 - 개인위생에 대한 이해능력 - 환경위생에 대한 이해능력 - 기기관리 및 고장수리에 대한 이해능력 - 공정관리, 위해요소 및 중요관리점에 대한 이해능력
과자류 제품 저장유통	- 서술형[지필] - 평가자질문 [실무]	- 제과재료에 대한 기본 지식의 이해능력 - 제과재료에 대한 보관방법과 온도,습도 관리에 대한 지식 - 완제품에 대한 보관방법과 온도, 습도 관리에 대한 지식 - 저장 중 불량재료에 대한 처리 및 관리능력 - 선입선출에 대한 재료의 관리능력 - 저장 재료의 표본검수에 대한 능력
과자류 제품재료 구매관리	- 서술형[지필] - 문제해결 시나리오 [지필] - 구두발표 [실무] - 평가자질문 [실무]	- 주방 관리와 중복 되지 않게 관리하는능력 - 지속적 손익 타당성을 검증하는 능력 - 고객의 요구에 의거하여 요소별 적정성 파악능력 - 유상 업체와의 인테리어, 청결도, 안전도, 등을 비교분석 평가하는 능력 - 판매관리비와 마진 관리, 로스 및 폐기 관리능력
과자류 제품 품질관리	- 서술형[지필] - 문제해결 시나리오 [지필] - 구두발표 [실무] - 평가자질문 [실무]	- 생산제품의 품질평가 능력 - 품질의 최종 판정자는 소비자이므로 고객을 고려하는 능력 - 품질관리 검사방법 선택 능력 - 전체적인 품목검사 시 장.단점 파악능력 - 품질관리 지침서에 따라 수행하는 능력 - 품질이상 시 문제해결능력

2. L5(레벨5)

- 일반목표: 포괄적인 권한 내에서 제과분야의 이론 및 지식을 사용하여 매우 복잡하고 비 일상적인 과업을 수행하고 고객의 요구에 부합하고 베이커리 사업의 이익에 기여할 수 있는 제품을 개발하여 합리적인 수준으로 재료를 구매하고 품질을 관리하며 매장관리를 하고, 타인에게 제과분야의 지식을전달할 수 있다.

- **세부목표**
  1) 고객 니즈에 부합하고 베이커리 사업의 이익에 기여할 수 있는 합리적인 수준의 시제품을 기획, 제조, 평가하며 매장을 합리적으로 관리
  2) 고객 니즈에 부합하는 품질 목표를 달성하기 위하여 품질기획, 품질검사, 품질개선활동을 수행할 수 있다.
  3) 제과에 필요한 양질의 원재료, 부재료, 설비를 적기에 공급하기 위하여 최소한의 비용으로 구입할 수 있다.

◎ 평가방법

능력단위명	평가방법	평가내용
과자류 제품개발	- 서술형[지필] - 문제해결 시나리오[지필] - [실무]평가자 체크리스트 - 구두발표 [실무]	- 과거 제품개발 사례와 중복되는 부분은 없는지 검증능력 - 제품개발 타당성에 대한 검증능력 - 고객니즈. 타깃, 제품콘셉트에 부합하는지의 구현능력 - 국내.외 환경[소비,추세] 및 정책변화의 흐름에 맞는지 반영능력 - 판매수량, 소요예산, 제조원가 분석능력

능력단위명	평가방법	평가내용
과자류 제품개발	- 서술형[지필] - 문제해결 시나리오[지필] - [실무]평가자 체크리스트 - 구두발표 [실무]	- 운용인력,생산설비,기존 기술의 타당성에 대한 검증능력 - 관련 부서의 요구사항이 충분히 반영되었는지 검증능력 - 추진일정의 적절성 판단능력 - 문서 작성능력 - 요구사항 청취 및 이해능력 - 유관부서와의 회의 진행능력 - 갈등 발생 시 조정능력 - 투자비용 대비 효과분석 능력 - 사업목표에 대한 파악능력
과자류 제품 품질관리	- 서술형[지필] - 문제해결 시나리오[지필] - [실무]평가자 체크리스트 - 구두발표 [실무]	- 생산제품의 품질평가 능력 - 품질의 최종판정자는 소비자이므로 고객을 고려하는 능력 - 품질관리 검사방법 선택능력 - 전체적인 품목검사 시 장.단점을 파악하는 능력 - 발취검사의 장.단점을 파악하는 능력 - 품질관리 지침서에 따라 수행하는 능력 - 품질이상 시 문제해결 능력
과자류 재료 구매관리	- 서술형[지필] - 문제해결 시나리오[지필] - 구두발표 [실무] - 평가자질문 [실무]	- 주방관리와 중복되지 않게 관리하는 능력 - 지속적 손익타당성을 검증하는 능력 - 고객의 요구에 의거하여 요소별 적정성파악능력 - 유사 업체와의 인테리어,청결도,안전도 등을 비교분석 평가하는 능력 - 철저한 상품관리로 계절별 컴플레인 사항분석 조치하는 능력 - 재고관리, 발주관리 능력 - 판매 관리비와 마진 관리, 로스 및 폐기관리 능력

능력단위명	평가방법	평가내용
과자류 제품 베이커리 경영	- 서술형[지필] - 문제해결 시나리오[지필] - 구두발표 [실무] - 평가자질문 [실무]	- 베이커리 경영목표에 대한 이해도 - 수요예측의 기법에 대한 지식 - 생산계획 수립 방법에 대한 지식 - 상권분석 방법에 대한 이해와 활용 - 다양한 베이커리 마케팅 지식 - 고객니즈조사 설문 구성능력 - 재무회계규정에 의한 수입과 지출의 편성능력 - 예산 및 실적에 대한 분석능력 - 수입과 지출의 증빙서류와 금액 산정능력 - 재무제표를 분석하는 능력과 그 결과를 해석 하고 활용하는 능력
과자류 재료 혼합	- 서술형[지필] - 평가자 체크리스트 [실무]	- 계량이나 반죽시 작업장 주위정리 정돈 및 개인, 환경 위생적인 작업준비 능력 - 작업지시서를 통한 제조공정을 숙지하고 작업하는 능력 - 작업지시서를 통한 혼합 시 각종 재료의 온도를 체크,유지,관리하는 능력 - 작업지시서를 통한 혼합순서를 준수하는 능력 - 작업지시서를 통한 작업장의 온도를 관리 하는 능력 - 작업지시서를 통한 반죽순서를 숙지 후 작업하는 능력 - 작업지시서를 통한 반죽 시 각종재료의 온도를 체크,유지,관리하는 능력 - 작업지시서를 통한 반죽순서를 준수하는능력 - 작업지시서를 통한 반죽 시 반죽온도, 재료온도 ,비중 등을 체크하는 작업능력 - 작업지시서를 통한 반죽 후 완성된 반죽 전처리, 충전물 등의 품질 체크능력

능력단위명	평가방법	평가내용
과자류 반죽 성형	- 서술형[지필] - 평가자 체크리스트 [실무]	- 성형 시 작업장 주위 정리 정돈 및 개인 환경 위생적인 작업준비 능력 - 작업지시서를 통한 성형공정을 숙지하고 작업하는 능력 - 작업지시서를 통한 성형 시 각종 재료의 상태를 점검, 유지, 관리 등을 하는 능력
과자류 반죽 임힘	- 서술형[지필] - 평가자 체크리스트 [실무]	- 기기 작동 원리 및 조작능력 - 제과 제품별 적합한 온도,시간,습도,압력 등 설정능력 - 익히는 과정의 관리능력 - 완제품의 색상 및 익힘능력 - 청결한 위생상태 유지능력
과자류 제품 포장	- 서술형[지필] - 평가자 체크리스트 [실무]	- 제품의 가치,안전성,위생성을 고려한 포장 - 회사의 정책방향 추진과 부합하는 포장 - 작업자의 숙련도 및 자세 - 현 시장 추세에 맞는 포장능력 - 효율적인 포장 운용방안 도출 능력
과자류 제품 위생안전 관리	- 서술형[지필] - 평가자 체크리스트 [실무]	- 제과재료 기본 지식의 이해능력 - 제과재료 보관방법과 온도,습도 관리지식 - 완제품 보관방법과 온도,습도 관리 지식 - 저장 중 불량재료에 대한 처리 및 관리 - 선입선출에 대한 재료의 관리능력 - 저장재료의 표본검수에 대한 능력
과자류 제품 저장유통	- 서술형[지필] - 평가자질문 [실무]	- 제과재료 기본지식의 이해능력 - 제과재료 보관방법과 온도,습도 관리지식 - 완제품 보관방법과 온도,습도 관리지식 - 저장 중 불량재료에 대한 처리 및 관리 - 선입선출에 대한 재료의 관리능력 - 저장재료의 표본검수에 대한 능력

■ 제빵 평가방법

1. L3(레벨3)

일반목표: 제한된 권한 내에서 제빵분야의 기초이론 및 일반지식을 사용하여 다소 복잡한 작업지시서에 따라 제시된 배합표의 재료를 계량하여 혼합하고 발효하여 반죽을 제시된 모양으로 성형하고 익힌후 윗면에 토핑을 하거나 또는 글레이즈를 바르는 등의 마무리를 하여 포장하는 직무와 작업장 및 개인의 위생과 안전관리 직무를 대부분 수행할 수 있다.

세부목표:

1) 작업지시서에 따라 재료를 계량하고 혼합하며 발효할 수 있다.
2) 발효된 반죽을 성형하고, 익혀서 마무리를 한다.
3) 제조공정과 개인의 위생 및 안전관리를 한다.

◎ 평가방법

능력단위명	평가방법	평가내용
빵류 재료 혼합	- 서술형[지필] - 평가자 체크리스트 [실무]	- 사용수(水)온도 계산의 검증능력 - 계량 시 저울의 사용능력 - 배합비율과 정확한 재료의 사용능력 - 반죽혼합 시 능력단위요소의 제조능력 - 반죽혼합 시 흡수율과 반죽의 물성확인 능력 - 반죽혼합 시 반죽형성단계 확인능력 1. 반죽형성 초기단계 2.반죽형성 중기단계 3. 반죽형성 후기단계 - 반죽혼합 시 반죽의 온도관리 능력 - 반죽혼합 시 연속작업시 작업순서의 적절성과 숙련도 - 반죽혼합 시 혼합기의 사용능력

능력단위명	평가방법	평가내용
빵류 반죽 발효	- 서술형[지필] - 평가자 체크리스트 [실무]	- 발효 시 제품에 따른 적정한 발효온도 및 습도 이해 능력 - 발효의 완료시점을 파악할 수 있는 능력 - 다양한 발효에서 각종 제품과 효모종 발효법에 대한 이해능력 - 발효 시 모든 업무를 위생적으로 수행
빵류 반죽 성형	- 서술형[지필] - 평가자 체크리스트 [실무]	- 분할량에 따른 신속한 분할능력 - 둥글리기 시 반죽의 크기에 따른 능력 - 표면이 매끈하게 둥글리는 능력 - 자른면의 점착성을 감소시키고 탄력을 유지시키는 능력 - 덧가루의 사용을 최소화하여 반죽표면을 촉촉하게 하는 능력 - 반죽크기에 따라 반죽간격과 둥글리는 순서대로 정렬하는 능력 - 반죽이 서로 달라붙지 않고 표면이 마르지 않게 유지하는 능력 - 밀대를 이용하여 일정한 두께로 가스를빼내 내부 기공을 균일하게 하는 능력 - 제품의 특성에 따라 표면이 찢어지지않게 말기, 꼬기, 접기, 비비기를 할 수 있는 능력 - 2차 발효나 굽기 과정에 터지는 것을 방지하기 위해 이음매를 봉하는 능력 - 성형과정 중 충전물을 이용하여 싸기, 바르기 ,짜기, 넣기를 할 수 있는 능력 - 패닝 시 알맞은 양을 패닝하는 능력 - 2차 발효 또는 굽기 시 서로 붙지않고 색이 골고루 날 수 있게 적당한 간격으로 패닝 할 수 있는 능력

능력단위명	평가방법	평가내용
빵류 반죽 익힘	- 서술형[지필] - 평가자 체크리스트 [실무]	- 기기 작동 원리 및 조작능력 - 빵 제품별 적합한 온도,시간,습도,압력 설정 능력 - 익히는 과정의 관리능력 - 완제품의 색상 및 익힘능력 - 청결한 위생상태 유지능력
빵류 제품 마무리	- 서술형[지필] - 평가자 체크리스트 [실무]	- 충전물,토핑물의 배합비율 설정능력 - 충전물,토핑물의 생산량 검증능력 - 충전물,토핑물 제조공정의 적정여부 - 충전물,토핑물의 혼합상태 및 순서 이해 - 충전물,토핑물의 반죽 구현능력 - 충전물,토핑물의 농도,당도,색도 실현능력 - 충전물,토핑물의 맛,품질 구현능력 - 충전물,토핑물의 유통기한 검토능력 - 비포장 제품과 포장제품의 표면 전처리 능력 - 비포장 제품진열시 식품지,식품용 용기사용 능력 - 포장재료의 위생상태 확인 능력 - 포장재 크기 및 용도 검증 능력 - 완벽한 포장 완료 상태 구현능력 - 진열위치 구현능력 - 진열기준(온도,습도,장소)점검능력
빵류 제품 위생안전 관리	- 서술형[지필] - 평가자 체크리스트 [실무]	- 식품위생법에 대한 이해능력 - 개인위생에 대한 이해능력 - 환경위생에 대한 이해능력 - 기기관리 및 고장수리에 대한 이해능력 - 공정관리, 위해요소 및 중요관리점에 대한 이해능력

능력단위명	평가방법	평가내용
냉동 빵류 가공	- 서술형[지필] - 평가자 체크리스트 [실무]	- 배합비율과 정확한 재료의 사용능력 - 반죽혼합 시 반죽형성 능력 - 반죽혼합 시 반죽의 온도관리능력 - 반죽의 분할량이나 성형구현능력 - 성형반죽의 급속냉동 및 냉동보관 조건(온도,시간)확인 능력 - 냉동반죽의 포장능력 - 냉동반죽의 해동,발효 공정조건(온도,습도)시간 구현능력 - 냉동반죽의 굽기조건(온도,시간,스팀 등) 구현능력
빵류 제품재료 구매관리	- 서술형[지필] - 문제해결 시나리오 [지필] - 구두발표 [실무] - 평가자질문 [실무]	- 주방관리와 중복 되지 않게 관리 - 지속적 손익 타당성을 검증하는 능력 - 고객의 요구에 의거하여 요소별 적정성 파악능력 - 유사 업체와의 인테리어,청결도,안전도 등을 비교분석 평가하는 능력 - 철저한 상품관리로 계절별 컴플레인 사항 분석 조치하는 능력 - 재고관리, 발주관리 능력 - 판매관리비와 마진 관리, 로스 및 폐기 관리능력
빵류 제품 품질관리	- 서술형[지필] - 문제해결 시나리오 [지필] - 구두발표 [실무] - 평가자질문 [실무]	- 생산제품의 품질평가능력 - 품질의 최종 판정자는 소비자이므로 고객을 고려하는 능력 - 품질관리 검사방법 선택능력 - 전체적인 품목검사 시 장.단점을 파악하는 능력 - 발취검사의 장.단점을 파악하는 능력 - 품질관리 지침서에 따라 수행하는 능력 - 품질이상 시 문제해결 능력

2. L5(레벨5)

일반목표: 포괄적인 권한 내에서 제빵분야의 이론 및 지식을 사용하여 매우 복잡하고 비일상적인 과업을 수행하고, 고객의 요구에 부합하고 베이커리사업 이익에 기여할 수 있는 제품을 개발하여 합리적인 수준으로 재료를 구매하고 품질을 관리하며 매장관리를 한다.

세부목표

1) 고객니즈에 부합하고 베이커리사업의 이익에 기여 할 수 있는 합리적인 수준의 시제품을 기획, 제조, 평가하며 매장을 합리적으로 관리할 수 있다.
2) 고객니즈에 부합하는 품질 목표를 달성하기 위하여 품질기획, 품질검사, 품질개선활동을 수행 한다.
3) 제빵에 필요한 양질의 원재료,부재료, 설비 등을 적기에 공급하기 위하여 최소한의 비용으로 구입할 수 있다.

◎ 평가방법

능력단위명	평가방법	평가내용
빵류 제품 개발	- 서술형[지필] - 문제해결 시나리오 [지필] - 평가자 체크리스트 [실무] - 구두발표 [실무]	- 과거제품개발 사례와 중복되는 부분은 없는지 검증능력 - 제품개발 타당성에 대한 검증능력 - 고객니즈,타깃,제품콘셉트에 부합하는지의 구현능력 - 국내.외 환경 및 정책변화의 흐름에 맞는 반영능력 - 판매수량 및 소요예산,제조원가의 적정성 분석능력 - 운용인력,생산설비,기존 기술의 타당성에 대한 검증능력

능력단위명	평가방법	평가내용
빵류 제품 개발	- 서술형[지필] - 문제해결 시나리오 [지필] - 평가자 체크리스트 [실무] - 구두발표 [실무]	- 관련 부서의 요구사항이 충분히 반영되었는지 검증능력 - 추진일정의 적절성 판단능력 - 문서 작성능력 - 요구사항 청취 및 이해능력 - 유관 부서와의 회의 진행능력 - 갈등 발생 시 조정능력 - 투자비용 대비 효과분석 능력 - 사업목표에 대한 파악능력
빵류 제품 품질관리	- 서술형[지필] - 문제해결 시나리오 [지필] - 평가자 체크리스트 [실무] - 구두발표 [실무]	- 생산제품의 품질평가 능력 - 품질의 최종 판정자는 소비자이므로고객을 고려하는 능력 - 품질관리 검사방법 선택능력 - 전체적인 품목검사 시 장.단점 파악능력 - 발취검사의 장.단점을 파악하는 능력 - 품질관리 지침서에 따라 수행하는 능력 - 품질이상 시 문제해결 능력
빵류 재료 구매관리	- 서술형[지필] - 문제해결 시나리오 [지필] - 평가자 체크리스트 [실무] - 구두발표 [실무]	- 주방관리와 중복 되지 않게 관리능력 - 지속적 손익 타당성을 검증하는 능력 - 고객의 요구에 의거하여 요소별 적절성 파악능력 - 유사업체와의 인테리어,청결도,안전도 등을 비교분석,평가하는 능력 - 철저한 상품관리로 계절별 컴프레인 사항 분석 조치하는 능력 - 재고관리, 발주 관리 능력 - 판매 관리비와 마진관리 로스 및 폐기 관리능력

능력단위명	평가방법	평가내용
빵류 제품 매장관리	- 서술형[지필] - 문제해결 시나리오 [지필] - 구두발표 [실무] - 역할연기 [실무]	- 주방 관리와 중복되지 않게 관리능력 - 지속적 손익 타당성 검증능력 - 고객의 요구에 의거하여 요소별 적정성 확인능력 - 유사업체와의 인테리어,청결도,안전도 등을 비교분석하여 평가하는 능력 - 철저한 상품관리로 계절별 컴플레인 사항 점검능력 - 재고관리,발주 관리 검증능력 - 판매관리비와 마진관리,로스 및 폐기관리
빵류 제품 베이커리 경영	- 서술형[지필] - 문제해결 시나리오 [실무] - 구두발표 [실무] - 평가자질문 [실무]	- 베이커리 경영목표에 대한 이해도 - 수요예측의 기법에 대한 지식 - 생산계획 수립방법에 대한 지식 - 상권분석 방법에 대한 이해와 활용 - 다양한 베이커리 마케팅 지식 - 고객니즈조사 설문 구성능력 - 재무회계규정에 의한 수입과 지출의 편선능력 - 예산 및 실적에 대한 분석능력 - 수입과 지출의 증빙서류와 정확한 금액 산정능력 - 재무제표를 분석하는 능력과 그 결과를 해석하고 활용하는 능력
빵류 재료 혼합	- 서술형[지필] - 평가자 체크리스트 [실무]	- 사용수(水)온도 계산의 검증능력 - 계량 시 저울의 사용능력 - 배합비율과 정확한 재료의 사용능력 - 반죽혼합 시 능력단위요소의 제조능력 - 반죽혼합 시 흡수율과 반죽의 물성 확인 - 반죽혼합 시 반죽형성단계 확인능력 - 반죽혼합 시 반죽의 온도관리능력 - 반죽혼합의 연속작업 시 작업순서의 적정성과 숙련도

능력단위명	평가방법	평가내용
빵류 재료 혼합	- 서술형[지필] - 평가자 체크리스트 [실무]	- 반죽혼합 시 혼합기의 사용능력 - 반죽혼합 시 계량시간,혼합 시간 조절능력
빵류 반죽발효	- 서술형[지필] - 평가자 체크리스트 [실무]	- 발효 시 제품에 따른 적정한 발효온도 및 습도 이해능력 - 발효의 완료시점을 파악할 수 있는능력 - 다양한 발효에서 각종 제품과 효모종, 발효법에 대한 이해 능력 - 발효 시 모든 업무를 위생적으로 수행하는 능력
빵류 반죽 성형	- 서술형[지필] - 평가자 체크리스트 [실무]	- 분할량에 따른 신속한 분할능력 - 둥글리기 시 반죽의 크기에 따른 둥글리기 능력 - 표면이 매끈하게 둥굴리는 능력 - 자른면의 점착성을 감소시키고 탄력을 유지시키는 능력 - 덧가루의 사용을 최소화하여 반죽표면을 촉촉하게 하는 능력 - 반죽크기에 따라 반죽간견과 둥글리는 순서대로 정렬하는 능력 - 반죽이 서로 달라붙지 않고 표면이 마르지 않게 유지하는 능력 - 밀대를 이용하여 일정한 두께로 가스를 빼내 내부 기공을 균일하게 하는 능력 - 제품의 특성에 따라 표면이 찢어지지 않게 말기,꼬기,접기,비비기를 할 수 있는 능력 - 2차 발효나 굽기과정에 터지는 것을 방지 하기 위해 이음매를 봉하는 능력

능력단위명	평가방법	평가내용
빵류 반죽 성형	- 서술형[지필] - 평가자 체크리스트 [실무]	- 성형과정 중 충전물을 이용하여 싸기, 바르기,짜기,넣기를 할 수 있는 능력 - 패닝 시 알맞은 양을 패닝할 수 있는 능력 - 2차 발효 또는 굽기 시 서로 붙지 않게 색이 골고루 날 수 있게 적당한 간격으로 패닝할 수 있는 능력
빵류 반죽 익힘	- 서술형[지필] - 평가자 체크리스트 [실무]	- 기기 작동 원리 및 조작능력 - 빵 제품별 적합한 온도, 시간, 습도, 압력 설정능력 - 익히는 과정의 관리능력 - 완제품의 색상 및 익힘 능력 - 청결한 위생상태 유지능력
빵류 제품 마무리	- 서술형[지필] - 평가자 체크리스트 [실무]	- 충전물,토핑물의 배합비율 설정능력 - 충전물,토핑물의 생산략 검증능력 - 충전물,토핑물 제조공정의 적정여부 - 충전물,토핑물의 혼합상태 및 순서에 대한 이해 평가방법 평가내용 - 충전물,토핑물의 반죽 구현능력 - 충전물,토핑물의 농도,당도,색도 실현능력 - 충전물,토핑물의 맛, 품질구현 능력 - 충전물,토핑물의 유통기한 검토능력 - 비포장 제품과 포장제품의 표면 전처리 - 비포장 제품진열시 식품지, 식품용 용기사용 능력 - 포장재료의 위생상태 확인능력 - 포장재 크기 및 용도 검증능력 - 완벽한 포장 완료 상태 구현능력 - 진열위치 구현능력 - 진열기준(온도,습도,장소)점검능력

능력단위명	평가방법	평가내용
빵류 제품 위생안전 관리	- 서술형[지필] - 평가자 체크리스트 [실무]	- 식품위생법에 대한 이해능력 - 개인위생에 대한 이해능력 - 환경위생에 대한 이해능력 - 기기관리 및 고장수리에 대한 이해능력 - 공정관리, 위해요소 및 중요관리점에 대한 이해능력
냉동 빵류 가공	- 서술형[지필] - 평가자 체크리스트 [실무]	- 배합비율과 정확한 재료의 사용능력 - 반죽혼합 시 반죽형성 능력 - 반죽혼합 시 반죽의 온도관리 능력 - 반죽의 분할량이나 성형구현 능력 - 성형반죽의 급속냉동 및 냉동보관 조건(온도,시간)확인 능력 - 냉동반죽의 포장능력 - 냉동반죽의 해동,발효 공정조건(온도,습도,시간)구현능력 - 냉동반죽의 굽기조건(온도,시간,스팀등)구현능력

[참고문헌]

1. Yang SA, Im NK, Lee IS (2007) Effects of methanolic extract from Salvia miltiorrhiza Bunge on in vitro antithrombotic and antioxidative activities. Korean J Food sci Technol, 39, 83-37
2. Lee TS, Choi JY (2005) Volatile flavor components in mash of Takju prepared by using Aspergillus kawachii Nuruks. Korean J Food sci Technol, 37, 944-950
3. Cha JY, Park JC, Ahn HY, Eom KE, Park BK, Jun BS, Lee CH, Cho YS (2009) Effect of Monascus purpureus fermented Korean red ginseng powder on the serum lipid levels and antioxidative activity in rats. J Korean Soc Food Sci Nutr, 38, 1153-1160
4. Kim JS, Kim JY, Chang YE (2012) The quality characteristic and antioxidant properties of saccharified strawberry gruels. J Korean Soc Food Sci Nutr, 41, 752-758
5. Hwang IK, Yang JW, Kim JY, Yoo SM, Kim GC, Kim JS (2011) Quality characteristics of saccharified rice gruel prepared with different cereal koji. J Korean Soc Food Sci Nutr, 40, 1617-1622
6. Choi HS, Zhu MF, Kim CS, Lee JH (2003) Studies of name and herbal origins of Ha-Soo-Oh. Korean J Oriental Medicine, 9, 81-89

7. Tsukamoto S, Hayashi K, Mitsuhashi H (1985) Studies on the constituents of Asclepiadaceae plant. LX. Further studies on glycosides with a novel sugar chain containing a pair of optically isomeric sugars, D- and L-cymarose, from Cynanchum wilfordi. Chem Pharm Bull, 33, 2294-2304

8. Lee DU, Lee WC. 1997. An 5-lipoxygenase inhibitor isolatedfrom the roots of Cynanchum wilfordi hemsley. Korean J Pharmacogn, 28, 247-251

9. Lin CN, Huang PL, Lu CM, Yen MH, Wu RR (1997) Revised structure for five acetophenones from Cynanchum taiwanianum. Phytochem, 44, 1359-1363

10. Hwang BY, Kim YH, Ro JS, Lee KS, Lee JJ (1999) Acetophenones from the roots of Cynanchum wilfordii HEMSLEY. Arch Pharm Res, 22, 72-74

11. Yeo HS, Kim JW (1997) A benzoquinone from Cynanchum wilfordii. Phytochem, 46, 1103-1105

12. Lee DU, Shin US, Huh K (1996) Inhibitory effects of gagaminine, a steroidal alkaloid from Cynanchum wilfordi, on lipid peroxidation and aldehyde oxidase activity. Planta Med, 62, 485-487

13. Lee MK, Yeo HS, Kim JW, Markelenis GJ, Oh TH, Kim YC (2000) Cynandione A from Cynanchum wilfordii protects cultured cortical neurons from toxicity induced by H2O2, L-glutamate, and kainate. J Neurosci Res, 59, 259-264

14. Bae EA, Han MJ, Kim EJ, Kim DH (2004) Transformation of ginseng saponins to ginsenoside Rh2 by acids and human intestinal bacteria and biological activities of their transformants. Arch Pharm Res, 27, 61-67
15. Cho SI, Kim HW, Lee GJ (2006) Biological activites of extracts of fermented Camellia japonica leaf and flower. Kor J Herbology, 21, 55-62
16. Kim DS, Roh JH, Cho CW, Ma JY (2012) Analysis of nodakenetin from Samultangs fermented by lactose bacteria strains. Kor J Herbology, 27, 35-39
17. Kim SH, Lee JS, Park KS, Lee JS, Lee HW, Park S (1999) Liquid culture of Basidiomycetes on natural media. Korean J Mycol, 27, 373-377
18. Kim HS, Park IB, Lee YJ, Shin GW, Lim JY, Park JW, Jo YC (2010) Characteristic of Glasswort (Salicornia herbacea L.) mixture fermentation utilizing Aspergillu oryzae. J Korean Soc Food Sci Nutr, 39, 1384-1390
19. Liao W, Liu Y, Frear C, Chen S (2007) A new approach of pellet formation of a filamentous fungus-Rhizopus oryzae. Bioresour Technol, 98, 3415-3423
20. So MH, Lee YS (2010) Effects of culture conditions of Rhizopus sp. ZB9 on the production of organic acid during the preparation of rice koji. Korean J Food Nutr, 23, 70-75

21. Park HS, Kim BH, Choi HS, Kim JM, Kim MK (2010) Enzyme activity of Basidiomycetes products in each cereals. J Mushroom sci prod, 8, 102-108

22. Lee H, Kim YS, Kim DY, Kim SY, Lee WK, Lee SM, Park JD, Shon MY (2015) A study on manufacturing of red ginseng Makgeolli using the red ginseng starch and changes of physicochemical components of red ginseng Makgeolli during storage periods. Korean J Food Preserv, 22, 369-376

23. Park YS, Suh CS (1995) Change in soluble protein, free amino acid and starch of Jeungpyun dough during fermentation. Korean J Food Cook Sci, 11, 282-286

24. Lew ID, Park CK, Yu JY (1988) Interaction between Lactobacillus acidophilus and Kluyveromyces fragilis on the metabolism of amino acids in soymilk. J Microbiol Biotechnol, 16, 287-292

25. Youn Y, Jeon SH, Yoo JH, Jeong DY, Kim YS (2016) Quality characteristics of tangerine peel Soksungjang prepared from different koji strains. Korean J Food Preserv, 23, 117-126

26. Baek SY, Kim JS, Mun JY, Lee CH, Park YK, Yeo SH (2016) Quality characteristics of detoxified Rhus verniciflua vinegar fermented using different acetic acid bacteria. Korean J Food Preserv, 23, 347-354

27. 徐富一, 金相贊 共著. 本草集成. 木과土.2000. pp829-831.
28. 韓國生藥學敎授協議會 共編著. 本草學. 아카데미서적. 2002. pp797-800.
29. 辛民敎 著. 臨床本草學. 永林社. 2002. pp255-259.
30. 全國韓醫科大學本草學敎授協議會 共編著. 本草學. 永林社. 1998. pp583-584.
31. 이경순, 안덕균, 신민교, 김창민 共著. 完譯 中藥大辭典. 鼎談. 1997. pp4616-4622.
32. 陳存仁 著. 圖說韓方醫藥大事典. 송악. 1990. pp124-127.
33. 食品醫藥品安全廳 共著. 대한약전외 한약(생약) 규격집.
34. 食品醫藥品安全廳 共著. 韓藥材眞僞鑑別 圖鑑. 2004. 1-93. 1-94
35. 食品醫藥品安全廳 共著. 알기 쉬운 한약재 감별법. 2005. p.166. p.396.
36. 한대석 著. 生藥學. 동명사. 1988. pp233-234.
37. 韓國醫藥品試驗硏究所. 한약재감별주해. 대영출판사. 2003. pp471-473.
38. 배원식 : 대역 증맥 方藥合編. 남산당. 2000. pp205-206.
39. 권오석 著. 方藥合編. 고려문학사. 1991. p.88
40. 傳統醫學硏究所 編著. 本草藥材圖鑑. 성보사. 1994. pp430-431.
41. 裵基煥 著. 韓國의 藥用植物. 교학사. 2005. p.87.
42. 주성필 編著. 原色 韓國圖鑑. 아카데미서적. 2001. p.106.
43. 장상문, 노승현, 박선동 共著. 韓藥資源植物學.

학문출판(주). 1999. pp269-270.

44. 김형균, 김형민, 송봉근, 이언정, 정헌택 編譯. 韓藥의 藥理. 고려의학. 2000. pp112-113.

45. 박종희, 이정규 共著. 常用 藥用植物圖鑑. 신일상사. 2000. pp452-455.

46. 遠銘 主編. 本草綱目. 廣東科技出版社.1990. pp233-235.

47. 安德均 著. 原色 韓國本草圖鑑. 교학사. 2006. pp717-723.

48. 서부일, 변성희 共著. 國譯本草備要. 一中社도서출판. 2003. 제1권 p.236.

49. 진사탁 著. 노영균 譯者. 本草祕錄.辨證玉函. 문원도서출판. 2005. pp117-319.

50. 나민균 외 8명 共著. 何首烏의 품질평가. 생약학회지 3월호. 2000. pp335-339.

51. 李暎鍾. 孫永宗 共著. 何首烏가 고지혈증 흰쥐의 혈중지질 및 효소활성에 미치는 影響. 대한본초학회지. 1999;14(1)

52. 조재철 외 5명 共著. 한약 何首烏 복용 후 발생한 급성간염 1例. 대한내과학회지. 1999;56(6)

53. 서부일 著. 白首烏가 알콜 투여로 유발된 흰쥐의 고지혈증과 肝 손상의 예방에 미치는 影響. 대한본초학회지.2008;24(4)

54. 김민자 외 5명 共著. 白首烏(이엽우피소)의 무지주 재배방법에 따른 생육 및 수량. 韓藥作誌. 2005;13(6):268-272

55. 鄭銀津. 李炳桂. 丁明鉉 共著. 白首烏 엑스의 마우스 급성독성 및 흰쥐 아급성독성에 미치는 影響. 생약학회지. 1993;24(2):166-176

56. 김한수 著. 白何首烏 추출액이 고지혈증 및 Streptozotocin 유발 당뇨성 흰쥐의 혈청지질성분 및 효소활성에 미치는 影響. 한국가정과학학회지. 2004;7(2):1-11
57. 김태홍 외 5명 共著. 전북 진안지역 白何首烏에 발생하는 십자무늬긴노린재의 생활사. 한국응용곤충학회지. 2000;39(3):165-169.
58. 崔仁植 著. 白何首烏의 묘령에 따른 생육과 수량. 韓藥作誌. 1998;6(2):121-125
59. 신민교 著. 白鼠 간조직에 미치는 赤何首烏와 白何首烏의 效能에 관한 비교 연구. 생약학회지. 1985;16(2):81-92
60. 김호경 외 3명 共著. 白首烏와 何首烏의 패턴분석 연구. 생약학회지. 2003;34(4):278-281
61. 김민정 외 3명 共著. 何首烏와 白首烏가 난소적출로 유발된 흰쥐의 骨多孔症 豫防效果에 미치는 影響. 대한본초학회지. 2004;19(1):23-34
62. 김일출 著. 何首烏. 黃精 및 麻黃의 항산화성 및 美白效果. 한국유화학회지. 2008;25(4):533-538.
63. 김옥경 著. 何首烏 추출물의 血糖降下作用. 한국유화학회지. 2008;25(3):347-354
64. 정명헌 외 3명 共著. 何首烏가 白鼠의 實驗的 고지혈증에 미치는 影響. Kor. J. Pharmacogn. 1991;22(1)
65. 정명헌 외 3명 共著. 白首烏가 白鼠의 實驗的 고지혈증에 미치는 影響. Kor. J. Pharmacogn. 1991;22(1)

66. Kim MK, Lee JM, Do JS, Bang WS. 2015. Antioxidant activities and quality characteristics of omija (Schizandra chinesis Baillon) cookies. Food Sci Biotechnol 24: 931-937.
67. Chang GT, Kang SK, Kim JH, Chung KH, Chang YC, Kim CH. 2005. Inhibitory effect of the Korean herbal medicine, Dae-Jo-Whan, on platelet activating factor-induced platelet aggregation. J Ethnopharmacol 102: 430-439.
68. He XG, Lian LZ, Lin LZ. 1997. Analysis of lignan constituents from Schizandra chinensis by liquid chromatographyelectrospray mass spectrometry. J Chromatogr A 757: 81-87.
69. Ikeya Y, Taguchi H, Mitsuhashi H, Takeda S, Kase Y, Aburada M. 1988. A lignan from Schizandra chinensis. Phytochemistry 27: 569-573.
70. Kim HW, Shin JH, Lee MK, Jang GH, Lee SH, Jang HH, Jeong ST, Kim JB. 2015. Qualitative and quantitative analysis of dibenzocyclooctadiene lignans for the fruits of Korean "Omija" (Schisandra chinensis). Korean J Medicinal Crop Sci 23: 385-394.
71. Lee YM, Lee KS, Kim DK. 2009. Aqueous extract of Schizandra chinensis suppresses dextran sulfate sodium -induced generation of IL-8 and ROS in the colonic epithelial cell line HT-29. Nat Prod Sci 15: 185-191.
72. Park JH, Kim JH, Kim DH, Mun HC, Lee HJ, Seo SM, Paik KH, Ryu LH, Park JI, Lee HY. 2004. Comparison of immuno-stimulatory activities by purification process of

Schizandra chinensis Baillon fruits. Korean J Medicinal Crop Sci 12: 141-148.
73. Chae HJ, Hwang HI, Lee IS, Moon HY. 2005. Comparison of on rat intestinal digestive enzyme inhibitory activity and antioxidant enzyme activity of Korean and Chinese Schizandra chinensis. J Exp Biomed Sci 11: 517-523.
74. Heo JH, Park JG, Cheon HJ, Kim YS, Kang SS, Hung TM, Bae KH, Lee SM. 2006. Hepatoprotective activities of gomisin A and gomisin N. Kor J Pharmacogn 37: 294-301.
75. Kang MG, Kim YH, Im AR, Nam BS, Chae SW, Lee MY. 2014. Antidepressant-like effects of Schisandra chinensis Baillon water extract on animal model induced by chronic mild stress. Korean J Medicinal Crop Sci 22: 196-202.
76. Park SY, Choung SY. 1998. Inhibitory effect of schizandrin on nephrotoxicity of cisplatin. Kor J Environ Toxicol 13:125-131.
77. Oh SY, Kim YH, Bae DS, Um BH, Pan CH, Kim CY, Lee HJ, Lee JK. 2010. Anti-inflammatory effects of gomisin N, gomisin J, and schisandrin C isolated from the fruit of Schisandra chinensis. Biosci Biotechnol Biochem 74: 285-291.
78. Guo LY, Hung TM, Bae KH, Shin EM, Zhou HY, Hong YN, Kang SS, Kim HP, Kim YS. 2008. Anti-inflammatory effects of schisandrin isolated from the fruit of Schisandra chinensis Baill. Eur J Pharmacol 591: 293-299.

79. Kim MG, Lee CH, Lee HS. 2010. Anti-platelet aggregation activity of lignans isolated from Schisandra chinensis fruits. J Korean Soc Appl Biol Chem 53: 740-745.
80. Gu BH, Minh NV, Lee SH, Lim SW, Lee YM, Lee KS, Kim DK. 2010. Deoxyschisandrin inhibits H2O2-induced apoptotic cell death in intestinal epithelial cells through nuclear factor-κB. Int J Mol Med 26: 401-406.
81. Kwon DY, Kim DS, Yang HJ, Park S. 2011. The lignanrich fractions of Fructus Schisandrae improve insulin sensitivity via the PPAR-γ pathways in in vitro and in vivo studies. J Ethnopharmacol 135: 455-462.
82. Choi SR, Kim CS, Kim JY, You DH, Kim JM, Kim YS, Song EJ, Kim YG, Ahn YS, Choi DG. 2011. Changes of antioxidant activity and lignan contents in Schisandra chinensis by harvesting times. Korean J Medicinal Crop Sci 19: 414-420.
83. Kim KS, Park CG, Bang JK. 2003. Varietal and yearly differences of lignan contents in fruits of collected lines of Schizandra chinensis Baillon. Korean J Medicinal Crop Sci 11: 71-75.
84. Kim KS, Park CG, Ryu SN, Bang JK, Lee BH. 2000. Schizandrin, oil compounds, and their extraction yield in fruits of Schizandra chinensis Baillon. Korean J Crop Sci 45: 158-162.
85. Ryu IH, Kwon TO. 2012. The antioxidative effect and ingredients of oil extracted from Schizandra chinensis seed.

Korean J Medicinal Crop Sci 20: 63-71.
86. Choi YH. 2015. Apoptotic cell death of human leukemia U937 cells by essential oil purified from Schisandrae semen. J Life Sci 25: 249-255.
87. Suh WS, Park SY, Min BS, Kim SH, Song JH, Shim SH. 2014. The antiproliferative effects of compounds isolated from Schisandra chinensis. Korean J Food Sci Technol 46: 665-670.
88. AOAC. 1995. Official methods of analysis. 16th ed. Association of Official Analytical Chemists, Washington, DC, USA.p 69-74.
89. Kim Y, Ha N, Han SH, Jeon JY, Hwang M, Im YJ, Lee SY, Chae SW, Kim MG. 2013. Confirmation of schizandrin as a marker compound in Jangsu Omija powder. J Korean Soc Food Sci Nutr 42: 244-248.
90. RDA. 2011. Food Composition Table 8th Revision. National Rural Living Science Institute, Rural Development Administration, Suwon, Korea. Vol Ⅱ, p 94-117.
91. Kim KI, Nam JH, Kwon TW. 1973. On the proximate composition, organic acids and anthocyanins of Omija, Schizandra chinensis Baillon. Korean J Food Sci Technol 5: 178-182.
92. Lee JH, Lee YK, Park YH, Cho JY, Lee KS. 2009. Analysis of malic acid and citric acid in Schizandra chinensis Baillon. Abstract No Ⅱ-15 presented at Symposium and Spring Meeting of the Korean Society of Medicinal Crop